Découvrir le Mac, Snow Leopard & Internet

POUR LES NULS

Découvrir le Mac, Snow Leopard & Internet POUR LES NULS

David Pogue

Découvrir le Mac, Snow Leopard & Internet pour les Nuls

Publié par Wiley Publishing, Inc.
111 River Street
Hoboken, NJ 07030-5774
USA

Edition française publiée en accord avec Wiley Publishing, Inc.
© 2010 Éditions First
60 rue Mazarine
75006 Paris - France
Tél. 01 45 49 60 00
Fax 01 45 49 60 01
E-mail : firstinfo@efirst.com
Web : www.editionsfirst.fr
ISBN : 978-2-7540-1673-5
Dépôt légal : 1er trimestre 2010

Collection dirigée par Jean-Pierre Cano
Edition : Pierre Chauvot
Traduction : Bernard Jolivalt

Imprimé en France

Sommaire

Introduction

Vous débarquez dans le monde du Mac ? Vous êtes un vieux de la vieille ? Qu'importe. Ce livre a pour ambition d'être un outil efficace entre toutes les mains, néophytes ou expertes.

À propos de cet ouvrage

Nous avons résolument opté pour la modernité et décidé d'axer cet ouvrage sur la toute nouvelle version OS X 10.6 du système d'exploitation d'Apple : Snow Leopard, le léopard des neiges, ou once (*Panthera Uncia* pour les intimes), qui vit dans l'Himalaya. C'est un animal qui n'est pas laid.

OS sont les initiales de *Operating System* ("système d'exploitation", autrement dit le logiciel qui fait fonctionner l'ordinateur) et X est le chiffre romain indiquant qu'il s'agit de la version 10. C'est surtout au niveau de la programmation interne, extrêmement sophistiquée, que Snow Leopard se distingue de la concurrence. Jugez par vous-même : alors que les autres ordinateurs gèrent une mémoire vive maximale de 4 giga-octets (quatre pauvres milliards d'octets), Snow Leopard, grâce à son codage sur 64 bits au lieu de 32, est capable de prendre en charge jusqu'à 16 exaoctets de mémoire vive, soit 16 milliards de giga-octets. Excusez du peu...

La plupart des chapitres de ce livre sont consacrés à l'étude de Mac OS 10.6 :

- La première partie décrit son environnement et son interface (Bureau, menus, fenêtres, icônes, Dock et accès à l'aide).
- La deuxième vous explique comment, sous Mac OS X, mener des actions de base telles que l'enregistrement, l'ouverture et l'impression. Elle décrit également en détail les différentes techniques de gestion des fichiers, des dossiers et des disques.

- La troisième, enfin, va plus loin : elle détaille les principaux composants de l'ordinateur, plus concrètement ses dossiers Applications et Utilitaires. Elle passe ensuite en revue les paramétrages auxquels vous avez accès (les Préférences Système). Puis, elle vous aide à comprendre l'architecture des comptes utilisateurs et à découvrir leurs subtilités. Finalement, elle vous explique comment faire tourner ceux de vos programmes pour lesquels la version optimisée Mac OS X n'est pas encore disponible.

C'est donc à un véritable voyage initiatique avec Mac OS X que nous vous convions (le léopard des neiges rôde en effet autour des lamasseries tibétaines).

L'Internet faisant désormais partie du quotidien de quiconque possède un ordinateur, nous lui consacrons toute la cinquième partie de ce livre.

Mais nous voici déjà au seuil d'une autre nouvelle ère, celle de l'ordinateur personnel "intégrateur numérique". De fait, les fabricants commercialisent à tout va caméscopes, appareils photo numériques, téléphones portables, assistants personnels et autres baladeurs MP3. Ces formidables outils communicants ont fait de nous des individus numériques qui ont souvent bien du mal à gérer ces flux énormes d'informations en tous genres. C'est ici que le Mac, allié indéfectible, trouve une fois de plus sa place, s'imposant en véritable chef d'orchestre de ce "*digital lifestyle*" – mode de vie numérique – dont Steve Jobs, en visionnaire averti, a eu la prémonition.

Certes, plusieurs de ces appareils sont parfaitement capables de fonctionner seuls. Mais le Mac, transformé pour l'occasion en port d'attache de ces périphériques à vocation nomade, trouve là un nouveau souffle.

Comment, en effet, transférer ses CD audio sur baladeur MP3, sauvegarder, en lieu sûr, le répertoire de son téléphone mobile, récupérer des données numériques éparses, comme des photos ou des séquences filmées, pour les intégrer à des réalisations multimédias faites maison ?

Le Mac possède toutes les ressources techniques nécessaires pour assumer avec brio ce rôle de point de référence, de centralisateur de données numériques textuelles, sonores et visuelles.

Côté logiciel, tout est prêt ; les Chapitres 16 et 17 vous décrivent d'ailleurs deux applications classiques : iWork09 et iPhoto pour la gestion des photos.

Enfin, nous terminons par les désormais classiques "dix commandements.

Nous avons cherché, en toute circonstance, à adopter un langage clair et concis, nous appliquant à décrire les procédures le plus simplement et le plus précisément possible. Nous espérons avoir atteint notre but.

Conventions

Familiarisez-vous dès à présent avec les quelques conventions utilisées dans cet ouvrage et grâce auxquelles vous naviguerez plus aisément parmi les différentes sections qui le constituent :

- Lorsque nous vous engageons à sélectionner une commande dans un menu, nous nous exprimons comme suit : "Choisissez Fichier/Ouvrir", ce qui, en clair, signifie "Déroulez le menu Fichier et validez-y la commande Ouvrir".
- Nous affichons en gras les caractères que vous êtes censé taper au clavier.
- Il arrive que des phrases entières apparaissent en gras. Il s'agit, en général, des différentes étapes d'une procédure. Dans ce cas, nous présentons en maigre les caractères que vous êtes censé saisir.
- Les adresses Web et autres éléments qui s'affichent à l'écran apparaissent dans une police différente de celle du texte courant.
- Lorsque nous évoquons la touche ⌘, nous faisons référence à cette touche identifiée par une pomme ou par un trèfle, située à gauche et à droite de la barre d'espacement.
- La touche Option, pour sa part, est à gauche de la touche ⌘ de gauche et à droite de la touche ⌘ de droite. (NdT : son nom est celui qu'elle portait sur les Macintosh d'anciennes générations, mais il est resté dans la littérature technique, bien que sur les claviers, elle soit intitulée... Alt, comme sur les PC !)
- Nous faisons régulièrement référence au menu Pomme ; il s'agit du menu situé à l'extrémité gauche de la barre des menus et symbolisé par une... pomme (*Apple* en anglais, *of course*) !
- Enfin, quand nous vous signalons qu'il existe un raccourci clavier pour telle ou telle action ou commande, nous vous indiquons de la manière suivante les touches qui le constituent : "⌘ + Z", par exemple, signifie que vous devez enfoncer la touche ⌘ et la maintenir dans cette position tandis que vous activez

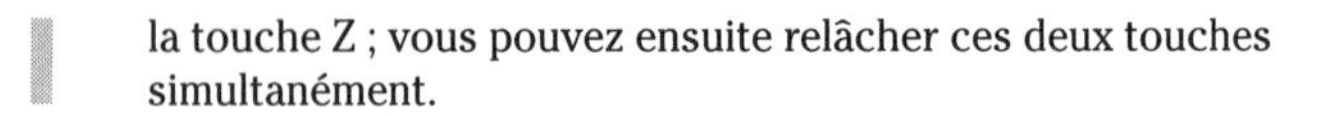
la touche Z ; vous pouvez ensuite relâcher ces deux touches simultanément.

Icônes

Des icônes placées dans la marge attireront régulièrement votre attention. Sachez les identifier :

Astuce qui vous permettra, dans bien des circonstances, d'économiser un temps précieux.

Point à prendre impérativement en considération.

Vous avez envie de savoir ce qui a changé par rapport à Leopard (celui des savanes africaines) ? Suivez ces icônes à la trace !

Et maintenant, que faisons-nous ?

Vous aimez faire les choses dans l'ordre ? Installez-vous confortablement et entamez votre lecture au Chapitre 1.

Vous préférez vagabonder et vous informer directement sur tel ou tel sujet ? Bondissez sans plus attendre, comme le léopard des neiges, sur la section qui vous intéresse.

Dans un cas comme dans l'autre, nous vous souhaitons une excellente lecture.

Première partie

Faire connaissance avec Mac OS X

"Pensez-vous ma chère Irma qu'après Jaguar, Panther, Tiger et Leopard, il vont nous faire le coup du Rhinocéros ?"

Dans cette partie...

Avant de partir à la découverte des fonctionnalités inédites de Mac OS X, vous devez apprendre à mener les actions de base que sont la mise en route de l'ordinateur, le contrôle des éléments de l'environnement et l'appel à l'aide.

Vous devez ensuite découvrir en détail les différents éléments qui constituent son interface novatrice. Nous décrirons, dans l'ordre, le Bureau, les menus, les fenêtres, les icônes et le Dock.

Prenez donc votre mal en patience et faites les choses avec méthode, une fois n'étant pas coutume.

Chapitre 1

Découvrir l'environnement

Dans ce chapitre :

- Installer.
- Allumer.
- Décomposer la séquence de démarrage.
- Trouver ses repères.
- Découvrir l'interface.
- Maîtriser les techniques souris.
- Éteindre.

Mac OS X n'est pas encore installé sur votre poste de travail ? Commencez donc par cette étape incontournable.

Apprenez ensuite à démarrer le Mac et suivre pas à pas les différentes étapes de sa mise en route.

Découvrez alors l'interface du système d'exploitation.

Terminez par la familiarisation avec les techniques de souris. Car, si vous ne les maîtrisez pas, vous n'irez pas bien loin.

Finalement, éteignez le Mac et vaquez à d'autres occupations.

Allumer

Pour accéder au Mac, vous devez d'abord l'allumer.

Ici, une seule règle : consultez le manuel que vous avez reçu avec votre ordinateur afin de localiser le bouton de mise en service.

Apple a cherché à simplifier la vie des utilisateurs, dotant ses appareils de boutons et d'interrupteurs placés sur la face avant, sur le côté, sur l'arrière de l'unité centrale, voire sur le clavier ou même à l'écran.

Ces dispositifs sont si nombreux que nous ne pouvons les commenter tous, à moins de leur consacrer un chapitre entier.

Installer

Si votre ordinateur est neuf, Mac OS X est déjà installé. Cette section n'a donc, apparemment, aucune raison d'être.

Mais si vous possédez le Mac depuis quelque temps, et que Mac OS X Leopard est installé, vous serez sans doute tenté de le mettre à niveau vers Mac OS X Snow Leopard (la preuve : vous avez acheté ce livre).

Il vous arrivera aussi de devoir réinstaller Mac OS X en cas de dysfonctionnement majeur (NdT : C'est vraiment en tout dernier recours qu'il faut en arriver à cette pénible et fastidieuse extrémité. Depuis plusieurs années que je martyrise des Mac, cela ne m'est jamais arrivé).

Avant de réinstaller un système propre, assurez-vous que vous avez tout tenté pour résoudre les problèmes dont souffre votre ordinateur ; voyez à ce propos le Chapitre 27, intitulé "Réagir dans les situations désespérées". Ne réinstallez qu'en dernier recours.

Choisir les modalités

Deux scénarios sont envisageables :

- **Installer Mac OS X 10.6 sur Mac OS X 10.5** : Si Mac OS X Leopard est détecté, la nouvelle version Snow Leopard est automatiquement installée par-dessus son prédécesseur, qui est ainsi mis à niveau.
- **Installer Mac OS X 10.6 à partir de zéro** : Cette installation est démarrée lorsque le disque dur ne contient aucune version de Mac OS X. C'est le cas après un formatage du disque dur principal.

La configuration système suivante est requise pour Snow Leopard :

- Processeur Intel (cliquez sur le menu Pomme et choisissez À propos de ce Mac pour savoir si votre ordinateur est équipé d'un processeur Intel. Le processeur PowerPC des anciens Mac n'est pas utilisable).

- Mémoire vive (RAM) de 1 giga-octet ou plus.
- 5 giga-octets disponibles sur le disque dur.
- Un lecteur de DVD pour lire le disque d'installation.

Pour en savoir plus, rendez-vous sur le site Web d'Apple, à l'adresse `www.apple.com/fr/macosx/`.

Lancer l'installation

Votre Mac contient une version antérieure de Mac OS X ? Voici comment la mettre à niveau avec le DVD de Snow Leopard :

1. **Introduisez le DVD Mac OS X Snow Leopard dans le lecteur de CD.**
2. **Cliquez sur l'icône Installation Mac OS X.**

   Vous pouvez aussi redémarrer le Mac en maintenant la touche C enfoncée pendant que le DVD est dans le lecteur. Mais pourquoi faire compliqué ?
3. **Une première fenêtre apparaît. Choisissez-y la langue d'utilisation principale – le français en l'occurrence –, puis cliquez sur le bouton fléché pour continuer.**
4. **L'écran Installer Mac OS X s'affiche ; cliquez sur Continuer.**
5. **Prenez connaissance du contrat de licence – plusieurs pages de littérature procédurière concoctées par de vétilleux juristes états-uniens –, puis cliquez sur Accepter.**
6. **Dans la fenêtre proposant de sélectionner le disque sur lequel vous souhaitez installer Mac OS X, cliquez sur l'icône du disque sur lequel vous désirez installer le nouveau système d'exploitation.**
7. **(Facultatif mais important) Cliquez sur Personnaliser.**

   La fenêtre qui vous est alors soumise propose plusieurs options :

   - **Logiciels système essentiels :** Il s'agit en fait de Mac OS X Snow Leopard. La case est cochée et l'option en étant grisé, vous ne pouvez pas la modifier. À quoi bon d'ailleurs, puisque c'est bien Snow Leopard que vous désirez installer ?

- **Prise en charge des imprimantes :** Cliquez sur la petite flèche à gauche pour sélectionner les imprimantes utilisables (utilisées par ce Mac, à proximité et fréquemment utilisées ou toutes les imprimantes disponibles).
- **Polices supplémentaires :** Il s'agit des polices utilisées par l'option Langues, juste en dessous : coréen, cyrillique, japonais, chinois...
- **Langues :** Cliquez sur la petite flèche à gauche pour sélectionner les langues, parmi les 17 de la liste, dans lesquelles vous êtes susceptible de communiquer.
- **X11 :** Ce terme mystérieux est celui d'un système de création de fenêtres indispensable à certains logiciels. Auparavant, il fallait l'installer soi-même.
- **Rosetta :** Il s'agit d'un logiciel qui convertit automatiquement les applications programmées pour les anciens Mac à processeur PowerPC en applications capables de tourner sur le processeur Intel de votre Mac. Il est recommandé d'activer cette option si vous utilisez des logiciels un peu anciens (trois ou quatre ans).
- **Quicktime 7 :** Snow Leopard utilise la nouvelle version QuickTime X. Si vous possédez des fichiers multimédia à des formats anciens, abandonnés par QuickTime X, il peut être utile de cocher cette option.

Cliquez ensuite sur OK pour quitter la liste d'options personnelles.

8. **Cliquez sur Installer.**

Et patientez, car le Mac mouline pendant une demi-heure à trois quarts d'heure. Une barre de progression indique l'avancement de la procédure.

Au bout de quelques minutes, l'écran s'éteint à plusieurs reprises, et parfois fort longtemps. C'est normal. Ne cédez surtout pas à la tentation de redémarrer le Mac. Laissez l'installation se poursuivre quoi qu'il arrive, sans toucher à rien.

L'installation terminée, l'ordinateur redémarre spontanément puis l'Assistant Réglages prend la main.

Dialoguer avec l'Assistant réglages

L'installation terminée, l'Assistant réglage apparaît (voir Figure 1.1). Les options qu'il propose sont en réalité une découverte de quelques fonctionnalités de Mac OS X Snow Leopard que vous pouvez visionner ou non. Cliquez éventuellement sur Continuer pour vérifier ou modifier les informations mentionnées dans les étapes ci après.

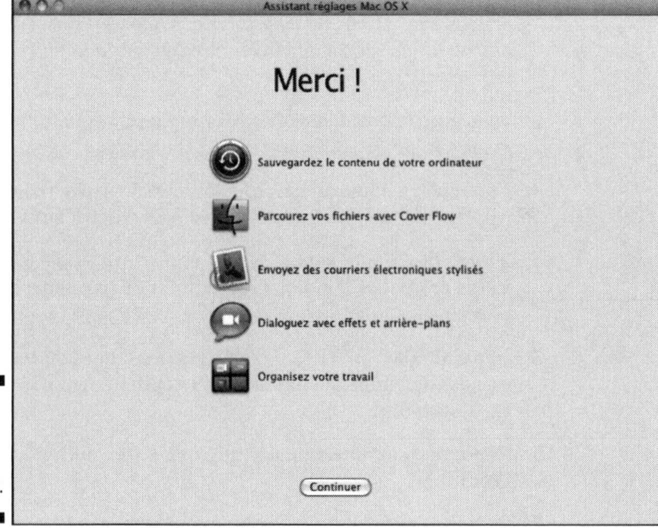

Figure 1.1 : Les choses sérieuses commencent.

Si vous avez procédé à une mise à niveau, et non à une installation complète, et que le Mac est connecté à Internet, un panneau vous prévient peut-être que des mises à jour sont disponibles. Mac OS X évolue sans cesse et, depuis que le DVD d'installation a été pressé, une version améliorée est apparue. Installez la mise à jour.

Si vous avez installé Mac OS X Snow Leopard à partir de zéro, le Mac aura impérativement besoin d'informations complémentaires :

1. **Commencez par indiquer votre pays, puis cliquez sur Continuer.**

   Si ce pays ne figure pas dans la liste, activez l'option Tout afficher pour accéder à d'autres choix.

2. **Il affiche ensuite sa fenêtre de personnalisation des réglages. Sélectionnez un clavier, puis cliquez sur Continuer.**

Si nécessaire, utilisez l'option Tout afficher pour répertorier d'autres claviers.

Dans le jargon du Mac, un clavier numérique est un clavier équipé, à droite, d'un pavé servant à saisir des chiffres (le bonheur des comptables).

3. **Si vous possédez déjà un Mac, vous pouvez transférer des informations. Cliquez sur Continuer.**

   Si vous avez choisi de transférer des informations, l'Assistant affiche des écrans supplémentaires en fonction du type de transfert sélectionné.

   Vous avez la possibilité de transférer les informations ultérieurement à l'aide de l'utilitaire Assistant migration.

4. **Une fenêtre apparaît qui vous permet de saisir vos identifiants Apple. Saisissez les informations, puis cliquez sur Continuer.**

   Il s'agit des identifiants que vous utilisez sur Apple Store. Vous n'êtes pas obligé d'indiquer ces informations, même si vous possédez un identifiant.

5. **Apparaît alors la fenêtre d'enregistrement. Remplissez les cases (nom, adresse, numéro de téléphone, etc.), puis cliquez sur Continuer.**

6. **Répondez aux questions supplémentaires, puis cliquez sur Continuer.**

7. **Dans la fenêtre Créer un compte, entrez, dans les cases correspondantes, votre nom, votre nom abrégé, votre mot de passe, sa confirmation ainsi qu'un indice qui vous permettra de retrouver facilement cette clé d'accès ; cliquez ensuite sur Continuer.**

   Sachez que toutes ces cases sont dotées d'une notice explicative, au cas où vous ne comprendriez pas très bien ce qu'on attend de vous.

   Ce compte initial bénéficiera automatiquement du statut d'administrateur du Mac.

8. **Sélectionnez une image pour le compte en utilisant l'éventuelle caméra intégrée à votre ordinateur ou en sélectionnant une image dans la bibliothèque ; cliquez ensuite sur Continuer.**

9. **La fenêtre suivante vous propose de vous abonner à MobileMe. Effectuez une sélection puis cliquez sur Continuer.**

Par défaut, l'assistant vous propose de vous abonner pour 79 euros par an (pack individuel) ou 119 euros par an (pack familial).

10. **Si vous avez choisi de ne pas vous abonner, l'assistant vous propose d'essayer gratuitement MobileMe pendant 60 jours. Faites votre choix, puis cliquez sur Continuer.**

    L'essai de MobileMe est gratuit, mais Apple exige néanmoins vos coordonnées bancaires. Si vous oubliez de renoncer à l'offre avant son échéance, vous serez abonné d'office. Pensez-y.

11. **Dans cette dernière fenêtre, cliquez sur Continuer.**

    L'Assistant s'éclipse et le Bureau s'affiche. Vous avez mené à bien l'installation de Mac OS X Snow Leopard.

La séquence de démarrage

Lorsque vous enfoncez le bouton de démarrage, vous déclenchez une série d'événements qui aboutissent normalement au chargement de Mac OS X et à l'affichage du Bureau.

Dès qu'il est allumé, le Mac teste sa mémoire vive, ou RAM (*Random Access Memory,* "mémoire à accès aléatoire"), le ou les disques durs, les ports (USB, clavier...), ses connexions, etc. Si tout va bien, Mac OS X démarre et affiche le traditionnel logo gris à la pomme ainsi qu'une sorte de roue indiquant que l'ordinateur exécute encore quelques tâches d'intendance avant d'être complètement opérationnel.

Il se peut que le Mac vous demande votre nom et votre mot de passe. C'est notamment le cas s'il a été configuré pour plusieurs utilisateurs et si l'ouverture automatique de session a été désactivée. Dans ce cas, exécutez-vous.

Il se peut aussi que, pour une raison ou pour une autre, le Mac ne parvienne pas à mener la procédure de démarrage à son terme.

Trouver ses marques

Si tout se déroule comme prévu, vous parvenez enfin au Bureau, véritable tour de contrôle de votre Mac. Une barre des menus se trouve en haut. Dans le coin en haut à droite réside l'icône du disque dur. Une barre en forme d'étagère contenant des icônes se trouve en bas : c'est le Dock. Nous détaillerons tous ces éléments dans les chapitres suivants.

Le look général du Mac porte le doux nom d'interface *Aqua*, caractérisée par ses menus transparents, les ombres portées, le déplacement des fenêtres ainsi que de leur contenu, etc.

Vous voulez être sûr que vous évoluez bien sous Mac OS X version 10.6 ? Choisissez À propos de ce Mac dans le menu Pomme et consultez le panneau que montre la Figure 1.2.

Figure 1.2 : C'est bien Mac OS X 10.6, le félin des neiges.

Maîtriser la souris

Vous êtes pressé d'utiliser votre Mac ? Il vous faut d'abord apprendre à maîtriser ce périphérique incontournable qu'est la souris.

La souris sert tout le temps. Ou presque. Détaillons les actions quelle permet d'effectuer :

- **Pointer** : Pointer, c'est désigner avant d'agir. Posez votre main sur la souris, puis faites-la glisser jusqu'à amener le pointeur sur l'objet sur lequel vous désirez agir ; il peut s'agir d'un titre de menu (que vous voulez dérouler), d'une icône (que vous voulez ouvrir), d'un bouton (que vous voulez activer).
- **Cliquer** : Enfoncez une fois le bouton de votre souris avec votre index (à moins qu'il ne s'agisse de la nouvelle souris optique d'Apple, auquel cas c'est la structure tout entière que vous enfoncez puisque cette souris est dépourvue de bouton). Vous cliquerez pour dérouler les menus, activer les icônes ou valider les boutons présélectionnés. Certains modèles de souris, dont la

Mighty Mouse d'Apple, comportent un bouton droit qui permet d'effectuer un clic droit. Lorsque vous utilisez une souris à bouton unique (ou un Macbook), vous effectuez le clic droit en appuyant sur la touche Ctrl et en cliquant (Ctrl + clic). Dans cet ouvrage, il est donc question de Ctrl + clic et non de clic droit.

- **Double-cliquer** : Il s'agit d'enfoncer le bouton de la souris deux fois consécutivement. Prenez garde : si le laps de temps qui s'écoule entre le premier et le second clic est trop long, le système interprète votre action comme deux simples clics successifs. Double-cliquez pour ouvrir un dossier, pour lancer un programme, pour accéder à un document.

- **Cliquer-glisser** : L'opération s'effectue en deux temps : d'abord cliquer, ensuite glisser, bouton de la souris enfoncé. Imaginons que, depuis votre traitement de texte, vous souhaitiez sélectionner une partie de votre document. Cliquez à l'endroit où la sélection doit démarrer, enfoncez le bouton de la souris et maintenez-le dans cette position, puis faites glisser jusqu'à l'endroit où la sélection doit prendre fin. Relâchez alors le bouton de votre souris.

Éteindre

Vous avez terminé votre travail ? Éteignez le Mac.

Éteindre carrément

Pour mettre fin à votre séance de travail, choisissez la commande Éteindre du menu Pomme. Ou alors, sur certains Mac, appuyez brièvement sur la touche d'allumage. Dans les deux cas, un panneau vous demande de confirmer l'extinction de l'ordinateur.

Évitez de mettre l'ordinateur hors circuit autrement que par cette commande, sauf lorsque vous ne pouvez vraiment pas faire autrement : l'écran se fige, le système se bloque, toute action devient impossible.

Si cela arrive, sachez qu'au redémarrage le Mac tentera, pendant la procédure de mise en service, de réparer les dégâts causés par votre extinction sauvage.

Mettre en veille

Si vous ne quittez le Mac que pour quelques heures, inutile de l'éteindre : il suffit de le mettre en veille.

Utilisez à cette fin la commande Suspendre l'activité du menu Pomme. L'ordinateur se met en veille, l'écran s'éteint et le voyant de mise sous tension peut clignoter pour indiquer l'état de mise en veille.

Trois éléments sont ici paramétrables : le choix de l'image qui s'affiche pendant l'inactivité, le délai au-delà duquel le Mac suspend automatiquement son action et, finalement, les coins depuis lesquels vous pouvez activer ou désactiver la mise en veille.

Voyons cela en détail.

1. **Choisissez Pomme/Préférences Système ou cliquez sur l'icône correspondante du Dock.**

   La fenêtre Préférences Système s'ouvre.

2. **Dans la rubrique Personnel, cliquez sur Bureau et éco. d'écran.**

   Dans la fenêtre Préférences Système, un seul clic suffit exceptionnellement à activer les icônes.

   La fenêtre Bureau et économiseur d'écran s'affiche ; activez si nécessaire l'onglet Économiseur d'écran (Figure 1.3).

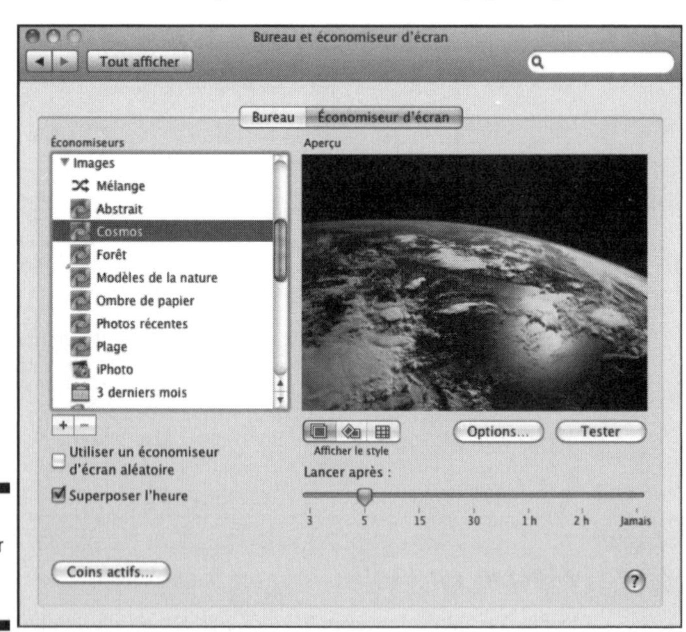

Figure 1.3 : Il y en a pour tous les goûts.

3. **Sélectionnez un économiseur dans la liste de gauche.**

   Vous n'êtes pas limité aux options prédéfinies de la liste. Les commandes MobileMe et RSS, Dossier Images et Choisir un dossier ouvrent des tas de possibilités.

4. **Cliquez sur Tester pour voir l'économiseur en action.**

   Pour interrompre le test, appuyez sur n'importe quelle touche du clavier ou cliquez.

5. **Réglez la glissière Lancer après pour fixer le délai au terme duquel l'économiseur entrera en action.**

   L'option Utiliser un économiseur d'écran aléatoire laisse au Mac le choix de l'économiseur, qu'il sélectionne au hasard chaque fois que la fonction est déclenchée.

   La case Superposer l'heure, lorsqu'elle est cochée, affiche l'heure à l'écran lorsque l'économiseur d'écran est activé.

6. **Cliquez sur le bouton Coins actifs.**

   Une fenêtre s'affiche (Figure 1.4), permettant de définir le ou les coins dans lesquels le pointeur activera ou désactivera l'économiseur d'écran.

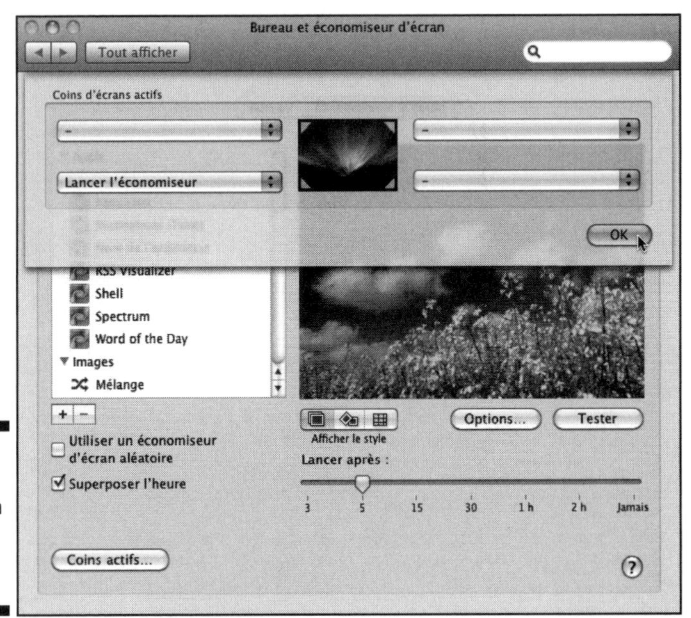

Figure 1.4 : Définissez l'action de la souris dans les coins de l'écran.

7. **Cliquez sur OK pour fermer le sélecteur.**

8. **Quittez les préférences système en cliquant dans la case de fermeture de la fenêtre Bureau et économiseur d'écran.**

Chapitre 2
Le Bureau

Dans ce chapitre :

- Se repérer.
- Modifier l'arrière-plan.

D'une manière générale, c'est ici que tout commence et que tout finit. C'est l'endroit où vous vous trouvez avant d'être allé où que ce soit ; c'est aussi celui où vous vous retrouvez quand vous quittez vos programmes.

C'est la plaque tournante de votre environnement : vous y gérez vos fichiers, stockez vos documents, lancez vos programmes, paramétrez vos outils, etc.

Se repérer

Détaillons ses composants (Figure 2.1) :

Le Bureau est constitué de divers éléments :

- **Le Bureau lui-même** : C'est l'arrière-plan de votre écran, qui s'étend derrière les éventuelles fenêtres ouvertes ainsi que derrière le Dock.
- **La barre de menus** : Les *menus* sont des groupes de commandes grâce auxquelles vous menez des actions. Ils sont traités dans le chapitre suivant.
- **Les fenêtres** : Quand vous cliquez deux fois sur l'icône de votre disque dur, identifiée par exemple par la mention Macintosh HD, l'icône s'ouvre sous la forme d'une fenêtre. Nous y reviendrons au Chapitre 4.

Figure 2.1 : Le Bureau de Mac OS X avec son bel arrière-plan galactique Leo-pard Aurora.

- **Le Dock** : C'est l'outil de navigation simplifiée du Finder. Grâce à lui, vous accédez directement aux icônes les plus sollicitées (dossiers, documents, programmes) sans devoir ouvrir des fenêtres. L'avant-dernier chapitre de cette première partie lui est consacré.

Modifier l'arrière-plan

L'arrière-plan Leopard Aurora activé par défaut ne vous plaît pas ? Aucun problème : sélectionnez-en un autre.

1. **Choisissez Pomme/Préférences Système ou activez l'icône correspondante du Dock.**

   La fenêtre Préférences Système s'affiche.

2. **Dans la rubrique Personnel, cliquez sur l'icône Bureau et éco. d'écran.**

   Nous vous rappelons que dans cette fenêtre un seul clic suffit exceptionnellement à activer les icônes.

3. **Cliquez, si nécessaire, sur l'onglet Bureau (Figure 2.2).**

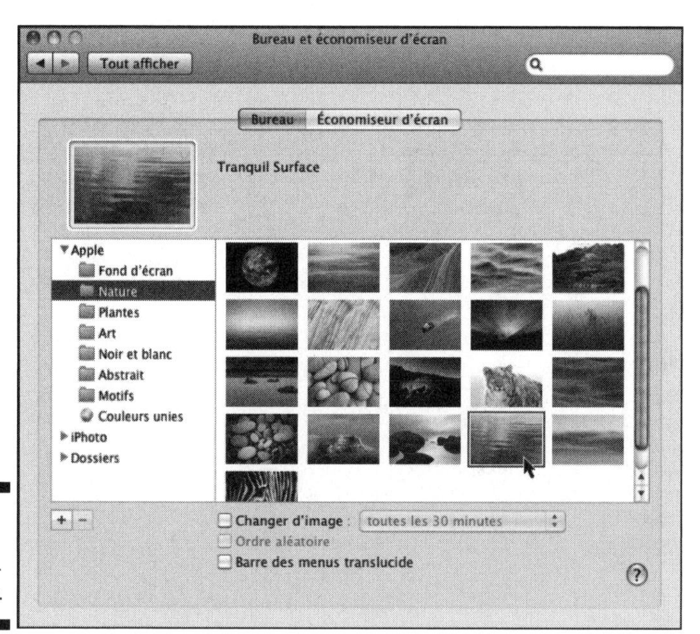

Figure 2.2 : Vous n'avez que l'embarras du choix.

4. **Dans la liste de gauche, choisissez une catégorie d'arrière-plans prédéfinis et faites votre choix à droite. Ou alors, cliquez sur le bouton triangulaire à gauche de Dossiers, puis sur Images, afin d'accéder au contenu de votre dossier Images, puis choisissez un arrière-plan. Ou encore cliquez sur iPhoto (pour accéder à vos photos) et sélectionnez l'image de votre choix (Figure 2.3). Elle apparaît aussitôt sur la totalité de l'écran.**

   Les arrière-plans se trouvent dans des dossiers, où les images sont regroupées par types, auxquels vous pouvez ajouter les vôtres.

5. **Quittez les préférences système en cliquant dans la case de fermeture de la fenêtre.**

Snow Leopard permet d'utiliser instantanément, comme arrière-plan, n'importe quelle image que vous rencontrez dans votre disque dur. Voici comment :

1. **Cliquez sur l'icône Finder, dans le Dock.**

2. **Cliquez sur le dossier Images, dans la barre latérale du Finder.**

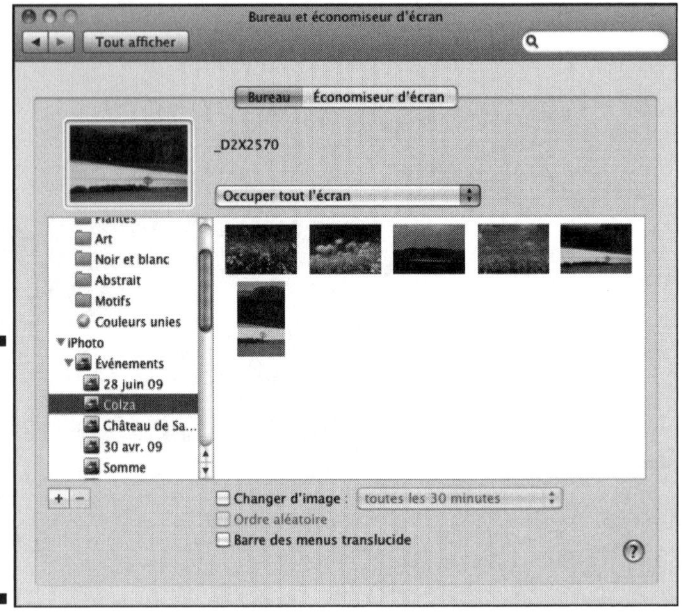

Figure 2.3 : Choisissez un arrière-plan parmi n'importe quelle image présente dans votre ordinateur.

C'est généralement là que vous stockez vos photos (sauf si elles ont été importées avec le logiciel iPhoto, auquel cas la procédure est plus compliquée).

3. **Trouvez la photo à utiliser comme arrière-plan, puis cliquez dessus, touche Ctrl enfoncée.**

4. **Dans le menu qui apparaît, choisissez l'option Choisir l'image du bureau, tout en bas de la liste de commandes.**

   La photo est instantanément utilisée comme arrière-plan.

Chapitre 3

Les menus

Dans ce chapitre :

- Dérouler les menus.
- Examiner leur contenu.
- Détailler les menus du Finder.

Les menus sont regroupés dans le haut de l'écran, dans une barre appelée... *barre de menus*. Apprenez à les utiliser efficacement.

Dérouler les menus

Les menus de Mac OS X sont dits *déroulants*, car ils se déroulent à la manière d'un store dès que vous cliquez dessus avec le pointeur de la souris (Figure 3.1).

Les menus dits contextuels

En marge des menus principaux, il existe des menus dits "contextuels", qui se déroulent dans la fenêtre, à l'emplacement du pointeur.

Ces menus sont ainsi nommés parce leur contenu varie selon l'élément sur lequel vous avez cliqué, généralement par un Ctrl + clic. La Figure 3.2 montre le menu contextuel d'une icône de document.

La plupart des applications proposent également ce type de menu. Aussi n'hésitez pas à Ctrl + cliquer sur tout ce qui se présente. Le plus souvent, un menu contextuel se déroulera, vous dispensant de voyager jusqu'à la barre des menus pour exécuter telle ou telle commande.

Figure 3.1 : Le menu Fichier du Finder vient d'être déroulé.

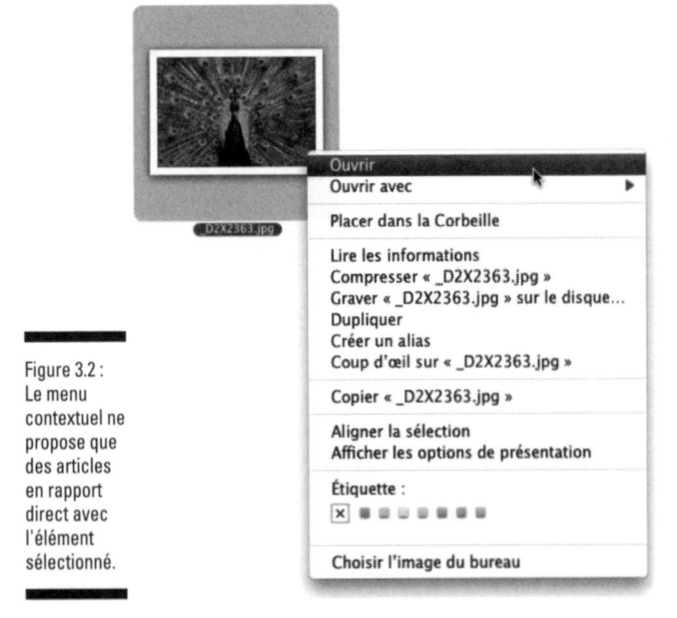

Figure 3.2 : Le menu contextuel ne propose que des articles en rapport direct avec l'élément sélectionné.

Une fois déroulé, un menu le reste tant que vous ne choisissez pas une commande ou ne cliquez pas hors de lui. Il se referme lorsque vous sélectionnez un article ou quand vous maintenez la souris enfoncée trop longtemps sans prendre de décision (une quinzaine de secondes environ).

Examiner le contenu d'un menu

Les menus regroupent des commandes. Mais toutes ne se présentent pas forcément sous le même aspect. Voyons de quoi il retourne.

Les commandes

Certains articles apparaissent parfois en noir, d'autres en grisé, quelques-uns avec une coche, la plupart sans ; ils sont parfois suivis d'un raccourci clavier et les groupes sont distingués les uns des autres par des séparateurs. Dans quelques cas, une commande est dotée, à droite, d'un petit triangle noir. Examinons toutes ces subtilités.

- **Les commandes en noir** : Ce sont celles qui sont utilisables dans le contexte actuel.
- **Les commandes grisées** : Elles ne sont pas utilisables dans les circonstances actuelles parce que les conditions de leur mise en œuvre ne sont pas réunies. Par exemple, si vous n'avez pas introduit de CD dans votre lecteur, la commande Éjecter est grisée ; c'est logique. Dans le même ordre d'idées, la commande Fermer la fenêtre du menu Fichier n'est pas accessible si aucune fenêtre n'est ouverte. Logique aussi.
- **La commande cochée** : La coche signale que la commande correspondante est active. Ainsi, si dans votre traitement de texte la commande Règles est cochée, cela signifie que les règles sont affichées.
- **Le raccourci clavier** : Les touches indiquées à droite d'une commande signifient qu'elle peut être activée directement depuis le clavier, sans passer par le menu, grâce à la combinaison de touches indiquée. Il s'agit d'un *raccourci clavier*. Ils sont en général composés des touches ⌘, Option et/ou Majuscule combinée(s) à une lettre quelconque.
- **Les séparateurs** : Ce sont des traits horizontaux qui, dans un menu, séparent les commandes appartenant à un même groupe.

- **Le triangle noir** : Placé en regard d'une commande, il indique la présence d'un sous-menu que vous devrez utiliser. Placez le pointeur sur la commande principale, et le triangle déploie une liste complémentaire d'options parmi lesquelles vous ferez votre choix.

Vous désirez valider une commande ? Rien de plus simple : faites glisser le pointeur de votre souris jusqu'à ce que la commande souhaitée apparaisse contrastée, puis relâchez le bouton.

La commande s'exécute, sauf si elle est suivie de trois points de suspension signifiant que le programme a besoin d'informations complémentaires que vous saisirez au travers d'une fenêtre particulière appelée *zone* ou *boîte de dialogue.*

Les boîtes de dialogue

Il s'agit de fenêtres particulières (Figure 3.3) dans lesquelles vous saisissez des paramètres. En somme, un endroit où vous dialoguez avec l'application.

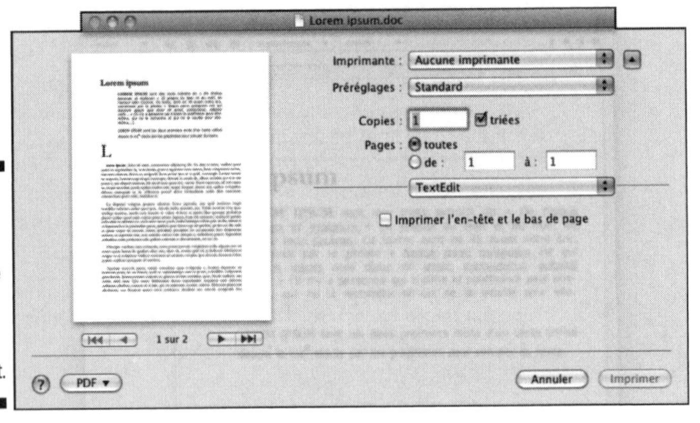

Figure 3.3 : Un exemple représentatif : la fenêtre d'impression d'un document rédigé avec TextEdit.

Ces boîtes peuvent contenir différents éléments :

- **Des onglets :** Ils servent à présenter des groupes d'options. Ainsi, la fenêtre que vous avez sous les yeux compte trois onglets : Police, style et attributs, Espacement et Animation.
- **Des rubriques :** Elles servent à présenter des sous-groupes d'options ; elles sont généralement délimitées par un cadre. Ainsi, l'onglet Police, style et attributs de la commande Police propose

huit rubriques : Police, Style de police, Taille, Couleur, Soulignement, Couleur de soulignement, Attributs et Aperçu.

- **Des listes déroulantes :** Ce sont des listes où chaque entrée représente une option ; vous ne pouvez donc faire qu'un seul choix. Si la liste est particulièrement longue, elle peut être équipée d'une barre de défilement et d'un ascenseur ou bien d'une double flèche, éléments qui vous permettent de naviguer aisément parmi les valeurs de la liste. Dans notre exemple, les listes Police, Style de police et Taille sont des listes déroulantes.
- **Des menus locaux :** Ce sont également des listes d'options où un seul choix est autorisé, mais à la différence des précédentes leur contenu n'est visible que si vous les déroulez grâce à leur indicateur (un triangle orienté vers la droite ou vers le bas). Ce déroulement "à la demande" les rend plus compacts que les listes. Dans notre exemple, Couleur, Soulignement et Couleur de soulignement sont des menus locaux.
- **Des boutons d'option :** Troisième variante d'un choix d'options qui s'excluent mutuellement, ces boutons – parfois appelés "bouton radio" par allusion aux boutons des vieux postes – se présentent sous la forme de petits cercles, noirs si l'option est active (un seul seulement peut être sélectionné dans un groupe) et blancs si elle ne l'est pas.
- **Des cases à cocher :** Ces cases se différencient des listes déroulantes, des menus locaux et des boutons d'option par le fait qu'elles proposent normalement des options cumulables. Ainsi, vous pourriez cocher, dans la rubrique Attributs de notre exemple, les options Barré, Exposant et Majuscules afin de produire des caractères qui présenteraient ces trois caractéristiques.

Pour activer un bouton d'option ou une case à cocher, vous pouvez, certes, cliquer dans le cercle ou dans le carré, mais vous pouvez aussi cliquer carrément sur l'intitulé de l'option. Pratique, non ?

- **Des champs de saisie** : Ce sont des zones dans lesquelles vous pouvez introduire une instruction sous forme de texte. Elles sont parfois dotées de flèches de défilement qui permettant de choisir une valeur dans une liste ; c'est une sorte de compromis entre la liste déroulante et le champ de saisie.

Il arrive que ces champs soient dotés, à gauche, d'un bouton d'option. Dans ce cas, le champ n'est accessible que si le bouton est coché.

- **Des fenêtres Aperçu ou Exemple :** Elles donnent une idée de l'effet de vos choix sur le document en cours.
- **Des boutons de commande :** Ils servent à déclencher des actions. Les deux plus classiques sont OK et Annuler (ou Fermer). Le premier ferme la fenêtre en validant les nouveaux paramètres ; le second la ferme en ignorant ces modifications ou en les neutralisant. Dans tous les cas, l'un des boutons est bleu et clignote : il représente le choix par défaut. En d'autres termes, pour activer ce bouton, vous pouvez vous contenter d'enfoncer la touche Entrée ou Retour. Le bouton Annuler, pour sa part, est systématiquement couplé à la touche Échappement, encore appelée Escape ou Esc.

Les messages d'alerte

Les messages d'alerte sont des fenêtres particulières que le Mac vous adresse pour signaler une anomalie, la saisie d'une valeur incorrecte, une opération impossible à effectuer, ou encore une action qui ne pourra être annulée ultérieurement (Figure 3.4).

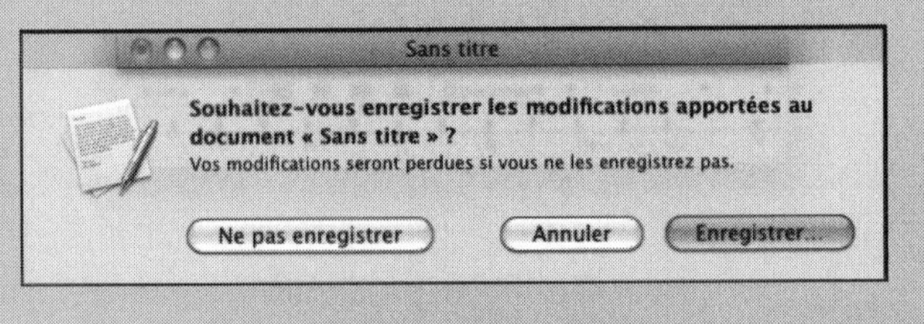

Figure 3.4 : L'ordinateur vous informe que vous n'avez pas enregistré les modifications apportées au document.

Ces messages comportent des boutons qui vous demandent d'accuser réception de l'avertissement, vous proposent d'annuler l'opération en cours ou sollicitent des instructions complémentaires. Ils se gèrent comme les boutons de commande d'une boîte de dialogue classique.

Détailler les menus du Finder

Les menus du Finder sont au nombre de huit. Nous vous proposons dans cette section d'en commenter brièvement les principaux articles.

Il est évident que chaque commande sera développée en temps utile dans sa section propre.

Le menu Pomme

Le menu Pomme propose une série de commandes, toujours disponibles quelle que soit l'application active.

De haut en bas, ces commandes sont :

- **À propos de ce Mac** : Vous savez déjà que cette commande indique quelle version de Mac OS vous exploitez, et vous renseigne également sur le type de processeur et sur la quantité de mémoire vive dont est équipé votre ordinateur.

  Elle vous assure par ailleurs, via le bouton Plus d'infos, en bas de la boîte de dialogue À propos de ce Mac, un accès direct au programme Informations Système qui fournit des informations sur la configuration matérielle et logicielle de l'ordinateur, des données qui vous aideront, le cas échéant, à répondre aux questions du support technique, ou hotline.

- **Mise à jour de logiciels** : Assure un accès immédiat au programme Mise à jour de logiciels.
- **Logiciels Mac OS X** : Lance le navigateur Safari et vous transporte vers le site Web d'Apple.
- **Préférences Système** : Ouvre la fenêtre Préférences Système.
- **Dock** : Contrôle les options relatives au Dock (voir le Chapitre 6).
- **Éléments récents** : Assure un accès rapide aux programmes et documents que vous avez exploités récemment. Mac OS 10.6 permet, au travers des Préférences générales (Pomme/Préférences Système/Personnel/Apparence), de spécifier le nombre d'éléments récents (documents, applications et serveurs) que vous souhaitez voir figurer dans ce sous-menu.
- **Forcer à quitter** : Permet de quitter un programme qui se comporte de manière bizarre ou qui est bloqué. Lorsque vous validez cette commande (ou son taccourci ⌘ + Option + Échappement), une fenêtre s'affiche ; elle s'intitule Forcer des applications à quitter et permet de désigner l'application concernée (Figure 3.5).
- **Suspendre l'activité** : Active le mode veille (voir la section du Chapitre 1 intitulée "Mettre en veille").

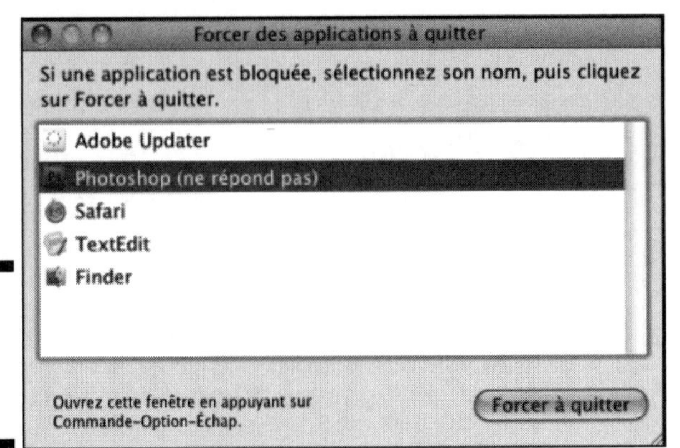

Figure 3.5 : Quittez le programme qui s'est bloqué.

- **Redémarrer** : Eteint le Mac puis le rallume.
- **Éteindre** : Arrête le Mac.
- **Fermer la session ...** : Mac OS X est *multi-utilisateur*. Plusieurs personnes peuvent ainsi l'utiliser sans mélanger leurs données personnelles. Cette commande permet à un utilisateur de céder sa place à un autre sans imposer au préalable un redémarrage de l'ordinateur. Concrètement, lorsque quelqu'un, identifié par son nom d'utilisateur et son mot de passe, clique sur cette commande, cela signifie qu'il quitte sa session de travail ; la personne suivante peut prendre le relais après s'être identifiée, accédant ainsi à sa propre session de travail personnalisée.

Le menu Finder

Ainsi nommé parce qu'il regroupe des commandes qui contrôlent en grande partie le Finder, ce menu offre des capacités qui vont bien au-delà de cette banale gestion.

Les commandes de ce menu Finder sont particulièrement efficaces :

- **À propos du Finder** : Indique la version du Finder du Mac.
- **Préférences** : Gère la façon dont le Bureau s'affiche et réagit. Les principales options de cette fenêtre sont commentées dans leurs sections respectives.
- **Vider la Corbeille** : Supprime les éléments que vous avez déposés dans la Corbeille.

Quand vous placez un élément à la Corbeille, il n'est pas physiquement détruit. Seules sont effacées les entrées correspondantes dans une table d'allocation des fichiers sur le disque dur. En d'autres termes, les éléments ainsi éliminés peuvent être récupérés à condition de disposer des bons outils – comme Norton Utilities – et de savoir les manier. Pour vous débarrasser définitivement d'un élément et empêcher toute récupération ultérieure, utilisez plutôt la commande suivante.

- **Vider la Corbeille en mode sécurisé** : Elle rend illisible le contenu supprimé de la Corbeille. Certes, la procédure est plus longue puisque l'ordinateur réécrit, à l'ancien emplacement du fichier, une suite de zéros et de uns par-dessus vos documents obsolètes, mais la sécurité est à ce prix : aucun outil ne permettra de les récupérer contre votre gré.
- **Services** : Certains programmes fournissent des "services" grâce auxquels vous pouvez expédier des éléments d'une application vers une autre. C'est notamment le cas de la messagerie Mail, qui fournit un service permettant d'introduire, dans un message, une illustration provenant d'un logiciel graphique. La mise en œuvre de la commande est simple : vous commencez par sélectionner l'élément concerné, puis vous choisissez un service dans ce menu Services.
- **Masquer le Finder** : Fait disparaître le Finder (ou l'éventuelle autre application courante) ainsi que toutes les éventuelles fenêtres qui s'y trouvent. Pour le réafficher, choisissez Tout afficher dans le même menu ou activez, par simple clic, l'icône Finder du Dock. Cette commande est efficace : elle vous dégage la vue instantanément, vous dispensant de fermer ou de réduire les fenêtres qui vous gâchent le paysage.
- **Masquer les autres** : Cet article opère à l'opposé de la commande précédente, puisqu'il masque toutes les fenêtres de tous les programmes ouverts, hormis celle du programme actif.
- **Tout afficher** : Produit l'effet inverse des commandes de masquage.

Dès que vous lancez un programme, le menu Finder disparaît ; il est remplacé par un menu portant le nom du programme en question. L'accès à certaines commandes du Finder est malgré tout préservé.

Dès que vous vous trouvez dans un programme, une commande supplémentaire fait son apparition dans ce menu : Quitter. Elle permet de fermer le programme en question et regagner le Bureau.

Le menu Fichier

Sont regroupées ici la plupart des commandes qui assurent la gestion des fichiers et des dossiers. Bien que cet aspect soit traité au Chapitre 11, découvrez dès à présent l'utilité des principaux éléments de ce menu :

- **Nouvelle fenêtre Finder (⌘ + N)** : Ouvre une nouvelle fenêtre Finder, une opération nécessaire si vous souhaitez copier ou déplacer des éléments d'un dossier à un autre.
- **Nouveau dossier (⌘ + Majuscule + N)** : Crée, dans la fenêtre active, un nouveau dossier sans nom. Si aucune fenêtre n'est ouverte, ce nouveau dossier est créé sur le Bureau.
- **Nouveau dossier intelligent (Option + ⌘ + N)** : Crée un dossier de recherche que vous utilisez pour trouver rapidement des éléments que vous recherchez régulièrement sur votre système.
- **Nouveau dossier à graver** : Crée un dossier dans lequel vous placez les fichiers que vous souhaitez graver sur un CD-ROM ou un DVD-ROM. Lorsque vous faites glisser un fichier dans le dossier à graver, vous placez un alias et vous ne déplacez pas ou ne copiez pas le fichier lui-même.
- **Ouvrir (⌘ + O)** : Ouvre l'élément sélectionné ; il peut s'agir d'une fenêtre, d'un dossier, d'un programme ou d'un document.
- **Ouvrir avec** : Ouvre l'élément sélectionné avec une autre application que celle prédéfinie. À noter que cette commande est grisée si l'icône sélectionnée n'est pas celle d'un document. À noter également que vous retrouvez cette commande dans le menu contextuel auquel vous accédez après un Ctrl + clic sur une icône de fichier ainsi que dans le menu Action.

Si vous appuyez sur la touche Option tandis que ce menu est déroulé (ou juste avant de le dérouler) alors qu'une icône de document est active, la commande s'intitule Toujours ouvrir avec. Elle vous permet, comme son nom l'indique, de modifier de manière définitive l'application par défaut du document sélectionné. Vous obtiendrez le même accès via le menu contextuel ou Action si vous déroulez d'abord ce menu, puis activez ensuite la touche Option.

- **Fermer la fenêtre (⌘ + W)** : Fait quitter la fenêtre active.

  Si vous enfoncez la touche Option, puis déroulez le menu Fichier, vous verrez que la commande Fermer la fenêtre a été remplacée par une commande intitulée Tout fermer (⌘ + Option

+ W), qui vous permet en une seule opération de fermer toutes les fenêtres ouvertes (nous y reviendrons dans le chapitre suivant, consacré aux fenêtres).

- **Lire les informations (⌘ + I)** : Ouvre une fenêtre qui fournit des informations relatives à l'élément sélectionné à l'appel de la commande. (Pour en savoir plus à ce sujet, voyez la section "Obtenir des infos" du Chapitre 5.)

  Si vous activez la touche Option avant de dérouler le menu, la commande Lire les informations cède sa place à un nouvel article, Afficher l'inspecteur (⌘ + Option + I). Les données sont identiques ; la seule différence est que l'inspecteur affiche des informations concernant n'importe quelle icône sélectionnée au niveau du Finder. Donc, une fois qu'il est ouvert, cliquez, en arrière-plan, sur toutes les icônes qui vous intéressent : la fenêtre d'infos est spontanément mise à jour.

- **Compresser** : Apple a intégré au Finder le format de compression "zip" bien connu des utilisateurs de Windows. Sélectionnez un fichier ou un dossier, puis validez cette commande depuis le menu Fichier. Le fichier compressé, appelé "archive", est instantanément créé et placé à côté de l'original. Mieux, il est possible d'opérer une sélection multiple avant d'appliquer la commande, ce qui produit alors une archive unique réunissant l'ensemble des éléments sélectionnés.

- **Dupliquer (⌘ + D)** : Reproduit l'élément sélectionné, reprend le nom de l'original et y ajoute la mention "copie", et stocke ce duplicata dans la même fenêtre que l'original. Vous pouvez tout dupliquer, sauf les disques.

  Il est impossible de dupliquer un disque entier sur lui-même. Vous pouvez toutefois réaliser une copie complète d'un disque (appelons-le Disque 1) vers un autre disque (Disque 2) : faites simplement glisser l'icône Disque 1 sur l'icône Disque 2. Le contenu de Disque 1 sera copié sur Disque 2 ; il y apparaîtra sous la forme d'un dossier intitulé *Disque 1*.

- **Créer un alias (⌘ + L)** : Crée un alias de l'élément sélectionné et le stocke dans le même dossier que l'original. Les alias sont traités dans la section "Découvrir les alias" du Chapitre 5.

- **Coup d'œil sur (⌘ + Y)** : Cette commande affiche rapidement le contenu d'un fichier sans ouvrir l'application utilisée pour le créer ou le visualiser. Il est ainsi possible, par exemple, d'afficher le contenu d'un fichier PDF sans attendre l'ouverture d'Adobe Reader, le logiciel qui lit ce genre de document.

Si vous enfoncez la touche Option, la commande Coup d'œil sur devient la commande Diaporama de. Elle permet d'afficher un diaporama des fichiers sélectionnés.

- **Afficher l'original (⌘ + R)** : Localise l'original d'un alias. Sélectionnez l'alias dont vous ne parvenez pas à trouver l'original, puis validez cette commande et le tour est joué. (Voyez également au Chapitre 5 la section intitulée "Découvrir les alias".)
- **Ajouter à la barre latérale (⌘ + T)** : Crée un alias de l'élément sélectionné et l'archive dans la barre latérale. Vous pouvez, depuis cette barre, naviguer très rapidement parmi toutes les ressources disponibles (Chapitre 4).
- **Placer dans la Corbeille (⌘ + Retour arrière)** : Transfère l'élément sélectionné vers la Corbeille où il séjourne jusqu'à ce que vous activiez la commande Vider la Corbeille du menu Finder ou du menu contextuel auquel vous avez accès dès que vous laissez stationner votre pointeur sur l'icône de la Corbeille placée dans le Dock.
- **Éjecter (⌘ + E)** : Éjecte le volume (CD, DVD, disque dur externe, clé USB...) sélectionné.
- **Graver sur le disque** : Permet de graver directement des CD de données depuis le Bureau si votre ordinateur dispose de cette fonctionnalité.
- **Rechercher (⌘ + F)** : Recherche un fichier ou un dossier.
- **Etiquette** : Permet de classer des fichiers en plaçant leur nom dans un cartouche de couleur.

Le menu Édition

Les commandes du menu Édition sont quasiment universelles : elles se retrouvent telles quelles dans la plupart des applications du Mac où elles bénéficient des mêmes raccourcis clavier.

- **Annuler** et **Rétablir (⌘ + Z)** : Annuler annule la dernière action en date. Imaginons que vous changiez le nom d'un dossier, puis que vous utilisiez cette commande ; son action consiste alors à rétablir le nom précédent. Autre exemple : vous effacez une partie de texte, dans votre traitement de texte, puis vous choisissez Annuler : la commande restitue le texte. Dès qu'elle a agi, elle change d'ailleurs de nom et s'intitule Rétablir, qui annule Annuler. Retour à la case départ, en quelque sorte.

En général, Annuler ne peut annuler que la dernière action. Ainsi, si vous effacez une phrase, tapez un caractère, puis choisissez Annuler, c'est la saisie du caractère qui est annulée, pas l'effacement. De plus en plus de programmes proposent malgré tout un Annuler cumulatif : vous pouvez remonter l'historique de vos actions et décider d'annuler un ensemble d'opérations à partir d'une étape donnée. Génial !

- **Couper (⌘ + X)** : Supprime une sélection et la transfère vers le Presse-papiers.
- **Copier (⌘ + C)** : Copie une sélection et la transfère vers le Presse-papiers.
- **Coller (⌘ + V)** : Colle le contenu du Presse-papiers au niveau du point d'insertion ou le substitue à une éventuelle sélection.

Coller ne vide pas le Presse-papiers ; son contenu est préservé dans les conditions énoncées ci-dessus. Vous pouvez donc coller l'élément stocké dans le Presse-papiers à plusieurs reprises, à plusieurs endroits différents.

- **Tout sélectionner (⌘ + A)** : Dans le Finder, cette commande sélectionne toutes les icônes de l'éventuelle fenêtre active ; sinon, elle sélectionne toutes les icônes du Bureau. Dans un programme, tout le contenu du document (le texte dans un traitement de texte, les dessins dans un logiciel graphique, les valeurs dans une feuille de calcul...) est sélectionné.
- **Afficher le Presse-papiers** : Provoque l'affichage d'une fenêtre qui indique le type d'élément stocké dans le Presse-papiers, texte, image ou son.
- **Caractères spéciaux** : Ouvre la Palette de caractères (Figure 3.6), depuis laquelle vous avez accès à des symboles mathématiques, des flèches, des croix et autres symboles divers. Sélectionnez le caractère de votre choix, puis cliquez sur Insérer pour l'introduire dans le document à l'emplacement du point d'insertion.

Le menu Présentation

Les commandes de ce menu régissent la manière dont s'affichent les fenêtres et les icônes. Vous en apprendrez plus à ce sujet dans les deux chapitres suivants, mais en voici déjà un aperçu :

- **Par icônes** (Option + ⌘ + 1) : C'est le mode de présentation le plus classique. Ce n'est pas pour autant le plus ergonomique :

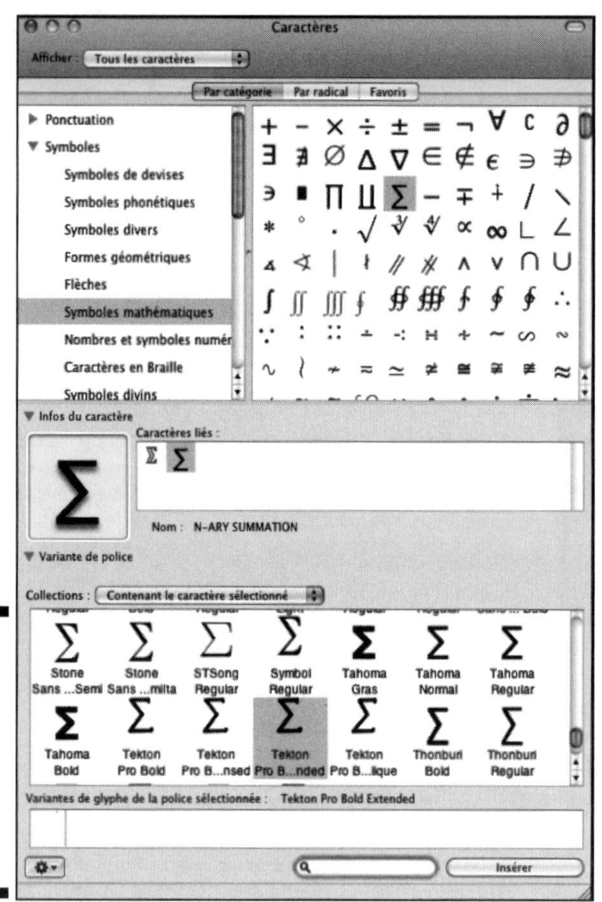

Figure 3.6 : Vous trouverez dans cette palette d'innombrables caractères ne figurant pas sur le clavier.

les icônes prennent beaucoup de place et vous empêchent d'avoir une vue d'ensemble du contenu d'une fenêtre.

La taille des icônes est réglable à l'aide de la glissière en bas à droite de la fenêtre.

- **Par liste** (Option + ⌘ + 2) : Plus compacte, la présentation par liste vous permet de déplacer des éléments d'un dossier à un autre en un seul mouvement de souris, sans vous obliger à ouvrir plusieurs fenêtres, comme c'est le cas des autres modes.

- **Par colonnes** (Option + ⌘ + 3) : Dispose les éléments en colonnes, à raison d'une colonne par niveau de l'arborescence, le niveau le plus élevé occupant la position gauche.
- **Sous forme de Coverflow** (Option + ⌘ + 4) : Apparu dans iTunes où il fait défiler les pochettes des albums, le mode de présentation CoverFlow fait partie du Finder depuis la version précédente de Mac OS X. Un aperçu graphique des fichiers, montré sous la forme d'un tourniquet, est placé au-dessus d'une fenêtre Par liste.
- **Aligner la sélection** : Uniquement disponible au niveau du Bureau ou dans les fenêtres lorsque le mode Par icônes est actif, cette commande aligne les éléments sur une grille invisible. Ne l'utilisez pas si vous préférez disposer vos icônes comme bon vous semble : son activation risquerait de bouleverser complètement votre agencement.
- **Rangement :** Réorganise les icônes par nom, date de modification, date de création, taille, type ou étiquette. Comme pour Aligner la sélection, Rangement n'est disponible que dans les fenêtres en mode Par icônes.
- **Afficher/Masquer la barre du chemin d'accès** : Montre ou non, en bas de la zone de contenu (au-dessus de la barre d'état), le chemin d'accès du dossier affiché.
- **Masquer/Afficher la barre d'état** : Selon le cas, masque ou affiche la barre d'état de la fenêtre courante. Il s'agit d'une barre qui, dans les fenêtres Finder, court dans la partie inférieure de la fenêtre et vous renseigne sur son contenu ainsi que sur l'espace disponible sur votre disque dur.
- **Masquer/Afficher la barre d'outils (Option + ⌘ + T)** : Selon le cas, masque ou affiche la barre d'outils des fenêtres du Finder, cette rangée de boutons qui court le long du bord supérieur de ces fenêtres. Vous obtiendrez le même résultat en cliquant sur le bouton gris ovale placé à l'extrémité droite de cette barre. Attention : ce bouton masque non seulement la barre d'outils mais également la barre latérale. Les icônes de cette barre existent également sous forme de commandes classiques de menus. À vous de voir s'il y a malgré tout lieu de garder ces icônes à portée de souris.

  Quand cette barre est masquée, toute ouverture d'un dossier provoque l'ouverture d'une nouvelle fenêtre Finder plutôt que la réutilisation de la fenêtre courante (ce qui se produit lorsque la barre est affichée, à moins que vous n'en ayez modifié les préférences).

- **Personnaliser la barre d'outils** : Vous permet d'adapter cette barre à vos besoins. Voyez à ce sujet le chapitre consacré aux fenêtres et sa section "Personnaliser la barre d'outils".
- **Afficher les options de présentation (⌘ + J)** : Vous permet de contrôler la manière dont les fenêtres s'affichent. Vous pouvez agir globalement (toutes les fenêtres seront affectées) ou au coup par coup (vous traitez une seule fenêtre à la fois). Les options disponibles sont développées dans le chapitre consacré aux fenêtres.

Le menu Aller

Ce menu contient des raccourcis permettant d'accéder rapidement à diverses destinations.

- **Précédent (⌘ + [)** : Réactive la dernière fenêtre Finder que vous avez ouverte. Cette commande équivaut au bouton Précédent de la barre d'outils. Imaginons que vous ayez ouvert 7 dossiers pour atteindre votre but ; appelons-les 1, 2, 3, 4, 5, 6 et 7. Chaque fois que vous choisissez Précédent, vous remontez d'un niveau, soit 6, 5, 4, 3, 2, 1.
- **Suivant (⌘ +])** : Inverse de la précédente. Reprenons notre exemple et imaginons que vous ayez regagné le dossier 1. À chaque validation de cette commande, vous allez retourner sur vos pas et activer ainsi, successivement, les dossiers 2, 3, 4, 5, 6 et 7.
- **Dossier parent (⌘ + Flèche vers le haut) :** Affiche le dossier dans lequel figure l'élément sélectionné.
- **Ordinateur (⌘ + Majuscule + C)** : Ouvre une fenêtre qui dresse la liste des disques durs, CD, DVD et autres Zip et serveurs connectés à votre Macintosh (Figure 3.7). Vous vous retrouvez, via cette commande, à la racine du système, là où s'affichent les disques montés et l'accès réseau.
- **Départ (⌘ + Majuscule + H)** : Ouvre votre dossier privé, c'est-à-dire votre compte utilisateur, et en affiche le contenu (Figure 3.8). La dénomination anglaise est plus claire, qui intitule ce dossier *Home*.
- **Bureau (⌘ + Majuscule + D)** : Affiche, dans la fenêtre Finder, tout ce qui est disponible sur le Bureau.
- **Réseau (⌘ + Majuscule + K) :** Affiche, dans la fenêtre Finder, tout ce qui est disponible sur votre réseau.

Figure 3.7 : La commande Ordinateur affiche une fenêtre contenant les volumes disponibles (disques durs sur le réseau ou externe, les volumes du Mac, clé USB, accès aux ordinateurs du réseau, etc.)

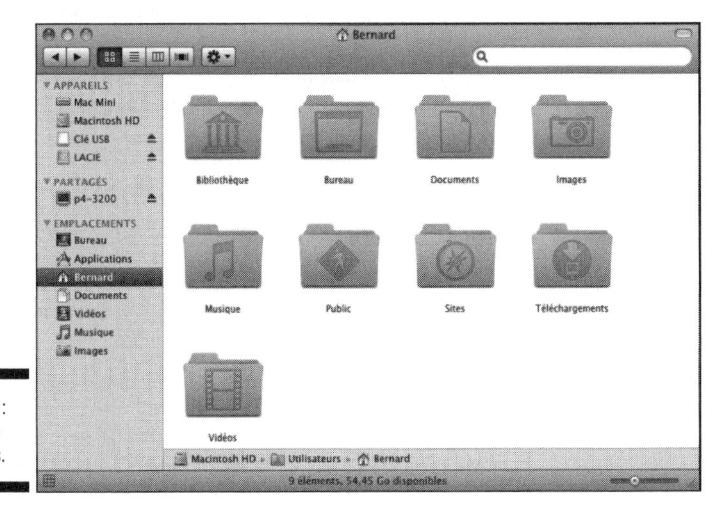

Figure 3.8 : Vous êtes chez vous.

- **iDisk (⌘ + Majuscule + I)** : Utilisez le sous-menu correspondant pour monter votre iDisk, celui d'un autre utilisateur ou encore le dossier Public d'un autre utilisateur. L'*iDisk* est un disque virtuel d'une capacité prédéfinie de 20 Go qu'Apple tient à la disposition des utilisateurs ayant souscrit au service MobileMe. (Notez qu'il est possible d'acheter de l'espace supplémentaire directement depuis le volet iDisk des préférences de MobileMe.)

iDisk fait partie intégrante du système. La preuve, c'est qu'il peut être monté sur le Bureau comme n'importe quel volume et qu'il s'affiche également dans les nouvelles fenêtres Finder.

Un iDisk "local" peut être configuré pour le cas où la connexion Internet serait interrompue. Entendez par là que l'utilisateur peut monter une image de ce disque virtuel et s'en servir comme d'un disque normal, même s'il n'est pas connecté. Dès que la connexion est rétablie, Snow Leopard synchronise automatiquement les changements.

- **Applications (⌘ + Majuscule + A)** : Ouvre le dossier Applications contenant les programmes fournis avec Mac OS X, dans lequel vous placerez vraisemblablement ceux que vous installerez par la suite.

Si vous partagez votre ordinateur avec d'autres utilisateurs, vous ne pourrez ajouter des éléments au dossier Applications que si vous bénéficiez des autorisations requises. Par contre, si vous êtes seul à utiliser le Mac, vous en êtes *ipso facto* l'administrateur et êtes autorisé, de ce fait, à gérer le contenu de ce dossier comme bon vous semble.

- **Utilitaires (⌘ + Majuscule + U) :** Affiche le contenu du dossier Utilitaires, stocké dans le dossier Applications. C'est là que vous regroupez tous vos programmes utilitaires comme Utilitaire de disque qui vous permet de formater, tester et réparer vos supports.

- **Dossiers récents** : Assure l'accès aux dossiers que vous avez ouverts récemment. En effet, chaque fois que vous ouvrez un dossier sous Mac OS X, le système en crée un alias qu'il stocke dans le dossier Dossiers récents, vous y autorisant ainsi un retour rapide via le sous-menu correspondant.

- **Aller au dossier (⌘ + Majuscule + G)** : Affiche la fenêtre Aller au dossier (Figure 3.9). Imaginons que votre Bureau soit encombré de fenêtres ouvertes et que vous souhaitiez gagner rapidement un dossier particulier. À condition d'en connaître le chemin, cette commande vous y assure un accès direct. Validez-la, entrez le chemin d'accès du dossier recherché (c'est-à-dire sa position dans l'arborescence de votre disque dur) en commençant par une barre oblique et en séparant les différents éléments de ce chemin par le même caractère, puis confirmez via le bouton Aller.

- **Se connecter au serveur (⌘ + K)** : Si votre Mac est branché à un réseau ou à l'Internet, cette commande permet d'établir la connexion.

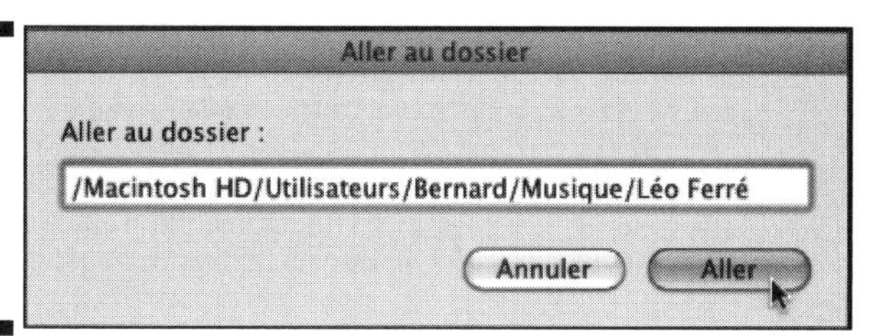

Figure 3.9 : Accédez directement à un dossier par une ligne de commande.

Snow Leopard affiche directement les serveurs (autres ordinateurs du réseau) dans les fenêtres du Finder sans qu'il soit nécessaire d'utiliser la commande Se connecter au serveur, ni de parcourir le réseau.

Le menu Fenêtre

Comme son nom l'indique, ce menu gère les fenêtres.

- **Placer dans le Dock (⌘ + M)** : Cette commande fait double emploi avec le bouton orange de réduction. Combinée à la touche Option, elle devient Placer toutes les fenêtres dans le Dock. Intéressant !

  Lorsqu'une fenêtre du Finder est active (condition sine qua non pour que la commande soit disponible), elle fait disparaître l'élément comme par magie. En fait, il est toujours ouvert, mais n'est plus actif et n'apparaît plus sur l'écran. Son icône, toutefois, figure dans le Dock (Chapitre 3).

- **Réduire/Agrandir :** Offre une commande équivalant au clic sur le bouton vert d'une fenêtre.

  En appuyant sur la touche Option avant de dérouler le menu ou lorsqu'il est déjà affiché, les commandes Placer dans le Dock et Réduire/agrandir deviennent respectivement Placer toutes les fenêtres dans le Dock et Réduire/agrandir toutes les fenêtres.

- **Faire défiler les fenêtres (⌘ + `) :** Permet de passer d'une fenêtre ouverte à une autre en appuyant sur la touche "`" située à droite de la touche "ù".

- **Tout ramener au premier plan** : Dans les versions antérieures du système d'exploitation d'Apple, quand vous cliquiez dans une fenêtre appartenant à un programme donné, toutes les éventuelles fenêtres de ce programme étaient déplacées vers le premier plan, et pas seulement celle que vous aviez activée. Sous Mac OS X, la gestion des fenêtres est différente ; ici, en effet, elles s'intercalent. Dans ces conditions, l'activation d'une fenêtre de traitement de texte, par exemple, n'a pas pour effet d'amener devant toutes les éventuelles autres fenêtres du même programme. D'où l'intérêt de prévoir une commande capable d'agir à la manière des anciens systèmes. C'est le cas de Tout ramener au premier plan, qui amène donc devant non seulement la fenêtre que vous activez, mais aussi toutes celles qui appartiennent à la même application tout en respectant leur ordre relatif.

Le menu Aide

Le menu Aide offre un accès direct à l'aide en ligne. Il est commenté en détail dans le dernier chapitre de cette première partie.

Chapitre 4

Les fenêtres

Dans ce chapitre :

- Identifier les éléments.
- Naviguer.
- Personnaliser la barre d'outils.
- Choisir une présentation.
- Gérer.

Les fenêtres constituent l'élément de base du système du Mac. Au Finder, elles vous dévoilent le contenu de votre disque dur et de vos dossiers ; dans vos programmes, elles vous révèlent le contenu de vos documents.

Identifier les éléments

Les fenêtres (voir Figure 4.1) sont de véritables navigateurs de par leur structure en deux parties distinctes, mais complémentaires, ainsi que par la barre de navigation latérale.

Voyons cela en détail.

La barre de titre

Comme ce fut toujours le cas dans les versions antérieures, la barre de titre affiche le nom de la fenêtre, autrement dit l'emplacement où vous vous trouvez dans l'arborescence des dossiers du disque dur.

Touche ⌘ enfoncée, cliquez sur l'intitulé du titre pour dérouler un menu indiquant, de bas en haut, le chemin dans lequel se trouve le dossier (Figure 4.2).

Figure 4.1 : Une fenêtre de Mac OS X se divise en plusieurs parties : la barre de titre, la barre d'outils, la barre latérale, la partie centrale et la barre d'état.

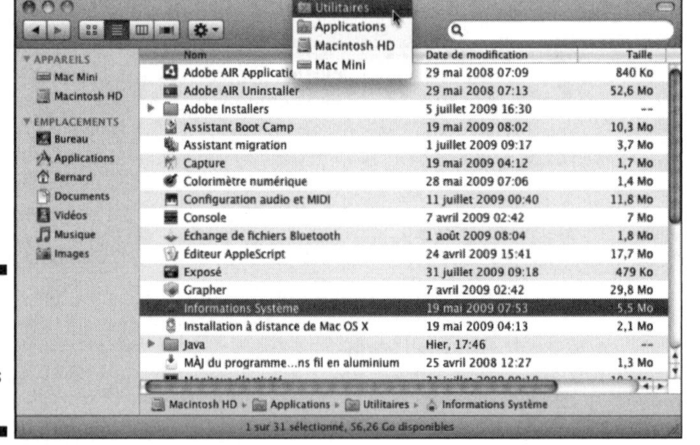

Figure 4.2 : Vous savez exactement où vous vous trouvez.

À gauche, la barre de titre contient les boutons Fermer, Masquer et Étendre qui permettent de fermer la fenêtre, de la masquer ou d'en régler la taille. Le bouton Fermer (rouge) fait disparaître la fenêtre. Le bouton Masquer (jaune) fait en sorte que la fenêtre reste ouverte mais soit placée dans le Dock, où un simple clic suffit à la faire réapparaître (à moins que vous ne préfériez agir via la partie inférieure du menu Fenêtre). Enfin, le bouton Étendre (vert) agrandit ou réduit la fenêtre, selon sa taille actuelle. Expliquons-nous : si la fenêtre est à la taille standard, un clic sur le bouton l'agrandit ; un nouveau clic la rétablit à la taille précédente. En revanche, si la fenêtre est déjà plus grande que son contenu, un clic sur l'icône Extension la réduit afin qu'elle s'adapte exactement à son contenu, ni plus, ni moins ; elle vous dispense alors de recourir aux barres de défilement, puisque vous avez sous les yeux toutes les icônes que comporte la fenêtre.

Si la fenêtre que vous masquez est une séquence animée QuickTime, celle-ci continue de se dérouler dans son icône du Dock, en miniature. Génial, n'est-il pas ?

À droite, le bouton Afficher/masquer la barre d'outils contrôle l'affichage de cette barre et de la barre latérale (voir ci-dessous).

La barre d'outils

Cette barre comprend les groupes d'outils suivants :

- **Boutons Précédent et Suivant** : Il s'agit là de boutons de navigation permettant d'avancer et de reculer dans l'arborescence de vos volumes. Le premier réaffiche le contenu du dossier précédemment sélectionné ; le second affiche le suivant.

  Si vous êtes un habitué des navigateurs Web, sachez que ces deux boutons fonctionnent ici de la même manière. Lorsque vous ouvrez une fenêtre pour la première fois, aucun des deux n'est actif. Mais dès que vous vous déplacez de dossier en dossier, ils se souviennent du chemin que vous parcourez et vous permettent ensuite de revenir directement à un endroit donné. Ils sont en outre activables par clavier : ⌘ + [pour Précédent et ⌘ +] pour Suivant.

- **Boutons Présentation** : Ils dédoublent les commandes du même nom du menu Présentation, permettant ainsi d'opter pour l'une des quatre présentations : par icônes, par liste, par colonnes ou Coverflow.

- **Menu Action** : Il regroupe des commandes susceptibles de s'appliquer aux éléments actuellement sélectionnés dans la fenêtre Finder. En fait, ce menu n'est rien d'autre qu'une variante du classique menu contextuel auquel vous accédez par Ctrl + clic. Surtout destiné aux débutants qui ont du mal à dérouler ce type de menu.

- **Champ Recherche** : Cette zone permet de rechercher des fichiers. Tapez le nom (ou quelques caractères du nom) de l'élément que vous recherchez, puis patientez quelques secondes (il n'est pas nécessaire de valider la saisie par la touche Retour ou Entrée).

Cette recherche immédiate ne traite plus, par défaut, que le dossier ou le disque sélectionné, mais propose plusieurs domaines de recherche : les disques locaux, le dossier sélectionné, votre ordinateur ou les dossiers partagés sur le réseau.

Pour effacer le contenu du champ Recherche, cliquez sur la petite croix blanche à droite. Cliquez sur Précédent pour retourner au dossier qui était affiché avant que vous ne lanciez la recherche.

Pour lancer une recherche à critères multiples ou pour rechercher un mot dans un document (c'est-à-dire en examiner le contenu plutôt que le nom du fichier), faites appel à la commande Rechercher : elle est beaucoup plus performante.

La barre latérale

Courant le long du bord gauche de toutes les fenêtres du Finder, la barre latérale est un outil de navigation très performant.

Divisée en deux parties, elle propose, en haut, les différents volumes, éléments réseau, iDisk, etc. Dès qu'un CD ou un DVD est introduit dans le lecteur, elle affiche leur nom ainsi qu'une petite icône d'éjection très pratique.

Elle répertorie ensuite, dans la partie Emplacements, les principaux dossiers de l'utilisateur en cours de session. Des applications, documents et dossiers peuvent être ajoutés dans cette partie. On y trouve également la liste des éventuels ordinateurs partagés sur le réseau ainsi qu'une liste de recherches courantes ou enregistrées.

La partie principale

La partie centrale est la partie principale de la fenêtre, puisqu'elle affiche les dossiers et les fichiers selon un des quatre modes de présentation habituels.

Elle propose en outre les barres de défilement : logées le long des bords droit et inférieur de la fenêtre, ces barres vous permettent d'en faire défiler le contenu, verticalement et horizontalement.

Vous pouvez les utiliser de différentes manières :

- Cliquez sur les flèches regroupées en fin de barre pour faire défiler dans le sens correspondant. Pour un défilement continu, opérez un clic maintenu.
- Utilisez l'*ascenseur*, ce bouton bleuté dont la taille est fonction du contenu de la fenêtre. Faites-le glisser vers le haut ou vers le bas, vers la gauche ou vers la droite ; la fenêtre défilera proportionnellement au déplacement que vous imposerez à cet élément.
- Cliquez dans la barre en dessous ou au-dessus de l'ascenseur vertical, ou bien à gauche ou à droite de l'ascenseur horizontal, de manière à déplacer le contenu de la fenêtre d'un écran vers le haut/bas ou vers la droite/gauche. Sachez que les touches Page Préc. et Page Suiv. exercent la même action.

Enfin, en bas à droite, le coin strié permet, par un cliquer-glisser, de régler la taille de la fenêtre.

La barre d'état

Elle s'étire en bas de la fenêtre et affiche le nombre d'éléments que contient la fenêtre (ainsi que le nombre d'éléments éventuellement sélectionnés) et l'espace disque disponible.

Rappelez-vous que la commande Afficher/Masquer la barre d'état du menu Présentation régit l'affichage ou non de cet élément.

La zone d'affichage Coverflow

En mode Coverflow, la partie supérieure affiche les images des différents fichiers et dossiers sélectionnés dans la liste. Vous pouvez vous servir de la molette de la souris ou de la barre de défilement de la zone Coverflow pour déplacer les images.

Naviguer

Tout le principe des actions qui se déroulent au Finder se fonde sur l'ouverture des fenêtres.

Ouvrir

Pour ouvrir une icône dans une fenêtre, il suffit d'opérer un double-clic dessus. C'est élémentaire.

Rappelons que la barre latérale et le menu Aller proposent chacun des raccourcis vers les dossiers que vous êtes censés utiliser fréquemment.

Rien ne vous empêche d'ouvrir plusieurs fenêtres, mais vous devez savoir qu'une seule, celle au premier plan, est active.

La fenêtre active est facilement identifiable :

- Sa barre de titre est sombre ;
- Ses boutons Fermer, Masquer et Étendre sont en couleur ;
- Les autres boutons et barres de défilement sont de couleur vive.

Activer par un clic

Pour activer une fenêtre ouverte, il suffit de cliquer dessus (dans sa barre de titre, dans une barre de défilement, sur son arrière-plan...).

La Figure 4.3 montre deux fenêtres : celle au premier plan est active (la fenêtre Utilitaires) ; elle est placée par-dessus une fenêtre inactive (Documents).

Figure 4.3 : Deux fenêtres superposées, l'une active (au premier plan) et l'autre inactive (à l'arrière-plan).

Positionnez le pointeur – sans cliquer – sur un bouton Fermer, Masquer ou Étendre d'une fenêtre non active, et vous constaterez que ce bouton s'illumine, permettant ainsi de fermer, masquer ou étendre la fenêtre sans l'activer préalablement.

Atteindre par le menu pop-up

Vous êtes déjà bien armé pour voyager de fenêtre en fenêtre, en d'autres termes pour *naviguer*.

Mac OS X met un autre moyen à votre disposition : le menu pop-up du dossier courant.

De quoi s'agit-il ? Pour rappel : si vous effectuez un ⌘ + clic sur le titre de la fenêtre active, vous verrez se dérouler un petit menu qui indique en première position le nom du dossier courant puis, sous ce nom, ceux des dossiers et du volume parents.

Ce menu vous permet de naviguer aisément du dossier courant au dossier Ordinateur, au travers de tous les éventuels dossiers intermédiaires, et d'accéder ainsi à leurs fenêtres respectives.

Personnaliser la barre d'outils

Mac OS X vous autorise à personnaliser la barre d'outils des fenêtres.

Au départ, cette barre comporte, à gauche, le bouton Précédent et les icônes de présentation et, à droite, des icônes qui font double emploi avec les commandes correspondantes du menu Aller (voir le Chapitre 3).

1. **Affichez la fenêtre dont vous souhaitez personnaliser la barre d'outils.**
2. **Choisissez Présentation/Personnaliser la barre d'outils.**

   La palette d'éléments personnalisable apparaît (Figure 4.4).

Figure 4.4 : Un bouton Coup d'œil est en train d'être ajouté à la barre d'outils.

3. **Dans le menu Afficher, en bas, optez pour l'affichage Icône et texte, Icône seulement ou Texte seulement.**

   L'option Utiliser une petite taille présente l'élément sélectionné dans une taille inférieure, plus compacte.

4. **Pour ajouter des éléments : faites glisser les éléments en question de la partie principale de la fenêtre vers la barre.**

   Vous avez la possibilité d'ajouter des séparateurs pour répartir par groupes vos icônes de barre d'outils.

5. **Pour déplacer des éléments : faites-les glisser vers leur nouvel emplacement.**

6. **Pour supprimer des éléments : tirez-les hors de la barre.**

7. **Cliquez sur le bouton Terminé.**

Choisir une présentation

Apple a prévu quatre présentations pour le Finder : Par icônes, Par liste, Par colonnes et Coverflow. Passons-les en revue.

Un affichage différent peut être appliqué à chaque fenêtre de Finder.

Par icônes

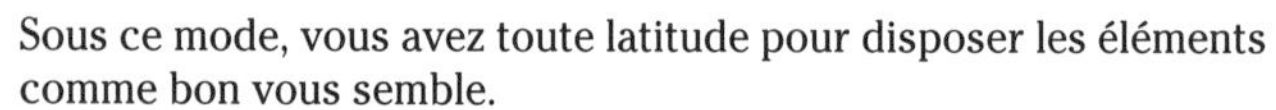

Sous ce mode, vous avez toute latitude pour disposer les éléments comme bon vous semble.

Pour voir plus d'icônes à la fois, dans une fenêtre, actionnez la glissière de zoom en bas à droite (Figure 4.5).

L'affichage par icônes est un excellent moyen de visionner des fichiers d'image. Appuyez d'abord sur ⌘ + J et dans la boîte de dialogue qui apparaît, assurez-vous que la case Aperçu à la place de l'icône est cochée. Tirez ensuite le curseur du zoom vers la droite, en bas à droite de la fenêtre, pour voir les fichiers d'image en grand.

Pour passer en mode présentation par icônes :

- Dans la barre de menus, choisissez Présentation/Par icônes.

  Ou :

- Activez l'icône Par icônes des boutons Présentation de la barre d'outils de la fenêtre (Figure 4.6).

Figure 4.5 : C'est le mode Mac par excellence. La taille des icônes est réglable.

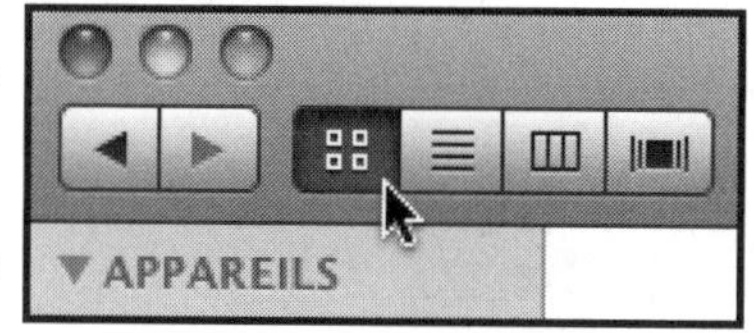

Figure 4.6 : Sélectionnez le mode Par icônes directement dans la barre d'outils.

Par liste

Ce mode est relativement compact grâce à ses petits triangles qui, tour à tour, dévoilent ou masquent le contenu d'un dossier (Figure 4.7).

La présentation en liste facilite grandement les déplacements car elle dispense d'ouvrir plusieurs fenêtres, comme vous y contraignent les modes Par icônes et Par colonnes.

Pour activer ce mode :

- Choisissez Présentation/Par liste.

  Ou :

- Activez l'icône Par liste des boutons Présentation de la barre d'outils de la fenêtre (Figure 4.8).

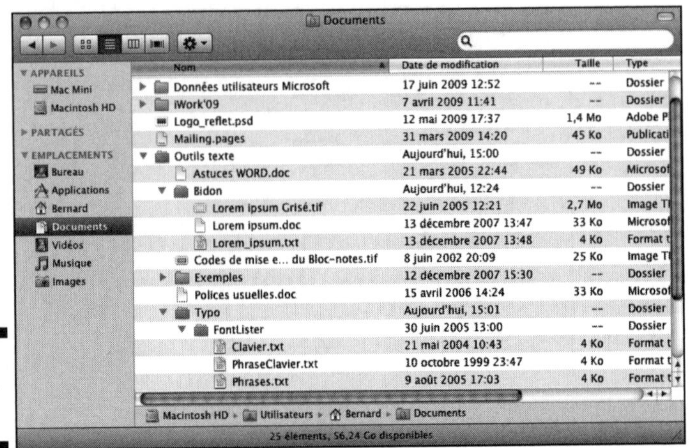

Figure 4.7 : Le mode Par liste.

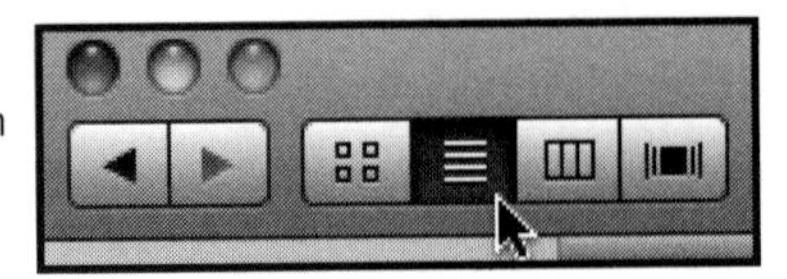

Figure 4.8 : Ici aussi les boutons Présentation assurent un accès direct à la commande.

Apple a prévu trois types de manipulations pour la présentation en liste :

- Réglage de la largeur des colonnes.
- Réglage de l'agencement des colonnes.
- Choix d'un ordre, croissant ou décroissant.

Commençons par la largeur :

1. **Placez votre pointeur sur le petit trait de séparation placé à droite de l'intitulé de la colonne dont vous souhaitez modifier la largeur.**

   Il prend la forme d'une double flèche.

2. **Cliquez et maintenez enfoncé le bouton de la souris.**

3. **Faites glisser vers la gauche ou vers la droite jusqu'à obtention de la largeur souhaitée.**

4. **Relâchez le bouton de la souris.**

Voyons ensuite comment intervenir sur l'agencement des colonnes :

1. **Cliquez sur l'intitulé de la colonne à déplacer et maintenez enfoncé le bouton de la souris.**

2. **Faites glisser vers la gauche ou vers la droite jusqu'à l'emplacement souhaité.**

3. **Relâchez le bouton de la souris.**

Le Mac permet de trier chaque colonne par ordre croissant ou décroissant. Pour inverser l'ordre courant, il vous suffit de cliquer sur le petit triangle placé à droite du nom du champ (Figure 4.9). Si ce triangle pointe vers le haut, la colonne est présentée en ordre croissant ; s'il pointe vers le bas, elle est triée par ordre décroissant.

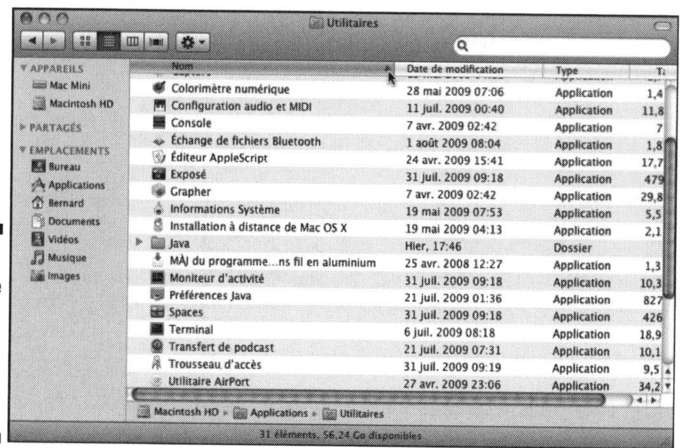

Figure 4.9 : Un clic sur ce petit triangle trie la liste par ordre alphabétique décroissant.

Par colonnes

La présentation Par colonnes nous vient directement du monde PC. Elle permet de tenir simultanément sous le regard un grand nombre de dossiers (Figure 4.10). Vous naviguez donc dans vos disques à l'horizontale, sans avoir à ouvrir plusieurs fenêtres.

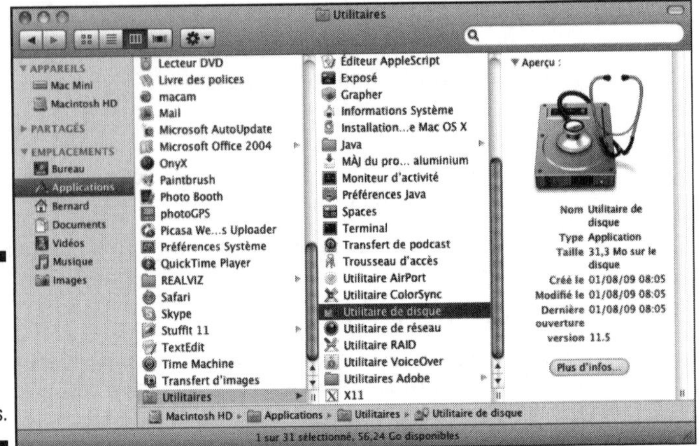

Figure 4.10 : L'aperçu, à droite, caractérise l'affichage Par colonnes.

Pour afficher les colonnes :

- Choisissez Présentation/Par colonnes.

  Ou :

- Activez l'icône Par colonnes des boutons Présentation de la barre d'outils de la fenêtre (Figure 4.11).

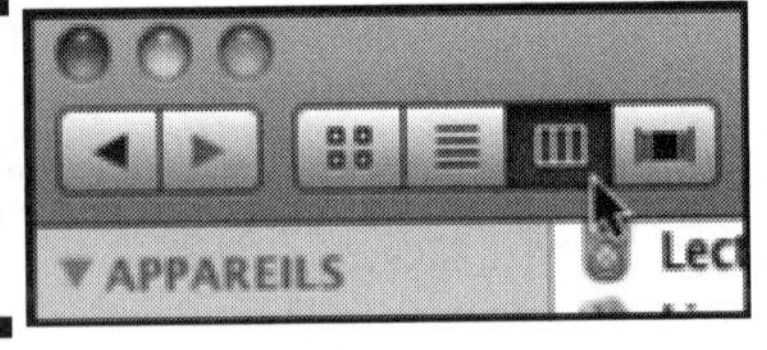

Figure 4.11 : Décidément, difficile de se passer de ces icônes !

Vous vous sentez à l'étroit ? N'hésitez pas à élargir la fenêtre afin de visualiser le plus grand nombre possible de colonnes, ou utilisez à cette fin le bouton Étendre.

Le principe est simple : vous cliquez sur une icône de la colonne de gauche. Son contenu apparaît dans la colonne suivante. Vous cliquez sur une icône de cette deuxième colonne. Son contenu vous est à son tour dévoilé une position plus à droite, soit dans la troisième colonne. Et ainsi de suite jusqu'au niveau le plus lointain de l'arborescence.

Lorsque vous arrivez au niveau du fichier, ce sont différentes informations qui s'affichent dans le dernier volet : type, taille, date de création, date de modification, version...

Comme dans le cas des listes, il est possible de régler la largeur des colonnes. Soit en agissant au niveau de toutes les colonnes de la fenêtre :

1. **Placez votre pointeur sur le séparateur de colonnes, cette marque à deux barres verticales, tout en bas de la barre de défilement.**
2. **Cliquez et maintenez le bouton de la souris enfoncé.**
3. **Faites glisser jusqu'à obtention de la largeur souhaitée.**
4. **Relâchez le bouton de la souris.**

Soit en limitant l'action à une colonne unique :

1. **Placez votre pointeur sur le séparateur de colonnes.**
2. **Maintenez-la touche Option enfoncée.**
3. **Maintenez enfoncé le bouton de la souris enfoncé.**
4. **Faites glisser jusqu'à obtention de la largeur désirée.**
5. **Relâchez la touche Option et le bouton de la souris.**

C'est la touche Option qui permet de n'affecter qu'une seule colonne, celle depuis laquelle vous cliquez-glissez.

Coverflow

La présentation sous forme de Coverflow provient du logiciel multimédia iTunes qui offre un mode d'affichage avec lequel il est possible de choisir de la musique en faisant défiler les pochettes des albums. Celle de Mac OS X reprend le mode de présentation par liste, mais la partie supérieure de la fenêtre montre un tourniquet représentant graphiquement chacun des éléments que contient le dossier (Figure 4.12).

Pour afficher avec Coverflow :

- Choisissez Présentation/Sous forme de Coverflow.

  Ou :

- Activez l'icône Coverflow, dans la barre d'outils de la fenêtre (Figure 4.13).

La taille de la partie supérieure est modifiable en tirant la barre de séparation horizontale, au-dessus de la liste (cliquez sur le petit bouton à trois barres).

Figure 4.12 : L'affichage sous forme de Coverflow permet d'afficher un aperçu des documents.

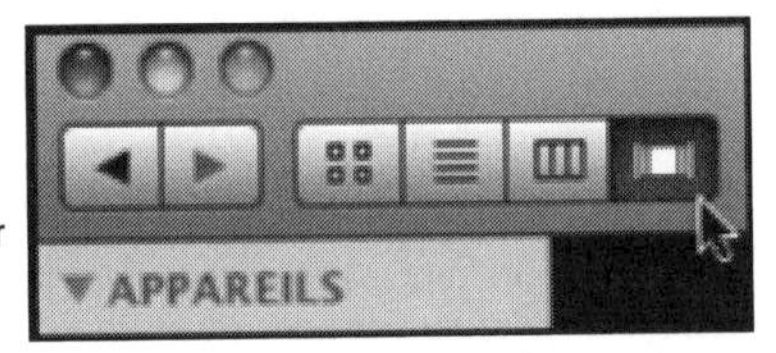

Figure 4.13 : Le quatrième bouton en partant de la gauche permet d'obtenir l'affichage sous forme de Coverflow.

Contrôler les options de présentation

Mac OS X vous permet de contrôler la façon dont les fenêtres Finder vous sont présentées sous les différents modes.

Pour ce faire :

1. **Ouvrez une fenêtre et activez-y le mode de votre choix.**

2. **Choisissez Présentation/Afficher les options de présentation ou enfoncez les touches ⌘ + J.**

Une fenêtre s'affiche, qui porte le nom de la fenêtre active.

Si aucune fenêtre n'est ouverte, cette boîte de dialogue s'intitule tout bêtement Bureau, et propose des options en rapport avec le Bureau.

3. **Dans la partie supérieure de la fenêtre, indiquez si vous souhaitez toujours utiliser le mode courant pour l'ouverture de la fenêtre.**
4. **Effectuez les réglages (voir ci-dessous).**
5. **Si vous désirez appliquer les réglages à toutes les fenêtres à venir, cliquez sur Utiliser comme valeurs par défaut.**
6. **Fermez la fenêtre.**

Les options disponibles diffèrent selon le mode actif. Voyons cela en détail.

En mode Par icônes (Figure 4.14) :

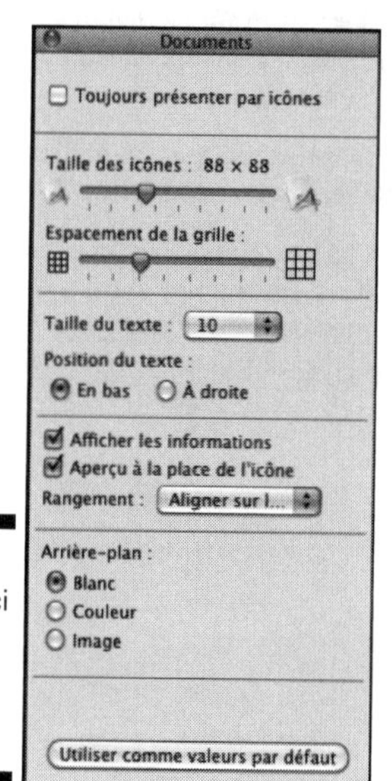

Figure 4.14 : Définissez ici les options de présentation Par icônes.

- **Toujours présenter par icônes :** Cochez cette case pour que la fenêtre s'ouvre systématiquement en mode Par icônes.
- **Taille des icônes** : Définissez la taille des icônes grâce au curseur correspondant : faites-le glisser vers la gauche pour la

réduire jusqu'à 16 x 16 pixels, ou vers la droite pour l'agrandir jusqu'à 512 x 512 pixels, une taille parfaite pour visionner rapidement des photos.

Inutile d'accéder aux options de présentation pour régler la taille des icônes, car les fenêtres de Snow Leopard sont désormais dotées d'un zoom, en bas à droite.

- **Espacement de la grille** : Règle le pas de la grille sur laquelle s'alignent les icônes, autrement dit l'intervalle entre les icônes.
- **Taille du texte** : Elle est imprimée en points pica (unité typographique).
- **Position du texte** : Placez-le en dessous ou à droite de l'icône.
- **Afficher les informations** : Lorsque la case est cochée, le nombre d'éléments que contiennent les dossiers ou les disques est mentionné sous le nom de l'icône.
- **Aperçu à la place de l'icône** : Permet d'afficher, lorsque cela est possible, un aperçu du fichier, par exemple une image fixe dans le cas d'une photo ou d'une séquence vidéo, à la place de l'icône représentant le programme qui ouvre ce fichier.
- **Rangement** : Optez pour un rangement par nom, date de modification, date de création, taille, type ou étiquette.
- **Arrière-plan** : Sélectionnez ici une couleur ou une image pour le fond de vos fenêtres. Si vous optez pour l'option Couleur, une case apparaît à droite ; cliquez dans cette case pour accéder au nuancier (Figure 4.15) et définissez-y la couleur de votre choix.

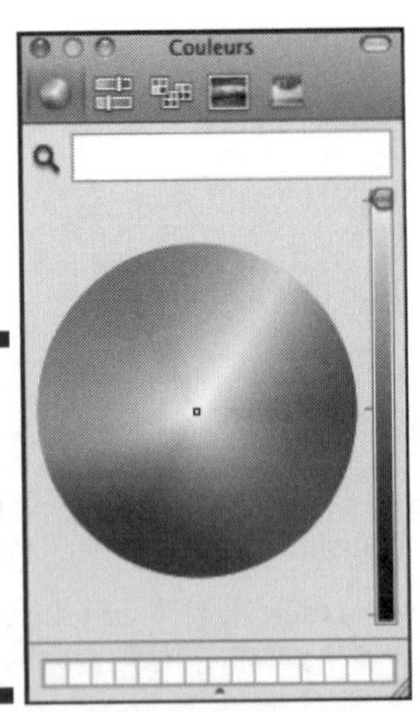

Figure 4.15 : Choisissez la couleur de fond de la fenêtre avec le sélecteur de couleurs du Mac.

Si vous préférez afficher une image comme arrière-plan de dossier, sélectionnez cette option. Dans Snow Leopard, la sélection de l'image diffère de celles des versions précédentes : ouvrez le dossier contenant la photo de fond à utiliser. Cliquez ensuite dans la fenêtre qui doit la recevoir. Faites ensuite glisser l'image de son dossier d'origine jusque sur le carré de dépôt, en bas de la palette des options de présentation. Attention : l'image est utilisée à sa taille native. Elle n'est jamais adaptée à la fenêtre, ce qui limite considérablement l'intérêt de cette option (Figure 4.16).

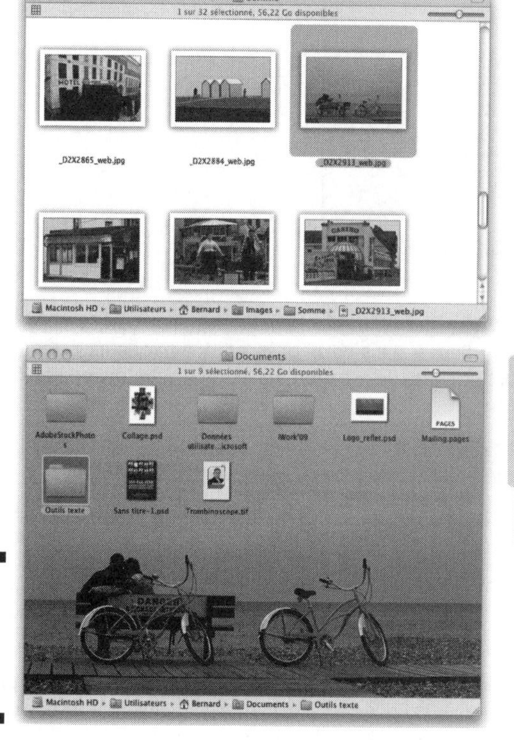

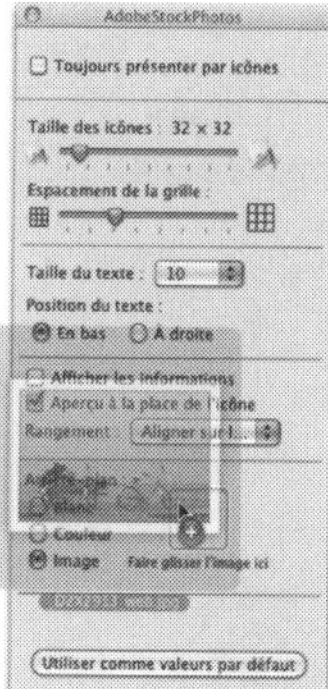

Figure 4.16 : Réalisation d'un arrière-plan de dossier.

En mode Par liste (Figure 4.17) :

- **Taille de l'icône** : Deux possibilités s'offrent à vous : petites ou grandes.
- **Taille du texte** : Ici aussi, elle s'exprime en points.

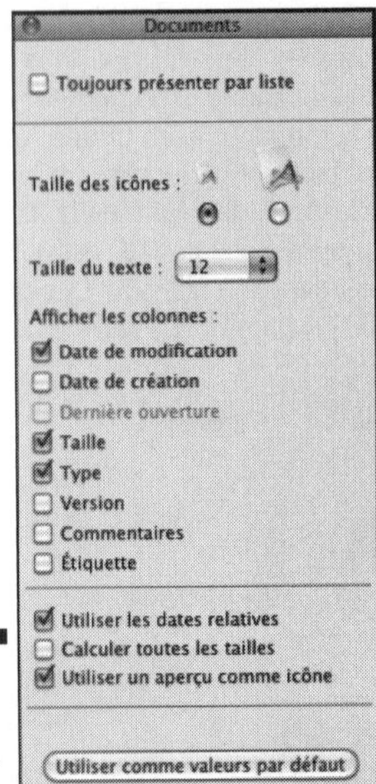

Figure 4.17 : Agissez ici sur les listes.

- **Afficher les colonnes** : Cochez les champs que vous souhaitez voir figurer dans votre présentation par liste : date de modification, date de création, taille, type, version, commentaires et étiquette.
- **Utiliser les dates relatives** : Substitue à la date classique une date relative, telle la mention *hier* ou *aujourd'hui.*

Si vous reculez l'horloge d'un jour, puis regardez comment s'affichent les données des fichiers que vous avez modifiés ce même jour avant de régler l'horloge, la date relative sera *demain.* Voilà qui fera l'affaire de tous ceux qui reportent toujours tout à demain.

- **Calculer toutes les tailles :** Affiche non seulement la taille des fichiers en kilo-octets, méga-octets et giga-octets, dans la colonne Taille, mais aussi celles des dossiers.
- **Utiliser un aperçu comme icône** : Afficher, lorsque cela est possible, un aperçu du fichier, par exemple une image dans le cas d'une photo ou d'une vidéo, à la place de l'icône représentant le programme ouvrant le fichier.

Vos choix ne sont pas définitifs : vous pouvez les modifier à tout moment si vous constatez à l'usage que telle ou telle colonne ne vous est d'aucune utilité.

En mode Par colonnes (Figure 4.18) :

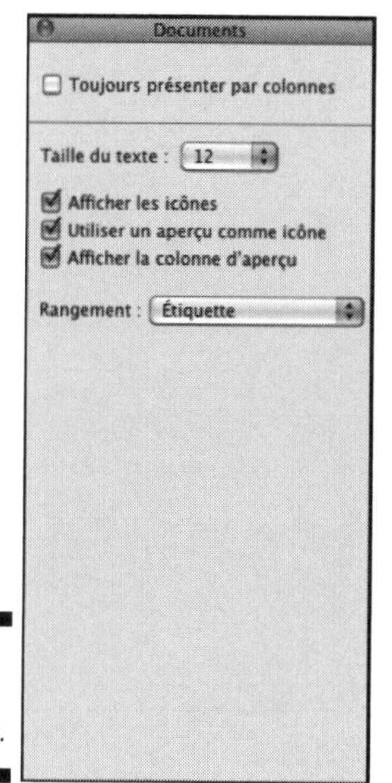

Figure 4.18 : Configurez les colonnes.

- **Taille du texte :** Définissez la taille en points des intitulés des icônes.
- **Afficher les icônes :** Désactivez, si nécessaire, l'affichage des icônes miniatures à gauche de leur intitulé.
- **Utiliser un aperçu comme icône** : Afficher, lorsque cela est possible, un aperçu du fichier, par exemple une image dans le cas d'une photo ou d'une vidéo, à la place de l'icône représentant le programme ouvrant le fichier.
- **Afficher la colonne d'aperçu :** Désactive, si nécessaire, l'affichage de la colonne complètement à droite dans laquelle s'affichent des informations sur l'élément sélectionné dans la colonne de gauche, ou l'aperçu d'un fichier d'image.
- **Rangement** : Optez pour un rangement par nom, date de modification, date de création, taille, type ou étiquette.

Le mode Coverflow (Figure 4.19) propose les mêmes options que celles du mode en liste.

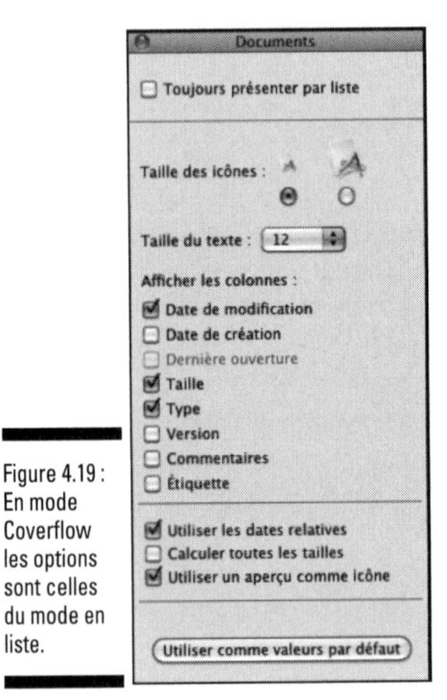

Figure 4.19 : En mode Coverflow les options sont celles du mode en liste.

Gérer

Vous serez régulièrement amené à gérer vos fenêtres et, plus concrètement, à les redimensionner, les déplacer ou les fermer. Sachez mener à bien ces actions incontournables.

Redimensionner

Vous venez de l'apprendre, la technique est élémentaire : il suffit de cliquer-glisser sur la poignée de redimensionnement ou "case de contrôle de taille" qui occupe l'angle inférieur droit de chaque fenêtre.

Faites glisser vers le haut ou vers le bas (pour modifier la hauteur), vers la gauche ou vers la droite (pour modifier la largeur), ou diagonalement (pour agir simultanément sur ces deux paramètres).

Déplacer

Ici aussi c'est l'enfance de l'art : cliquez-glissez sur la barre de titre de la fenêtre.

Décomposons :

1. **Cliquez dans la barre de titre et maintenez enfoncé le bouton de la souris.**
2. **Faites glisser jusqu'à l'emplacement souhaité.**

   La fenêtre suit votre pointeur.
3. **Relâchez le bouton de la souris.**

Fermer

Trois techniques sont possibles :

- **Cliquez sur le bouton Fermeture (le bouton rouge) placé à l'extrémité gauche de la barre de titre de la fenêtre à fermer.**

Comme nous l'avons vu plus haut, ce bouton est accessible même si la fenêtre n'est pas active.

- **Activez la fenêtre à fermer, puis choisissez Fichier/Fermer.**

  Ou :
- **Activez la fenêtre à fermer, puis enfoncez les touches ⌘ + W.**

Chapitre 5

Les icônes

Dans ce chapitre :

- Identifier les types d'icônes.
- Découvrir les alias.
- Gérer les icônes.

C'est son système iconographique qui a fait du Mac ce qu'il est. Attardons-nous quelques instants sur cet aspect des choses.

Identifier les types

Il existe quatre catégories d'icônes :

- Celles qui représentent des programmes (encore appelés applications ou logiciels).
- Celles qui représentent des documents (ou fichiers).
- Celles qui symbolisent des dossiers et des disques.
- Et, finalement, un cas particulier, les fameux *alias* que nous traiterons dans la section suivante.

Examinons tout cela en détail.

Même longs, les noms des icônes sont traités avec déférence : ils sont affichés en entier, sur deux lignes si nécessaire.

Les icônes de programmes

Ces icônes lancent des programmes ou applications : Mail, Internet Safari, Microsoft Word ou Photoshop par exemple.

Conçues par des graphistes professionnels, elles sont très différentes les unes des autres (Figure 5.1).

Figure 5.1 : Quelques icônes de programmes.

Les icônes de documents

Ces icônes (voir Figure 5.2) représentent les documents produits par les programmes : un courrier que vous avez rédigé avec TextEdit, Pages ou Word, un tableau d'amortissement que vous avez préparé dans Numbers ou Excel, une photo de vacances que vous avez retouchée avec Photoshop Elements, un morceau de musique téléchargé depuis iTunes Store...

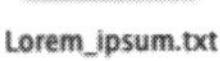

Figure 5.2 : Icônes de documents textuel, audio, graphique et vidéo.

Les icônes de dossiers

Les dossiers vous aident à vous organiser. Vous y regroupez vos fichiers à votre guise (Figure 5.3).

Figure 5.3 : Deux icônes de dossiers.

Dossiers et sous-dossiers forment une structure en arborescence ; n'hésitez pas à créer autant de sous-dossiers que vous le désirez. La gestion des dossiers est traitée en détail au Chapitre 11.

Chaque fois que vous branchez un support de stockage, qu'il s'agisse d'un disque dur externe, d'un CD, d'un DVD, d'une clé USB, d'un iPod, etc., son icône s'affiche dans la barre latérale. L'apparition de l'icône sur le Bureau est définie dans les préférences du Finder : choisissez Finder/Préférences et, sous l'onglet Général (Figure 5.4), assurez-vous que les cases des éléments en question sont cochées.

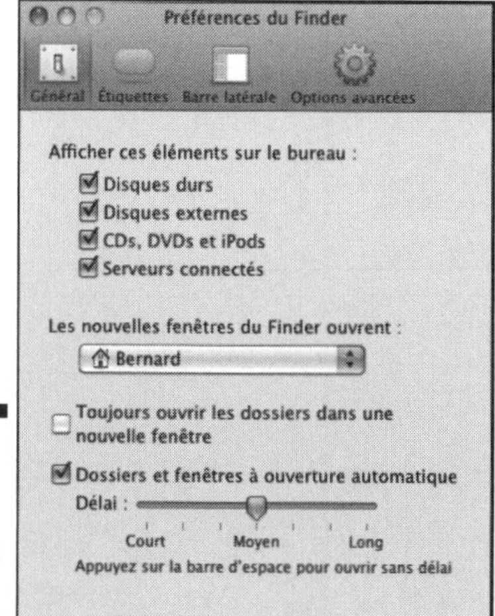

Figure 5.4 : Les Préférences générales du Finder.

Où sont passées les extensions ?

L'extension est un ensemble d'au moins trois caractères ajouté au nom d'un fichier, après le point, qui identifie son type. Ainsi, les documents finissant par .txt ont été produits par TextEdit et les fichiers .numbers par le tableau Numbers de iWork. En général, le Mac n'affiche pas les extensions les plus connues, alors que Windows le fait systématiquement. Mac OS X permet cependant de les afficher.

Pour agir au niveau d'un seul fichier :

1. **Sélectionnez l'icône à traiter.**
2. **Choisissez Lire les informations dans le menu Fichier ou appuyez sur les touches ⌘ + I.**
3. **Cliquez sur le triangle à gauche de la mention Nom et extension, au milieu du panneau.**

Le volet correspondant se déploie.

4. **Décochez la case Masquer l'extension (Figure 5.5).**

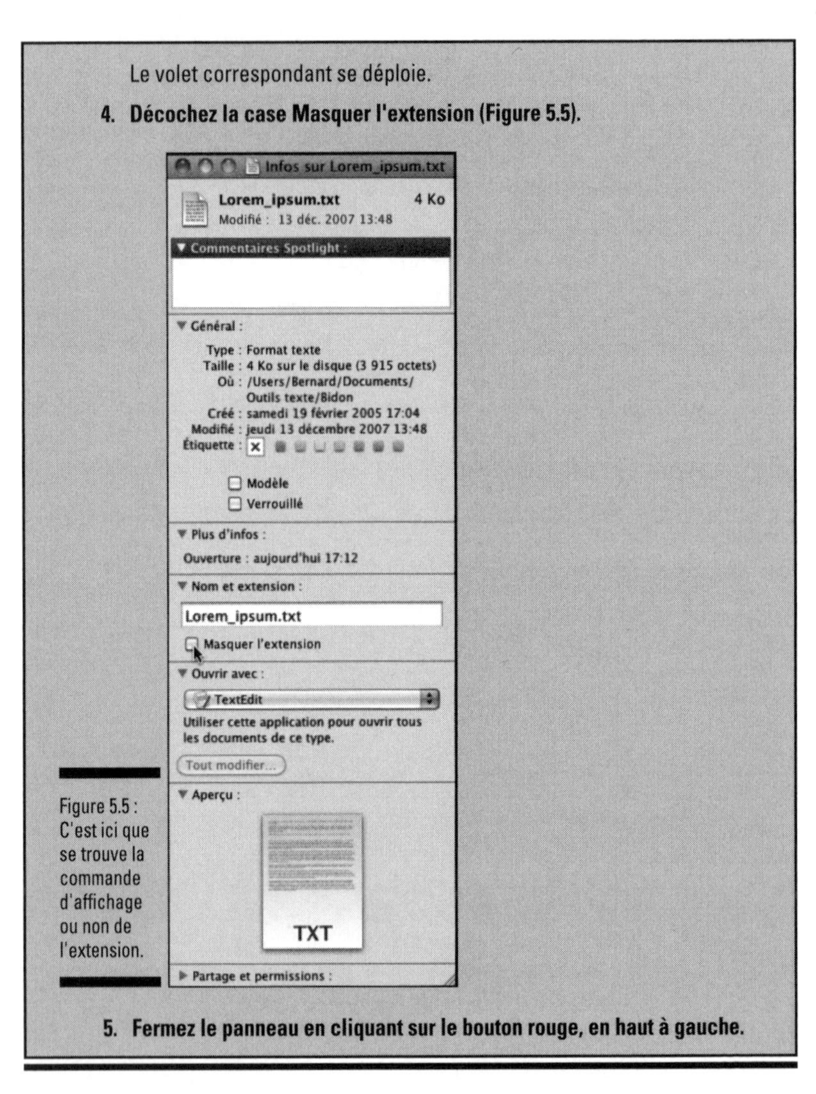

Figure 5.5 : C'est ici que se trouve la commande d'affichage ou non de l'extension.

5. **Fermez le panneau en cliquant sur le bouton rouge, en haut à gauche.**

Pour traiter tous les fichiers, c'est au niveau des Préférences du Finder que cela se passe. Choisissez Finder/Préférences, activez l'onglet Avancé (Figure 5.6), puis cochez la case Afficher toutes les extensions de fichier.

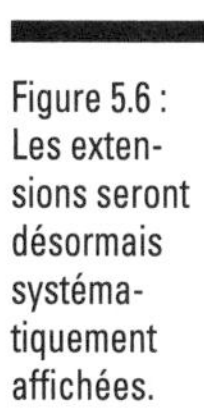

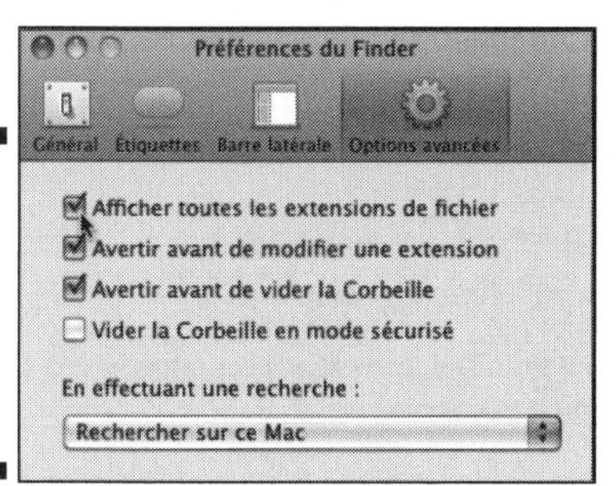

Figure 5.6 : Les extensions seront désormais systématiquement affichées.

Découvrir les alias

Un *alias* est une icône (voir Figure 5.7) dont l'unique fonction est d'ouvrir l'élément qu'elle représente, qu'il s'agisse d'un programme, d'un document, d'un dossier ou d'un disque.

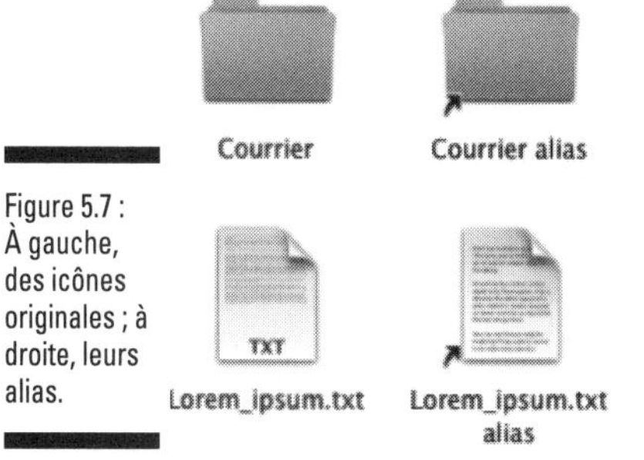

Figure 5.7 : À gauche, des icônes originales ; à droite, leurs alias.

Les alias ne sont pas des doubles des originaux ; ce ne sont que des pointeurs qui les désignent.

Créer

La technique est simple :

1. **Sélectionnez l'icône pour laquelle vous souhaitez créer un alias.**

2. **Choisissez Fichier/Créer un alias ou enfoncez les touches ⌘ + L.**

Ou :

1. **Sélectionnez l'icône pour laquelle vous souhaitez créer un alias.**
2. **Choisissez Créer un alias dans le menu Action.**

Ou :

1. **Ctrl + cliquez sur l'icône concernée.**
2. **Choisissez Créer un alias dans le menu contextuel qui se déroule sous votre pointeur.**

   Le Mac crée l'alias et le stocke au même endroit que sa source. Il lui attribue le même nom que son original et lui ajoute la mention `alias` ; il le dote en outre d'une petite flèche en bas à gauche de l'icône, vous rappelant ainsi qu'il s'agit d'un alias, au cas où vous en auriez modifié le nom et supprimé la mention `alias`, ce que vous avez parfaitement le droit de faire.

Si vous recourez à la commande Fichier/Ajouter à la barre latérale (⌘ + T), vous créez automatiquement un alias de l'icône active à l'appel de la commande et le stockez dans cette barre.

Retrouver l'original

Il vous arrivera d'ignorer complètement à quel endroit vous avez stocké l'original d'un alias.

Pour le retrouver (notamment si vous envisagez de le copier, de le déplacer, de le supprimer...), vous pouvez bien entendu faire appel à la commande Rechercher (Chapitre 11), mais il existe une technique plus simple :

1. **Sélectionnez l'alias.**
2. **Choisissez Fichier/Afficher l'original ou appuyez sur les touches ⌘ + R.**

Supprimer

Rien de plus simple : déposez l'alias dans la Corbeille.

La suppression d'un alias n'affecte en aucune manière l'élément original.

Gérer

Vous savez à présent reconnaître les différents types d'icônes. Il est grand temps à présent de savoir comment les gérer et, plus concrètement, comment :

- Sélectionner.
- Déplacer.
- Ouvrir.
- Renommer.
- Obtenir des infos.
- Supprimer.

Sélectionner

Pour sélectionner une icône, la technique est élémentaire : il suffit de cliquer une fois dessus.

Pour en sélectionner plusieurs, la procédure est plus complexe. Ainsi, imaginons que vous souhaitiez déplacer 20 fichiers graphiques d'un dossier vers un autre. Vous n'allez évidemment pas traiter ces 20 documents individuellement. Plusieurs techniques vous permettent de les sélectionner tous en une seule opération :

- **Sélectionnez en tirant un rectangle** : Si les icônes à traiter se trouvent les unes à côté des autres, cliquez en haut à gauche de la première icône de la fenêtre puis, bouton de la souris enfoncé, et faites-la glisser jusqu'au-delà de l'icône située en bas à droite. Quand vous relâcherez le bouton, tous les éléments placés dans le rectangle de sélection ainsi tracé seront sélectionnés (Figure 5.8).
- **Sélectionnez par Majuscule + clic** : Cliquez sur la première des icônes à sélectionner, puis touche Majuscule enfoncée, cliquez sur les autres icônes à inclure dans la sélection ; relâchez la touche Majuscule lorsque toutes les icônes à sélectionner sont marquées. Pour exclure une icône de la sélection, Majuscule + cliquez de nouveau dessus.

Déplacer

Une fois de plus, la technique du cliquer-glisser est à l'honneur :

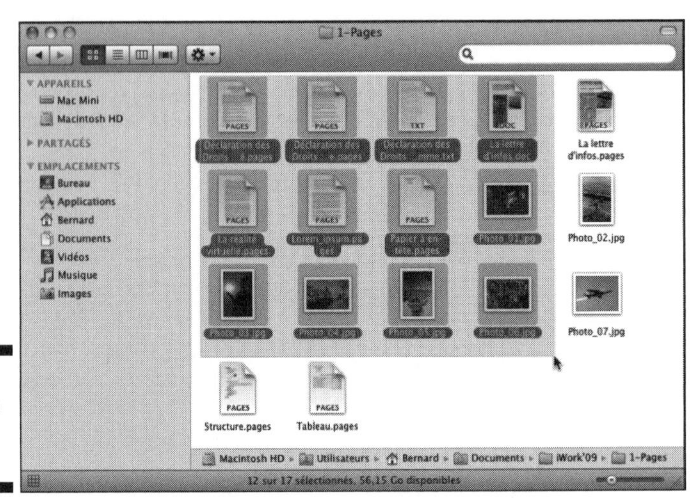

Figure 5.8 : La sélection avec un rectangle.

1. **Sélectionnez la ou les icônes à déplacer.**
2. **Cliquez sur l'icône ou sur l'une d'entre elles et maintenez enfoncé le bouton de la souris.**

   Attention : si vous cliquez en dehors de la sélection, vous l'annulez.

3. **Faites glisser jusqu'à l'emplacement souhaité.**
4. **Relâchez le bouton de la souris.**

Si vous associez la touche Option au cliquer-glisser, vous ne déplacez pas la sélection, vous n'en déplacez qu'une copie.

Ouvrir

Vous avez le choix entre quatre techniques distinctes (sans compter les alias qui, comme nous l'avons vu, constituent un cas à part) :

- Sélectionnez l'icône à ouvrir, puis choisissez Fichier/Ouvrir.
- Sélectionnez l'icône à ouvrir, puis enfoncez les touches ⌘ + O.
- Sélectionnez l'icône à ouvrir, puis choisissez Ouvrir dans le menu Action.
- Ctrl + cliquez sur l'icône, puis choisissez Ouvrir dans le menu contextuel.

- Cliquez deux fois sur l'icône à ouvrir.

Renommer

Normalement, toutes les icônes peuvent être renommées. Dans quelques cas, malgré tout, vous ne pourrez mener cette opération à bien :

- L'icône est verrouillée (voir la section suivante, "Obtenir des infos") ;
- L'élément que représente l'icône est en service (le programme tourne, le document est ouvert) ;
- L'éventuel administrateur de votre réseau ne vous a pas autorisé à changer les noms des icônes.

Sachez encore que le Mac ne vous permet pas de changer le nom de certaines icônes ; c'est notamment le cas des dossiers Bureau et Bibliothèque. Ne modifiez surtout pas les noms des applications et des fichiers appartenant à Mac OS X sous peine de sévères dysfonctionnements. Ne renommez que les fichiers et dossiers que vous avez vous-même créés.

Pour renommer une icône :

1. **Cliquez directement sur le nom à modifier (et non sur l'icône elle-même, sous peine de la sélectionner).**

Ou :

Cliquez sur l'icône proprement dite, puis enfoncez la touche Retour ou Entrée afin d'en sélectionner l'intitulé.

L'intitulé passe en surbrillance et se dote d'une fine bordure ; le curseur se transforme en barre d'insertion, signalant ainsi que le mode édition est actif.

Si vous sélectionnez malgré tout l'icône plutôt que son intitulé, enfoncez la touche Retour ou Entrée pour inverser la sélection.

2. **Tapez le nouveau nom.**

Vous pouvez remplacer carrément l'ancien intitulé par un nouveau, ou vous limiter à corriger seulement quelques caractères.

Obtenir des informations

Le Mac est capable, pour chaque icône, de fournir toutes sortes d'informations.

Pour y accéder, sélectionnez l'icône concernée, puis choisissez Fichier/Lire les informations (⌘ + I). La fenêtre correspondante s'affiche (Figure 5.9).

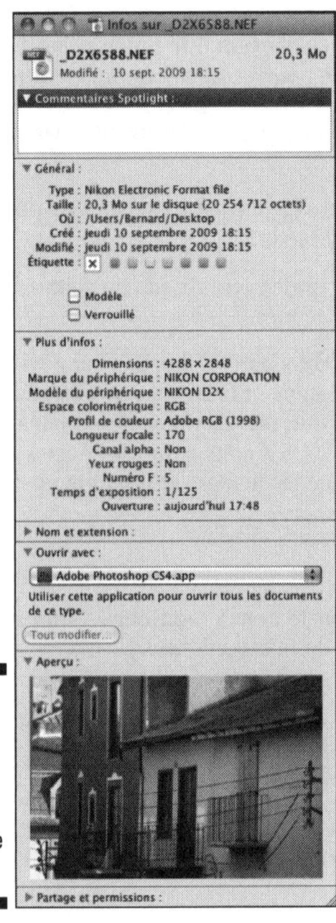

Figure 5.9 : La fenêtre Lire les informations d'une photographie numérique.

Supprimer

Faites tout simplement glisser l'icône jusque sur la Corbeille, à l'extrémité droite du Dock.

À moins que vous ne préfériez la commande Vider la Corbeille en mode sécurisé, qui vous débarrasse de son contenu une bonne fois pour toutes. (Pour vous rafraîchir la mémoire, reportez-vous à la section "Le menu Fichier" du Chapitre 3.)

Et hop, à la Corbeille !

Dès que vous jetez un élément à la Corbeille, celle-ci change d'aspect. Ce que vous y déposez y reste jusqu'à ce que vous :

- Choisissiez Finder/Vider la Corbeille.
- Enfonciez les touches ⌘ + Majuscule + Retour arrière.
- Ctrl + cliquiez dans le Dock sur l'icône de la Corbeille afin d'en dérouler le menu contextuel et d'y sélectionner le seul article, Vider la Corbeille.

Tant que vous ne réalisez pas une de ces actions, il est toujours possible de récupérer le contenu de la Corbeille (sauf après un blocage, bien entendu).

Après, il est trop tard pour avoir des regrets : le contenu de la Corbeille est définitivement perdu.

Enfin, pas vraiment : certains utilitaires comme Norton Utilities sont encore capables, même dans ces circonstances désespérées, de récupérer vos données.

L'option Avertir avant de vider la Corbeille est active par défaut. Pour la désactiver, allez dans les préférences du Finder (Finder/Préférences) et agissez sous l'onglet Avancé.

Chapitre 6

Le Dock

Dans ce chapitre :

- Découvrir.
- Gérer.
- Contrôler les icônes.

Le Dock est l'espèce d'étagère contenant des icônes qui se trouve en bas de votre écran. Sa mission est double :

- Il offre un accès rapide aux programmes et documents que vous utilisez le plus souvent ;
- Il place au premier plan un programme ou un document en service.

Découvrir

Au départ, le Dock ne comporte que des icônes standard correspondant aux programmes de Mac OS X les plus courants (Figure 6.1).

Figure 6.1 : Le Dock dans toute sa splendeur.

Détaillons-les brièvement, de gauche à droite :

- **Finder** : Ouvre une fenêtre Ordinateur. Vous pouvez en ouvrir d'autres avec la commande Fichier/Nouvelle fenêtre Finder ou son raccourci clavier ⌘ + N.

- **Préférences Système** : Ouvre le programme Préférences Système qui autorise toutes sortes de réglages.
- **Dashboard** : Provoque l'affichage du Dashboard et des Widgets ; vous obtenez le même effet en appuyant sur la touche F12.
- **Safari** : C'est le navigateur Web fourni avec Mac OS X.
- **Mail** : Lance la messagerie électronique dont Apple a doté Mac OS X.
- **Carnet d'adresses** : Accédez, grâce à cette icône, au Carnet d'adresses de Mac OS X.
- **iCal :** C'est le calendrier fourni par Apple, avec gestion des rendez-vous, des tâches, des listes....
- **iPhoto :** Grâce à iPhoto, vous pouvez télécharger des images depuis votre appareil photo numérique, les organiser, les imprimer, en faire des diaporamas ou les présenter dans des pages Web.
- **GarageBand :** Montez votre propre studio d'enregistrement et créez vos musiques.
- **iMovie :** Cet excellent programme, qui partage la vedette avec iTunes, est capable de produire des films de qualité supérieure, un must pour les fadas du caméscope.
- **iTunes** : Petite merveille de la technologie et véritable machine à sous pour Apple, iTunes permet d'écouter des fichiers MP3 téléchargés depuis Internet ou d'écouter des stations de radio Internet. Il permet aussi de créer votre propre bibliothèque de fichiers MP3 à partir de votre collection de CD audio.
- **iChat** : Il s'agit là d'une messagerie instantanée grâce à laquelle vous pouvez dialoguer avec vos correspondants via une interface simple et amusante.
- **Aperçu** : Affichez des fichiers de différents formats ; entre autres, TIF, JPEG ou PDF.
- **Téléchargement** : Donne un accès direct au contenu du dossier Téléchargement utilisé par le navigateur Web Safari.
- **Corbeille** : Élément particulier du Dock, la Corbeille n'est ni un document ni un programme. C'est l'endroit où vous déposez les éléments dont vous souhaitez vous débarrasser. Faites-y tout simplement glisser l'icône correspondante et le tour est joué !

Le nom des icônes du Dock s'affiche dès que vous y laissez stationner votre pointeur.

Si vous trouvez ces icônes trop petites, cochez la case Agrandissement, dans le sous-menu Dock du menu Pomme : les icônes s'afficheront en grand dès que vous en approcherez le pointeur de la souris, comme le montre la Figure 6.2.

Figure 6.2 : Le Dock fait le gros dos.

Gérer

Plusieurs opérations sont possibles : vous pouvez masquer, redimensionner et déplacer le Dock, ainsi qu'opérer divers réglages.

Masquer

Par défaut, le Dock est affiché dans la partie inférieure de votre écran. Vous pouvez faire en sorte qu'il n'apparaisse plus que quand vous placez votre pointeur dans sa zone : choisissez Pomme/Dock/Activer le masquage (⌘ + Option + D).

À l'inverse, c'est la commande Désactiver le masquage du même sous-menu qu'il faut utiliser pour rétablir la situation de départ.

Redimensionner

Si la taille du Dock ne vous convient pas, réduisez-la, une possibilité que vous apprécierez surtout pour y ajouter de nombreux autres icônes.

Pour agrandir ou réduire le Dock, placez le pointeur de la souris sur les petits pavés à gauche de l'icône du dossier Téléchargement : il prend la forme d'une double flèche ; tirez vers le haut ou vers le bas jusqu'à obtention de la taille souhaitée.

Vous pouvez également agir au travers des préférences du Dock ; voyez à ce sujet la section intitulée "Paramétrer", plus loin dans ce chapitre.

Déplacer

Le Dock n'est pas condamné à la partie inférieure de l'écran. Il peut en effet être déplacé le long du bord gauche ou droit.

Pour choisir sa position, il suffit de valider la commande correspondante du sous-menu Pomme/Dock (Figure 6.3).

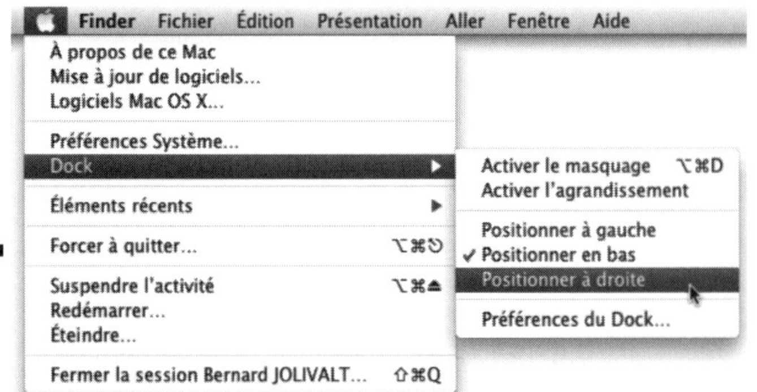

Figure 6.3 : Placez le Dock où bon vous semble.

Paramétrer

Le Dock est personnalisable. Vous accédez à ses préférences (Figure 6.4) depuis le sous-menu Dock du menu Pomme ou depuis les Préférences système.

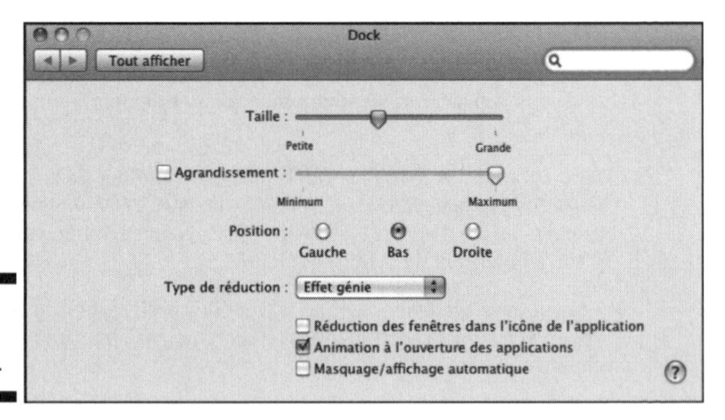

Figure 6.4 : Les options disponibles.

Un Ctrl + clic sur le séparateur du Dock vous assure un accès direct aux options.

Différents réglages sont autorisés, notamment :

- **Taille** : Réglez la taille du Dock en faisant glisser le curseur vers la droite (pour l'augmenter) ou vers la gauche (pour la réduire).
- **Agrandissement** : Cochez la case correspondante pour que les icônes du Dock sur lesquelles vous positionnez votre pointeur soient agrandies. Réglez la taille de l'agrandissement avec la glissière (mettez-la carrément au maximum).
- **Position** : Définit la position du Dock, en bas, à gauche ou à droite de l'écran.
- **Type de réduction** : Deux effets sont disponibles pour les fenêtres : l'effet génie (les fenêtres vont vers le Dock et le quittent par un mouvement sinueux évoquant le génie s'échappant d'une lampe magique) ou l'effet d'échelle, plus fruste : la fenêtre se réduit ou s'agrandit linéairement.

- **Réduction des fenêtres dans l'icône de l'application** : Au lieu de s'accumuler dans la partie droite du Dock, les fenêtres que vous réduisez disparaissent dans l'icône de leur application, dans le Dock. Par exemple, si vous visionnez une photo avec Aperçu, et que vous la réduisez, la photo disparaît dans l'icône Aperçu, en bas de l'écran. Pour la revoir, cliquez sur l'icône Aperçu.

  Attention : si plusieurs fichiers ont été réduits dans une icône, le clic ne fera réapparaître qu'une seule. Pour réafficher les autres fichiers, effectuez un Ctrl + clic sur l'icône et choisissez dans le menu contextuel le fichier que vous désirez ouvrir.
- **Animation à l'ouverture des applications** : Mac OS X fait sautiller les icônes du Dock lorsque vous cliquez dessus. Si ce comportement primesautier vous agace, décochez cette case.
- **Masquage/affichage automatique** : Masque le Dock tant que le pointeur de la souris n'est pas à proximité de lui. Le Dock émerge du fond de l'écran dès que le pointeur s'en approche.

Contrôler les icônes

Cette section vous apprend comment gérer les icônes du Dock : les activer, en ajouter, les déplacer, en supprimer.

Activer

Contrairement aux icônes standard qui exigent un double-clic, celles du Dock s'activent sur simple clic.

Lorsque vous les activez, elles rebondissent mollement dans le Dock avant de déclencher le programme correspondant (à condition, bien entendu, que l'option Animation à l'ouverture des applications soit active ; voir ci-dessus).

Une fois le programme en service, le Dock a une façon bien à lui de signaler cette activité : il affiche, sous l'icône correspondante, une petite bille bleu gris (Figure 6.5).

Figure 6.5 : iTunes est en service.

Ajouter

Simplifiez-vous la vie : ajoutez au Dock les icônes des programmes, documents, dossiers et adresses Internet que vous exploitez quotidiennement.

Tout ici est affaire de cliquer-glisser :

1. **Ouvrez la fenêtre Finder dans laquelle se trouve l'icône à ajouter.**

2. **Cliquez sur l'icône, puis faites-la glisser de la fenêtre du Finder vers celle du Dock.**

   Placez les icônes d'applications à gauche de la ligne qui divise le Dock ; placez les autres à droite.

Vous pouvez traiter plusieurs icônes à la fois : opérez la sélection souhaitée, puis cliquez-glissez.

Lorsque vous cliquez sur les dossiers placés dans la partie de gauche du Dock, OS X affiche leur contenu sous forme de liste, d'éventail ou de grille (Figure 6.6). Par défaut, vous trouvez les dossiers Documents et Téléchargements dans le Dock, vous pouvez ajouter le dossier Applications pour accéder rapidement à l'ensemble de vos applications. Avec un Ctrl + clic sur le dossier, vous ouvrez un menu contextuel dans

Figure 6.6 : Le contenu d'un dossier affiché en éventail.

lequel vous trouvez l'élément Affichage qui vous permet de choisir manuellement le style d'affichage désiré.

Déplacer

Une icône peut être déplacée du Bureau ou d'une fenêtre du Finder jusque sur le Dock ou, si elle se trouve déjà dans le Dock, repositionnée à un autre emplacement. La procédure est la même dans les deux cas :

1. **Sélectionnez l'icône à déplacer.**
2. **Maintenez le bouton de la souris enfoncé.**
3. **Faites glisser l'icône jusqu'à l'emplacement souhaité, dans le Dock.**
4. **Relâchez le bouton de la souris.**

Quand une icône est déplacée du Bureau ou du Finder jusque vers le Dock, l'icône originale reste en place. C'est en réalité un duplicata qui est déposé dans le Dock.

Supprimer

Il suffit de faire glisser l'icône du Dock vers le Bureau. Elle disparaît dans un petit nuage.

Comme pour les alias, le fichier original reste intact : seule son icône est supprimée du Dock.

Chapitre 7

Appeler au secours

Dans ce chapitre :

- Accéder à l'aide en ligne.
- Trouver des informations.
- Imprimer des rubriques.

On a tous besoin d'un petit coup de pouce de temps en temps. Pourquoi s'en cacher ? N'hésitez pas à solliciter aussi souvent que nécessaire la fonction d'aide en ligne de Mac OS X.

Accéder à l'aide en ligne

C'est le menu Aide qui prend en charge cet aspect des choses. Ce menu propose en général au moins la commande Aide (nom du programme), dotée du classique raccourci clavier ⌘ + ?. Son activation provoque l'entrée en action du programme Visualisation Aide (Figure 7.1).

La commande d'accès à l'aide est dotée d'une zone dans laquelle vous pouvez saisir des mots. Mac OS X recherche ces critères dans les menus ou dans l'aide en ligne. Pour plus d'informations, consultez la section Rechercher dans le menu Aide, à la fin de ce chapitre.

A priori, cette commande s'intitule Aide Mac, mais dès que vous lancez une application (voire, tout simplement, un fichier du Finder comme les Préférences Système), la commande change de nom de manière à vous assurer un accès direct à l'élément actif (Figure 7.2).

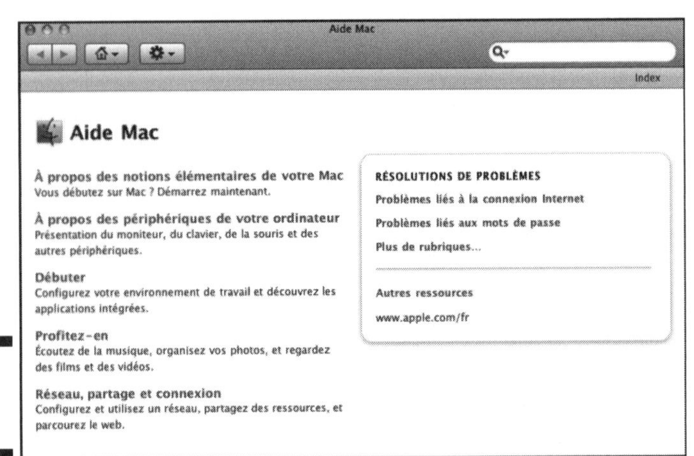

Figure 7.1 : Bienvenue dans l'Aide.

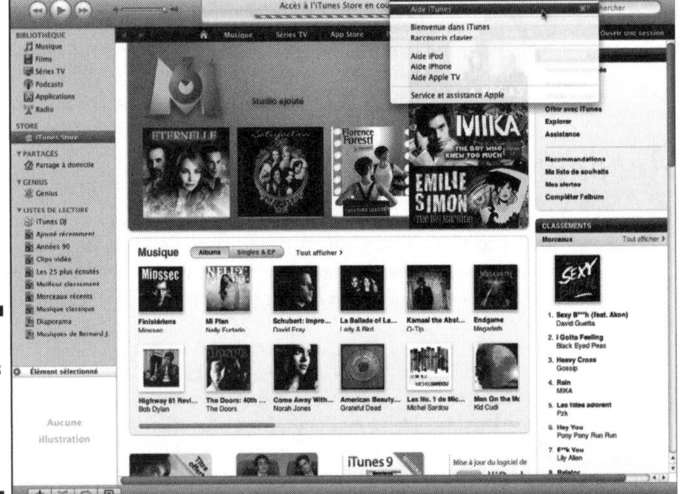

Figure 7.2 : N'hésitez pas à demander de l'aide (ici, depuis iTunes).

Trouver les informations

La marche à suivre est simple :

1. **Cliquez sur Aide > Aide Mac.**

Ou appuyez sur ⌘ + ?

2. **Saisissez l'objet de votre recherche dans le champ en haut à droite.**

3. **Enfoncez la touche Retour.**

   Le Mac dresse quasi instantanément la liste des thèmes en relation avec votre question ou qu'il estime tels (Figure 7.3).

Figure 7.3 : Pour en savoir plus sur les alias.

4. **Dans la liste, cliquez sur l'élément de votre choix pour accéder aux informations dont vous avez besoin.**

   Le Mac vous renseigne en long et en large, mais pas de travers (Figure 7.4).

5. **Si vous avez besoin d'en savoir plus, allez en bas de la page puis cliquez sur l'une des propositions figurant sous Rubriques connexes.**

Remarquez le lien Index, en haut à droite, sous le champ de saisie, qui donne accès à l'aide au travers d'un index de termes classés par ordre alphabétique.

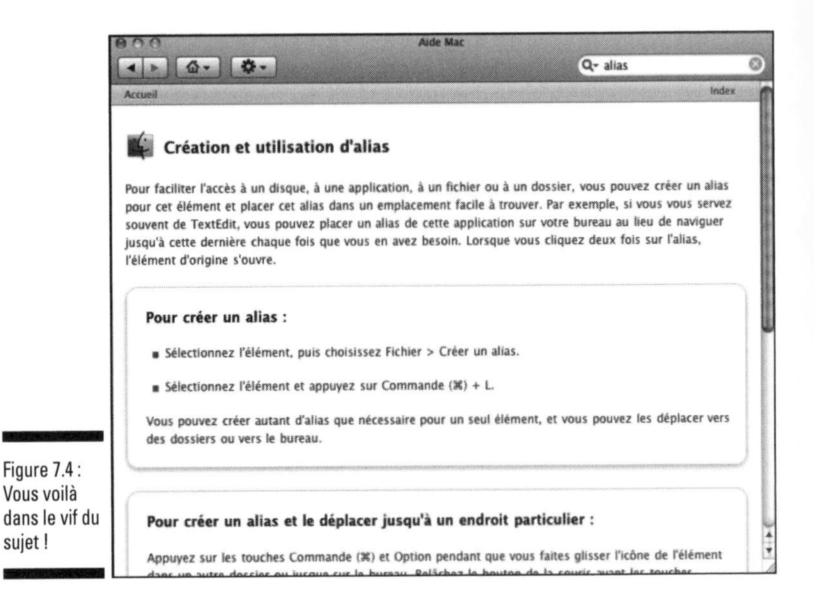

Figure 7.4 : Vous voilà dans le vif du sujet !

Imprimer des rubriques

Pour imprimer l'aide affichée à l'écran, cliquez le bouton d'action de la barre d'outils de la fenêtre d'aide, puis sélectionnez Imprimer (Figure 7.5).

Cliquez sur Imprimante (Figure 7.6) puis démarrez l'impression.

Quitter l'aide en ligne

De manière fort classique, vous quittez l'aide en ligne de deux manières :

- Choisir Fichier/Fermer ou enfoncer les touches ⌘ + W.
- Cliquer sur le bouton rouge Fermer, en haut à gauche

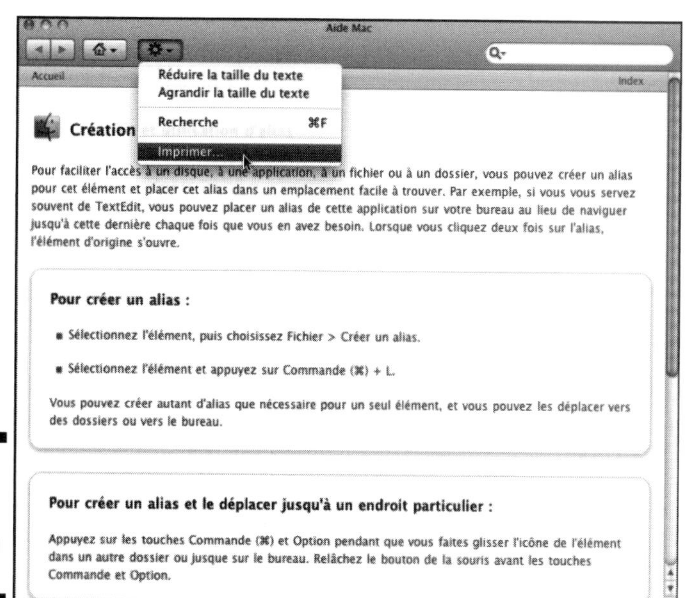

Figure 7.5 : La commande d'impression de l'aide.

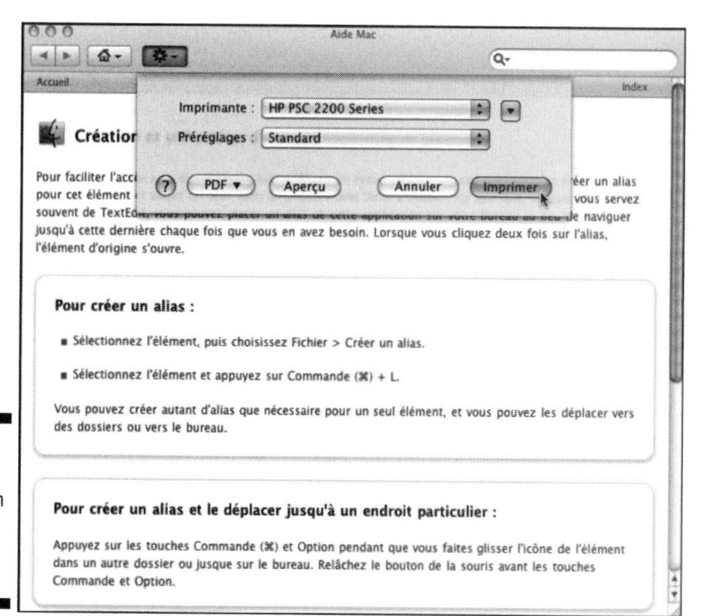

Figure 7.6 : La fenêtre d'impression (ici, en affichage compact).

Deuxième partie

Mener des actions élémentaires

Dans cette partie...

Les différents chapitres de cette deuxième partie vous enseignent les manipulations de base ainsi que les techniques de gestion des dossiers et des fichiers.

Ils vous apprennent ainsi comment ouvrir, enregistrer et imprimer des documents, puis, plus généralement, comment tirer parti de la gestion des fichiers telle que la pratique Mac OS X.

Chapitre 8

Enregistrer

Dans ce chapitre :

- Enregistrer pour la première fois.
- Enregistrer la mise à jour.
- Enregistrer sous un autre nom et/ou à un autre endroit.

À quoi sert de travailler si vous ne savez pas comment sauvegarder le fruit de votre labeur ? Concentrez-vous sur ce chapitre car il est fondamental.

Il n'y a bien entendu rien à enregistrer au niveau du Finder ; ce n'est qu'à partir des programmes que vous enregistrez des données.

Enregistrer pour la première fois

Supposons que vous rédigez un courrier avec votre traitement de texte. Il n'est actuellement présent que dans la mémoire (volatile) du Mac. Si l'application se fige, si le système se bloque, il est définitivement perdu. Si vous tenez à conserver votre document, il vous faut impérativement l'enregistrer sur le disque dur ou sur un autre support, quel qu'il soit (une clé USB par exemple, bien que la prudence commande d'enregistrer systématiquement sur un disque dur).

Pour ce faire, vous devrez fournir deux informations au Mac :

- Le nom que vous désirez attribuer au document.
- L'emplacement où vous le stockerez.

N'enregistrez pas n'importe où !

Il y a bien longtemps, l'emplacement où vous stockiez vos documents n'avait, somme toute, guère d'importance. Mais les temps ont changé.

Sous Mac OS X, nous vous engageons à stocker tous vos dossiers et documents dans le dossier Documents. Le Mac exploite quantité de fichiers qu'il dissémine un peu partout ; il est donc plus prudent que chaque utilisateur reste bien gentiment dans les zones qui lui sont réservées de manière à ne pas interférer avec le système informatique, selon le principe bien connu du "Chacun chez soi et les moutons seront bien gardés".

Apple a tout fait pour vous encourager à agir de la sorte, en plaçant un dossier Documents à portée de souris dans la barre latérale de toutes les fenêtres Finder.

Enfin, en utilisant un emplacement unique, non seulement vous retrouvez plus facilement vos fichiers, mais vous facilitez également leur enregistrement.

Procédez à l'enregistrement :

1. **Depuis le programme utilisé pour créer le document, choisissez Fichier/Enregistrer ou Fichier/Enregistrer sous, ou encore, appuyez sur ⌘ + S.**

   La fenêtre d'enregistrement apparaît (Figure 8.1).

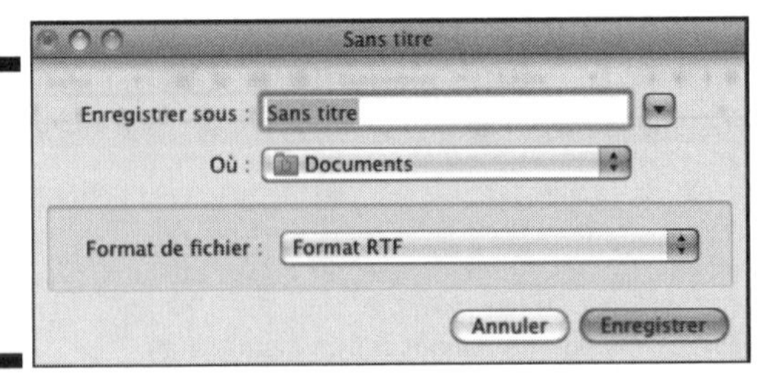

Figure 8.1 : La fenêtre d'enregistrement de TextEdit, en version compacte.

2. **Développez la fenêtre en cliquant sur le petit triangle noir à droite de la case Enregistrer sous.**

   La fenêtre complète apparaît (Figure 8.2).

Nous avons pris comme exemple la fenêtre de TextEdit. Celle d'autres programmes propose sans doute d'autres options mais les commandes principales sont communes à toutes.

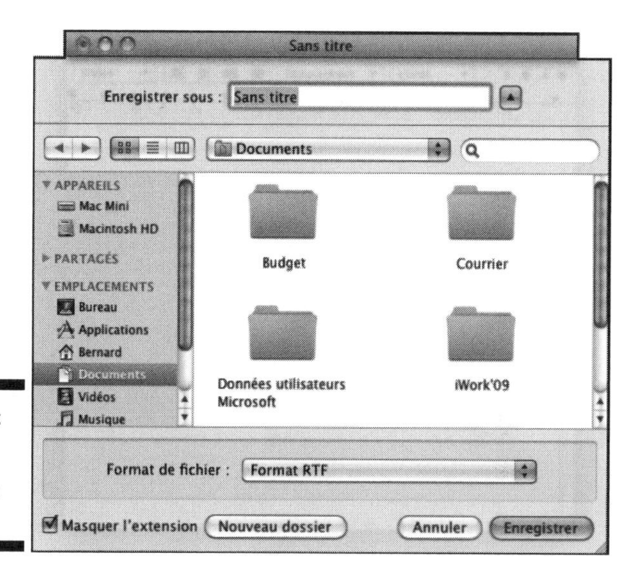

Figure 8.2 : La même fenêtre, en version intégrale.

Une fenêtre d'enregistrement peut être présentée de trois manières : en mode Icônes (voir la Figure 8.2), en mode Liste (voir la Figure 8.3) ou en mode Colonnes (Figure 8.4). Dans son système d'exploitation, Apple reprend, pour les fenêtres d'enregistrement (et d'ouverture), la métaphore du navigateur, augmentant ainsi la cohérence de l'interface utilisateur à tous les niveaux. Choisissez le mode que vous préférez grâce aux icônes placées à droite des boutons Précédent et Suivant pour un confort de navigation accru.

Agrandissez la fenêtre pour mieux visualiser son contenu (en tirant le coin en bas à droite).

3. **Nommez votre document dans la case Enregistrer sous.**

4. **Désignez l'emplacement où vous désirez stocker le fichier en cliquant, soit dans le menu local Accès (voir Figure 8.5), la barre latérale et la partie centrale de la fenêtre.**

   Le menu Accès répertorie les principaux emplacements vers lesquels vous êtes susceptible de demander la sauvegarde, ainsi que les dossiers vers lesquels vous avez, il y a peu, effectué des enregistrements, regroupés sous la mention Emplacements récents (Figure 8.5).

Figure 8.3 : La présentation en mode Liste.

Figure 8.4 : La présentation en mode Colonnes.

Le nom figurant en tête du menu Accès est celui de l'élément actif, c'est-à-dire l'emplacement où vous stockerez le document si vous ne choisissez pas un autre dossier.

Figure 8.5 : Le menu Accès permet de choisir la destination du document en cours d'enregistrement.

5. **Cliquez sur Enregistrer.**

La guerre des boutons

En règle générale, les fenêtres d'enregistrement proposent trois boutons : Nouveau dossier, Annuler et Enregistrer.

- **Nouveau dossier** : Sert à créer un nouveau dossier dans le dossier actif.
- **Annuler** : Ferme la fenêtre sans rien enregistrer.
- **Enregistrer** : Enregistre le document dans le dossier sélectionné.

Ce n'est pas plus compliqué que cela.

Enregistrer un document modifié

Vous avez enregistré votre document en lui attribuant un nom et un emplacement, et le Mac l'a sauvegardé sous cet intitulé et à cet endroit. C'est parfait. Mais que se passe-t-il si après cette opération vous modifiez le contenu du fichier ?

Vous disposez alors de deux exemplaires de ce document :

- La version enregistrée sur le disque.
- La version modifiée, qui n'est que provisoirement stockée dans la mémoire vive du Mac.

Il s'agit de mettre à jour la version enregistrée sur le disque dur. Rien de plus simple : vous utiliserez une nouvelle fois la commande d'enregistrement.

Son raccourci clavier, presque universel, est ⌘ + S. Mémorisez-le et utilisez-le fréquemment, presque inconsciemment.

La même commande sert au premier enregistrement et à ceux qui suivront. La différence est que, lors de la première sauvegarde, elle provoque l'affichage de la fenêtre d'enregistrement, ce qui n'est pas le cas lors des sauvegardes suivantes.

Enregistrer sous un autre nom et/ou à un autre emplacement

Voisine de la commande Enregistrer, la commande Enregistrer sous vous permet, elle, d'enregistrer un fichier qui l'est déjà sous un autre nom et/ou à un autre endroit.

Voici comment vous procéderez :

1. **Choisissez Fichier/Enregistrer sous.**
2. **Saisissez le nouveau nom du fichier.**

Et/ou :

3. **Affectez-lui une nouvelle destination.**
4. **Cliquez sur le bouton Enregistrer.**

Chapitre 9

Ouvrir un document

Dans ce chapitre :

- Ouvrir un document.
- Quand ça ne tourne pas rond.

Vous avez, hier, enregistré un fichier. Vous voulez à présent y accéder. Comment faire ? L'ouvrir, tout simplement !

Ouvrir un document

Vous pouvez ouvrir un document depuis le Bureau, depuis un dossier ou depuis le programme qui a servi à le créer.

Depuis le Bureau

Pour ouvrir un document depuis le Finder :

1. **Identifiez l'icône du document à ouvrir.**
2. **Double-cliquez dessus.**

Vous pouvez aussi appliquer la technique du glisser-déposer : faites glisser l'icône du document à ouvrir jusque sur celle du programme qui a servi à le créer.

Depuis le programme

Pour peu que vous maîtrisiez la fenêtre d'enregistrement, la fenêtre d'ouverture ne devrait pas vous poser de problème, car elle repose sur le même principe, mais dans l'autre sens :

1. **Choisissez Fichier/Ouvrir ou enfoncez les touches ⌘ + O.**

   La fenêtre d'ouverture apparaît (Figure 9.1).

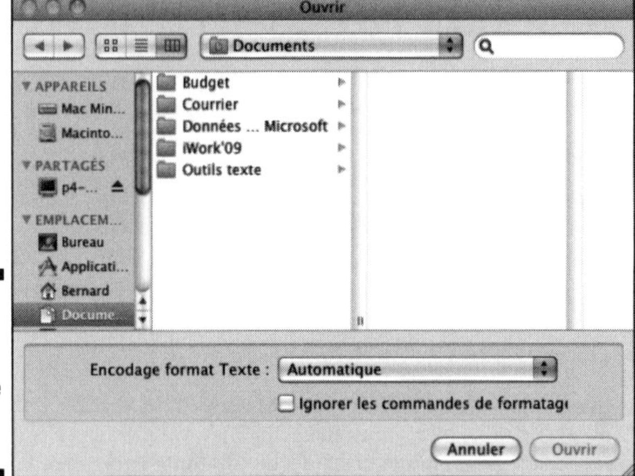

Figure 9.1 : La boîte de dialogue de la commande Ouvrir de TextEdit.

Comme la fenêtre d'enregistrement, la fenêtre d'ouverture peut être présentée en modes Icônes, Liste ou Colonnes.

2. **Indiquez l'endroit où se trouve le fichier à ouvrir, à l'aide du menu local Accès, de la barre latérale ou de la partie centrale de la fenêtre.**

3. **Cliquez sur le fichier.**

4. **Cliquez sur Ouvrir.**

   Un double-clic sur le fichier permet d'éviter l'Étape 3.

Quand ça ne tourne pas rond

Certains problèmes peuvent se poser à l'ouverture ; la solution diffère selon que vous agissez depuis le Bureau ou depuis le programme d'application.

Agir depuis le Bureau

Il est parfois impossible d'ouvrir une icône parce que le Mac ne parvient pas à localiser le programme source, soit parce que celui-ci ne figure pas sur le disque, soit parce qu'il a été renommé, ou encore parce qu'il a été endommagé.

Dans l'un de ces cas, glissez-déposez l'icône du document sur celle d'un programme que vous estimez capable de l'ouvrir. L'icône passe en grisé ? C'est gagné !

Si l'icône du programme ne change pas d'aspect, cela signifie qu'elle est incapable d'ouvrir le document. Attention, car dans ce cas le fichier dont vous avez glissé-déposé l'icône est transféré dans le dossier auquel appartient l'application testée. Remettez le document à sa place avant de poursuivre.

Si l'icône ne réagit pas, double-cliquez dessus ; le Mac adresse alors un message d'erreur (Figure 9.2), invitant à choisir une application susceptible d'ouvrir le document.

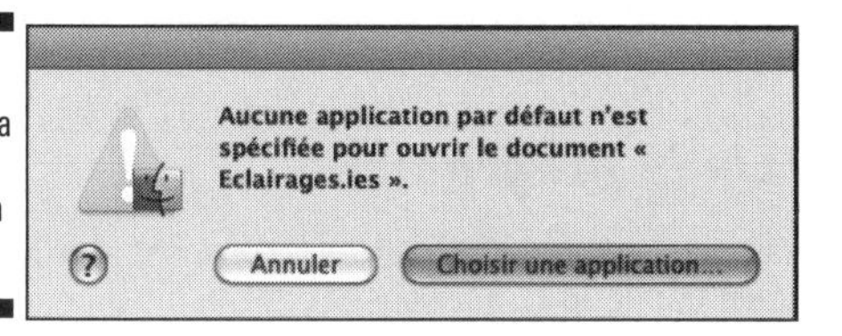

Figure 9.2 : Mac OS X n'a pas trouvé d'application compatible.

Procédez comme suit si le Mac n'est pas parvenu à ouvrir le fichier :

1. **Cliquez sur le bouton Choisir une application.**

   Une fenêtre s'ouvre (Figure 9.3), dans laquelle les programmes incapables d'ouvrir le fichier sont en grisé.

2. **Sélectionnez l'un des programmes apparaissant en noir.**

   Pour élargir le choix, sélectionnez Toutes les applications, dans le menu local Activer. Sachez cependant qu'en règle générale Mac OS X sait mieux que vous quel programme est capable d'ouvrir quel fichier. C'est pourquoi, faites confiance à l'option Applications recommandées.

   Il va de soi que n'importe quel programme ne peut pas ouvrir n'importe quel fichier. Il serait vain de chercher à ouvrir un fichier de musique MP3 avec le tableur Microsoft Excel. Vous devrez donc parfois tâtonner avant de trouver *le* logiciel capable de procéder à l'ouverture.

3. **Cliquez sur Ouvrir.**

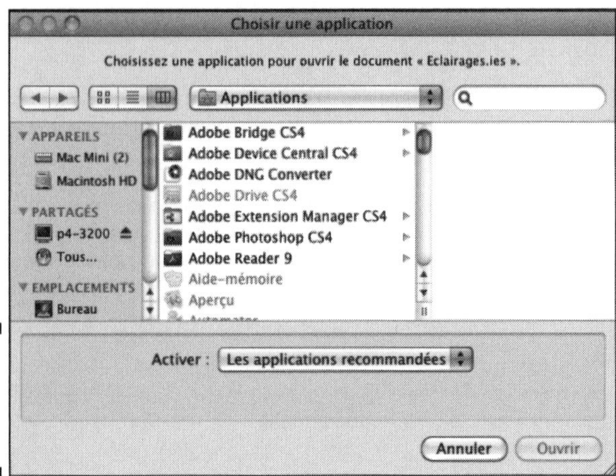

Figure 9.3 : Faites votre choix dans cette fenêtre.

Agir depuis le programme

Dans un programme, la commande Ouvrir ne propose que les fichiers qu'il sait lire. C'est commode, sauf dans le cas qui nous occupe.

Heureusement, les programmes évolués sont capables d'ouvrir toutes sortes de fichiers. Ils regroupent, dans un menu souvent intitulé Format, les nombreux types de fichiers qu'ils reconnaissent. En revanche, l'option Tous les fichiers, lorsqu'elle existe, liste tous les documents du dossier, sans aucune discrimination.

Chapitre 10

Faire bonne impression

Dans ce chapitre :

- Préparer l'impression.
- Définir le format d'impression.
- Prévisualiser.
- Lancer la procédure.

En général, l'impression se déroule sans encombre. Découvrez ses options, contrôlez son déroulement, résolvez les éventuelles difficultés.

Préparer l'impression

Il faut d'abord brancher l'imprimante au Mac (la connecter) et lui signaler sa présence (la configurer).

Il existe quantité de modèles d'imprimantes. Nous ne pouvons bien entendu les décrire tous. Consultez la documentation de votre modèle pour savoir comment l'utiliser ; pour le reste, suivez les consignes prodiguées dans ce chapitre.

Connecter l'imprimante

Voici comment établir la connexion entre le Mac et l'imprimante :

1. **Branchez l'imprimante au Mac à l'aide du câble prévu à cet effet.**

Attention : tous les modèles ne se branchent pas sur la même prise (ou "port", en jargon technique). La plupart des imprimantes doivent être connectées au port USB (Universal Bus Serie) ; d'autres se connectent au port FireWire, voire au port Ethernet. Consultez le manuel de votre imprimante pour savoir où et comment la brancher.

2. **Branchez l'imprimante à une prise électrique.**

   Eh non, l'imprimante à magnéto actionnée par une manivelle n'existe pas encore.

3. **Allumez-la.**

4. **Si elle exige l'installation d'un programme (ou utilitaire), procédez à cette installation.**

   Attention : pour certains modèles d'imprimante, le programme doit être installé d'abord. Là encore, lisez attentivement le manuel. D'autres imprimantes, reconnues d'emblée par le Mac, n'exigent pas forcément un logiciel spécifique.

5. **Redémarrez le Mac.**

   Voilà. C'est tout.

Configurer l'imprimante

Mac OS X offre une prise en charge étendue de la plupart des imprimantes USB, à tel point qu'il est capable d'opérer une sélection automatique des pilotes d'imprimante, ces petits fichiers qui lui permettent de dialoguer avec elle (car tout un dialogue s'établit entre l'ordinateur "Je peux t'envoyer d'autres données à imprimer ?" et l'imprimante "Tu peux, j'ai encore de la place dans ma mémoire-tampon pour les mettre en attente pendant que je finis l'impression en cours"). Mac OS X est doté de plus de 200 pilotes en tout genre, assurant ainsi la communication avec les modèles d'imprimantes les plus répandus, Hewlett-Packard et Xerox notamment.

Passons à la pratique :

1. **Cliquez sur Pomme puis sur Préférences système ou activez l'icône correspondante du Dock, puis cliquez sur l'icône Imprimantes et fax.**

   Le tableau de bord apparaît (Figure 10.1).

2. **Cliquez sur +, en bas à gauche de la fenêtre Imprimantes.**

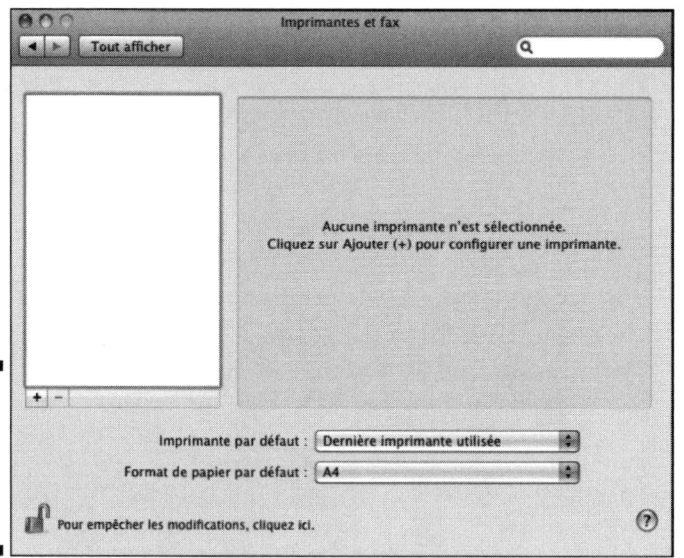

Figure 10.1 : C'est là que tout commence (pour l'impression du moins).

La fenêtre Ajouter une imprimante apparaît (Figure 10.2). Elle contient la liste de toutes les imprimantes disponibles. Plusieurs peuvent en effet être branchées au Mac ou être présentes sur un réseau informatique.

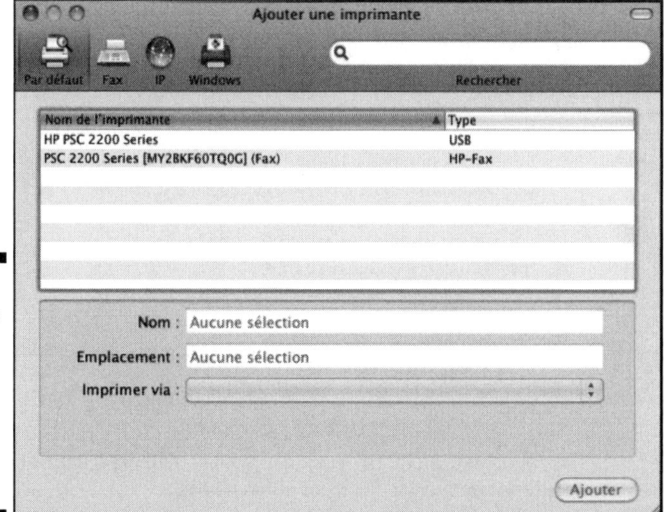

Figure 10.2 : L'imprimante branchée au Mac ainsi que sa fonction de télécopieur ont été détectées.

3. **Au besoin, cliquez sur l'une des icônes de la partie supérieure de la fenêtre pour indiquer le mode de connexion.**

   À la Figure 10.2, nous conservons l'option Par défaut, adaptée pour une imprimante connectée au port USB.

4. **Sélectionnez l'imprimante à utiliser, puis cliquez sur le bouton Ajouter.**

   La fenêtre d'ajout disparaît et l'imprimante ajoutée apparaît dans la fenêtre Imprimantes et Fax (Figure 10.3).

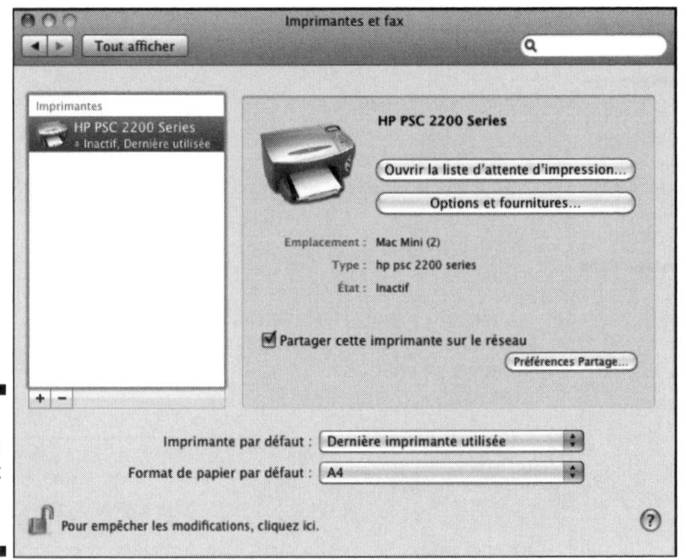

Figure 10.3 : L'imprimante est à présent opérationnelle.

Vous ne parvenez pas à configurer votre périphérique de sortie ? Rendez-vous sur le site Internet du fabricant afin de vous y procurer le dernier pilote en date. Les *pilotes* sont les fichiers qui permettent au Mac de communiquer avec un périphérique ; plus la version est récente, plus l'entente est bonne.

Définir le format d'impression

Avant d'imprimer, vous devrez choisir le format de papier, son orientation, et quelques autres paramètres. C'est dans la fenêtre de la commande Fichier/Format d'impression du programme en cours d'utilisation que ces réglages sont effectués.

1. **Choisissez Fichier/Format d'impression.**

   La fenêtre correspondante s'affiche (Figure 10.4).

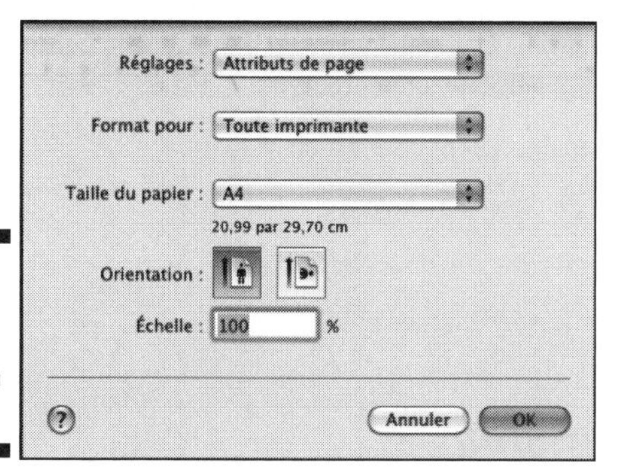

Figure 10.4 : La fenêtre Format d'impression de TextEdit.

2. **Effectuez les paramétrages souhaités.**

   Vous avez le choix entre plusieurs possibilités :

   - **Réglages** : Conservez l'option Attributs de page pour accéder aux options de configuration.
   - **Format pour** : Choisissez éventuellement l'imprimante à utiliser.
   - **Taille du papier** : Vous utiliserez principalement des feuilles au format A4 (21 x 29,7 cm). Sinon, sélectionnez le format de papier ou d'enveloppe approprié.
   - **Orientation** : Optez pour une orientation portrait ou à la française (impression dans le sens de la largeur du papier), ou bien pour une orientation paysage ou à l'italienne (impression dans le sens de la hauteur du papier) ; dans cette seconde éventualité, choisissez parmi les deux variantes proposées.
   - **Échelle** : Spécifiez éventuellement un taux de réduction ou d'agrandissement.

3. **Cliquez sur OK.**

Prévisualiser

Préservez les forêts : prévisualisez avant d'imprimer inutilement ! Cette opération révélera souvent des défauts susceptibles d'être corrigés avant de lancer l'impression.

Des programmes comme Word et Excel, Photoshop et bien d'autres encore, sont dotés d'une commande Aperçu avant impression, située dans le menu Fichier. Parfois, un bouton Aperçu figure en bas de la fenêtre d'impression que nous commentons dans la section suivante. Il déclenche un utilitaire nommé fort à propos Aperçu, doté entre autres d'un zoom. En général, le mode Aperçu :

- Affiche le document courant en réduction.
- Permet de passer d'une page à une autre.
- Zoome en avant ou en arrière.
- Gère parfois les marges et les titres.

Lancer l'impression

C'est la phase finale, généralement exécutée de la manière suivante :

1. **Choisissez Fichier/Imprimer ou appuyez sur ⌘ + P.**

   La fenêtre d'imprimante apparaît (Figure 10.5).

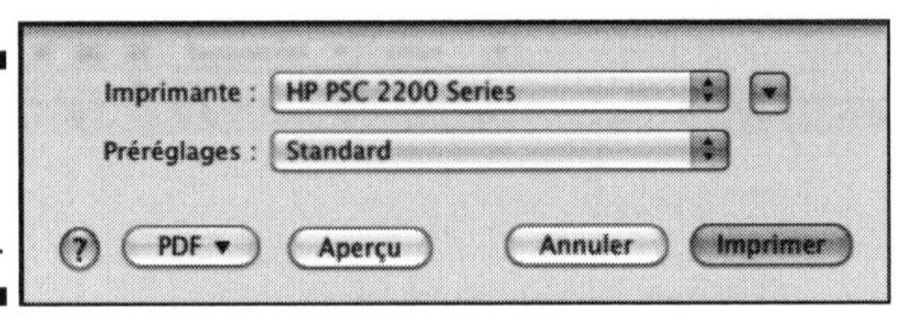

Figure 10.5 : La fenêtre d'impression de Mac OS X.

2. **(Facultatif) Choisissez l'imprimante.**

   Cette opération ne s'impose évidemment que quand plusieurs imprimantes sont disponibles (celles que vous avez configurées au préalable avec le programme Configuration d'imprimante, comme expliqué à la section "Configurer", plus haut dans ce chapitre).

   Si vous avez enregistré un ensemble de réglages via la commande Enregistrer sous du menu local Préréglages, vous pouvez sélectionner cette configuration dans ce même menu.

3. **Cliquez la flèche vers le bas, placée en regard de Imprimante, pour obtenir la fenêtre étendue de la Figure 10.6.**

À ce stade, plusieurs réglages sont disponibles dans le menu déroulant de TextEdit, le programme utilisé pour cette étude. Détaillons-les.

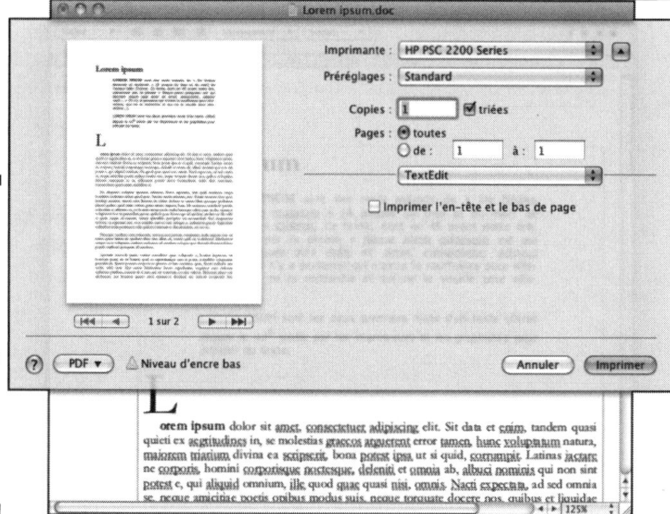

Figure 10.6 : Cette fenêtre diffère selon le programme; nous sommes ici dans TextEdit (remarquez l'alerte de niveau d'encre, en bas à gauche).

Copies et pages

4. **Assurez-vous que la mention TextEdit (ou, selon les programmes, Copies et pages) s'affiche bien dans le menu déroulant de la partie centrale de la fenêtre, puis validez les options souhaitées :**

   - **Copies** : Indiquez le nombre d'exemplaires à imprimer.
   - **Triées** : Cochez cette case pour imprimer le document exemplaire par exemplaire (toutes les pages de l'exemplaire 1, puis toutes celles de l'exemplaire 2, et ainsi de suite) ; désactivez-la pour imprimer toutes les pages 1, puis toutes les pages 2, etc.
   - **Recto verso** : Cette case, à droite de Triées, n'est affichée que si l'imprimante est capable d'imprimer sur les deux faces d'une feuille.
   - **Pages** : Sélectionnez l'option Toutes pour imprimer la totalité du document. Pour n'en imprimer qu'une partie, saisissez le numéro de la première page à imprimer dans le champ De, puis celui de la dernière dans le champ À.

Pour n'imprimer qu'une seule page, entrez le même numéro dans les deux champs.

Rappelez-vous que, dans TextEdit, l'importante commande Orientation, qui permet d'imprimer en mode Portrait ou Paysage, se trouve dans le menu Fichier/Format d'impression. Mais dans d'autres traitements de texte, vous la trouverez souvent sous Fichier/Imprimer.

Mise en page

5. **Choisissez Mise en page dans le menu au milieu de la page (indiqué par le pointeur dans la Figure 10.7) puis validez les options souhaitées.**

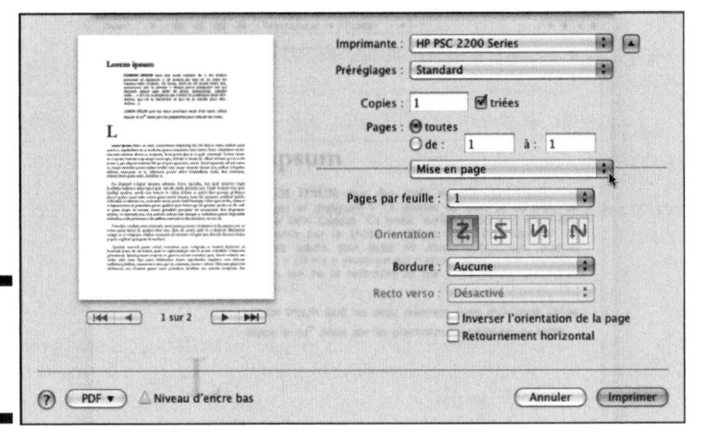

Figure 10.7 : Les options de disposition.

- **Pages par feuille** : Choisissez dans la liste le nombre de pages à imprimer sur une même feuille. Plus le nombre est élevé, plus les pages sont petites.
- **Orientation** : Indiquez dans quel sens et quel ordre les pages miniatures, sur la feuille, doivent être traitées.
- **Bordure** : Sélectionnez un style de bordure (simple extra fine, simple fine, double extra fine ou double fine).
- **Recto verso** : Indiquez où se trouve la reliure si vous imprimez en recto verso.
- **Inverser l'orientation de la page** : Cochez cette case pour inverser le sens d'impression sur la page.
- **Retournement horizontal** : Produit un effet de miroir, comme si la page pivotait autour de son axe vertical.

Programmateur

Vous pouvez désormais imprimer en différé. Profitez des temps morts (pause café, réunion de préparation à une réunion et réunion elle-même, rendez-vous à l'extérieur) pour imprimer ou télécopier vos documents.

6. **Choisissez Programmateur dans le menu déroulant de la partie centrale de la fenêtre (Figure 10.8) puis validez les options souhaitées.**

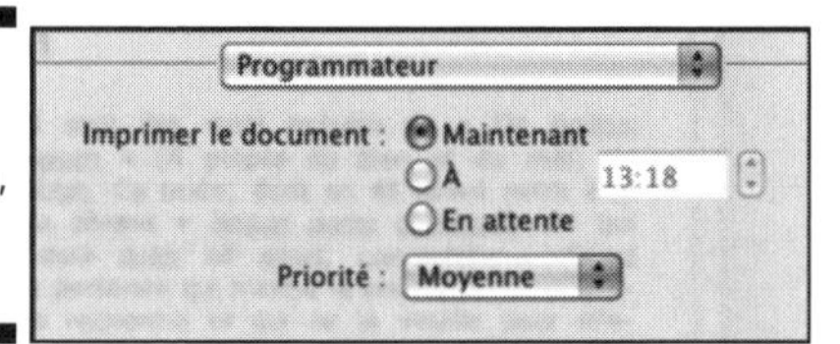

Figure 10.8 : "Quand le temps va, va, tout s'en va" (Léo Ferré).

- **À** : Indiquez l'heure à laquelle le document doit être imprimé.
- **Priorité** : Affectez-lui une priorité Basse, Moyenne, Élevée ou Urgente.

Gestion du papier

7. **Choisissez Gestion du papier dans le menu déroulant de la partie centrale de la fenêtre (Figure 10.9) puis validez les options souhaitées.**

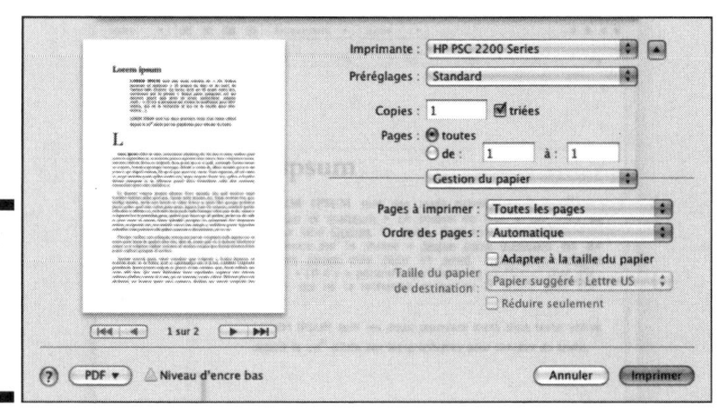

Figure 10.9 : Les options relatives au papier sont regroupées ici.

- **Pages à imprimer** : Choisissez d'imprimer toutes les pages, uniquement les paires ou uniquement les impaires.
- **Ordre des pages** : Normalement, les pages s'impriment de la première à la dernière. Cette option vous permet de faire l'inverse.
- **Adapter à la taille du papier** : Sélectionnez cette option pour adapter l'impression à la taille du papier placé dans l'imprimante. Vous pouvez ensuite choisir une option dans Papier suggéré – le format A4, par exemple – ou cocher la case Réduire seulement.

Résumé

8. **Choisissez Résumé dans le menu déroulant de la partie centrale de la fenêtre afin d'obtenir un récapitulatif des réglages de l'impression.**

   La fenêtre propose toutes sortes d'informations relatives à l'impression de votre document.

9. **Cliquez sur Imprimer.**

   C'est parti !

Chapitre 11

Fichiers, dossiers et disques

Dans ce chapitre :

- Le gestion des dossiers selon Mac OS X.
- Manipuler fichiers et dossiers.
- Utiliser des supports amovibles.

Au début de cet ouvrage, vous avez étudié les techniques de base de la gestion des menus, des fenêtres et des icônes. Nous abordons ici un autre aspect de la gestion de l'ordinateur, et non des moindres : celle des fichiers, des dossiers et des disques (ces derniers sont appelés "volumes" par Mac OS X).

Cette gestion englobe aussi bien des techniques élémentaires de création, de manipulation et de déplacement de fichiers que des opérations plus évoluées comme la recherche ou la copie de sauvegardes sur des CD.

La gestion des dossiers selon Mac OS X

Pour fonctionner, Mac OS X a besoin de nombreux fichiers qu'il a regroupés dans des dossiers qui lui sont propres, et auxquels l'utilisateur non technicien n'est pas censé accéder.

Toute personne utilisant le Mac dispose elle aussi de sa propre batterie de dossiers prédéfinis, regroupés dans un dossier maître appelé Départ.

Cette structure en arborescence n'est pas évidente. C'est pourquoi nous allons la écomposer.

Le dossier Ordinateur

Situé au premier niveau de la hiérarchie, le dossier Ordinateur répertorie tous les supports de stockage connectés au Mac (disques durs, clés USB, CD et DVD, etc.).

Pour accéder à cette fenêtre :

- **Choisissez Aller/Ordinateur.**

Ou :

- **Appuyez sur les touches ⌘ + Majuscule + C.**

A priori, la commande n'est pas disponible dans la barre latérale des fenêtres Finder. Mais elle peut le devenir : choisissez Finder/Préférences, activez l'onglet Barre latérale, puis cochez l'option Ordinateur. Comme vous le voyez (Figure 11.1), cet onglet contrôle les éléments affichés à cet endroit.

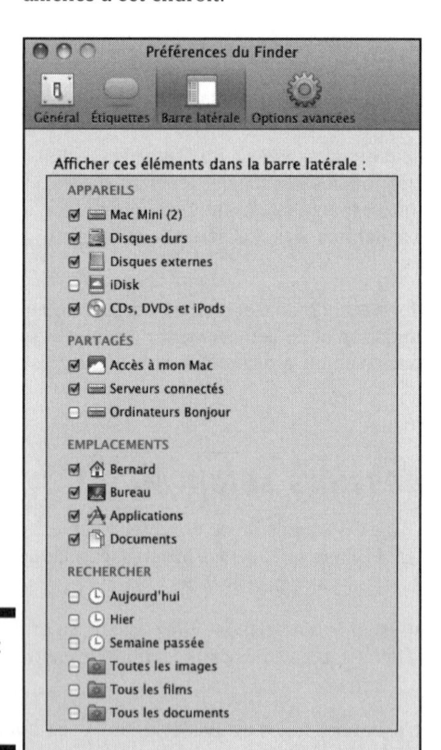

Figure 11.1 : Les options de la barre latérale.

Le contenu de la fenêtre dépend donc forcément du nombre de disques montés – comme on dit en jargon macintoshien – sur l'ordinateur. La Figure 11.2 montre quatre icônes. Ce sont, de gauche à droite, l'icône :

- **Disque dur sur le réseau** : Le disque appartenant à un PC connecté au réseau.
- **Macintosh HD** : Icône du disque dur interne.
- **DVD** : Icône du DVD actuellement présent dans le lecteur.
- **Réseau** : Icône qui assure l'accès à des serveurs ou à des Mac partagés.

Figure 11.2 : La fenêtre Ordinateur (elle porte le nom de l'ordinateur, Mac Mini en l'occurrence).

Le dossier du disque dur

Le dossier qui représente votre disque dur – qu'il s'appelle Macintosh HD ou autre – comporte plusieurs dossiers (Figure 11.3).

- **Applications** : Situé à la racine du disque de démarrage, c'est-à-dire celui sur lequel Mac OS X est installé, ce dossier réunit tous les programmes livrés avec l'ordinateur. Pour accéder à ce dossier :
  - **Choisissez Aller/Applications.**

    Ou :
  - **Enfoncez les touches ⌘ + Majuscule + A.**

    Ou :

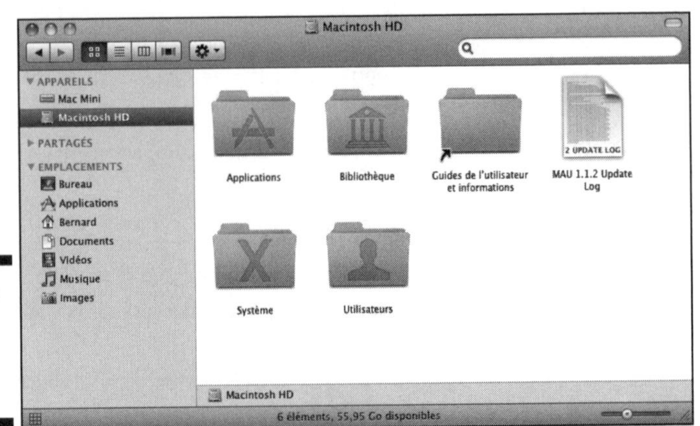

Figure 11.3 : La fenêtre du dossier Macintosh HD.

- **Activez l'icône Applications depuis la barre latérale de n'importe quelle fenêtre Finder.**

- **Bibliothèque** : Il s'agit de la bibliothèque publique à laquelle tous les utilisateurs du Mac ont accès. En général, il s'agit de fichiers que seul le système est capable de manipuler, notamment des fichiers de préférences. Ne déplacez, renommez ni supprimez aucun de ces éléments ! Le seul sous-dossier auquel vous accéderez éventuellement est Fonts, le dossier qui contient les polices de caractères commun à tous les utilisateurs du Mac.

Le dossier Départ, propre à chaque utilisateur, comporte lui aussi un dossier Bibliothèque, qui ressemble plutôt à une bibliothèque privée. Il en existe même un troisième du même nom, stocké dans le dossier Système. Nous y reviendrons.

- **Système** : Attention ! Nitroglycérine ! C'est dans ce dossier que sont regroupés tous les fichiers sans lesquels le Mac ne pourrait pas fonctionner. N'en modifiez le contenu sous aucun prétexte !

- **Utilisateurs** : Ce dossier compte autant de sous-dossiers que le Mac compte d'utilisateurs. Il abrite en outre un dossier intitulé Partagé, dont le contenu est accessible à tous les utilisateurs, et aussi à ceux accédant via le réseau. Ce dossier permet donc aux différents intervenants – administrateurs et simples utilisateurs – d'échanger des fichiers.

Le dossier Départ

Vous savez déjà qu'à chaque utilisateur du Mac correspond un dossier Départ (Figure 11. 4).

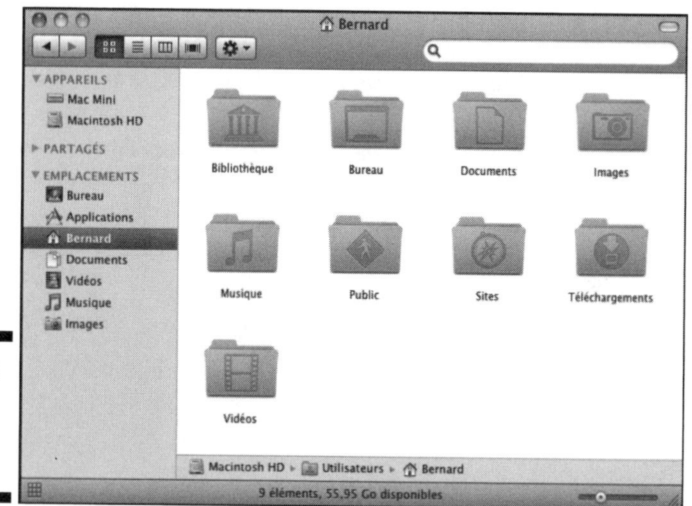

Figure 11.4 : Le dossier Départ de l'utilisateur Bernard.

Que vous soyez seul à utiliser votre Macintosh ou que vous le partagiez avec d'autres personnes, peu importe : l'organisation de Mac OS X est multi-utilisateur. Pourquoi ? Parce que ce système d'exploitation est basé sur Unix, un système d'exploitation multi-utilisateur par essence, car destiné aux serveurs et aux gros systèmes.

Pour accéder à ce dossier :

- **Choisissez Aller/Départ.**

  Ou :

- **Enfoncez les touches ⌘ + Majuscule + H.**

  Ou :

- **Activez l'icône Départ depuis la barre latérale de n'importe quelle fenêtre Finder.**

Ce dossier Départ contient des sous-dossiers créés par Mac OS X, parmi lesquels figure le sous-dossier Documents dans lequel nous vous avons à plusieurs reprises engagé à stocker vos fichiers. Examinons son contenu de plus près :

- **Bibliothèque** : Regroupe les fichiers de préférences, les polices auxquelles vous seul avez accès (voir plus haut), vos liens vers vos éléments favoris, vos moteurs de recherche Internet, etc. Ne touchez à rien.
- **Bureau** : Vous le savez déjà, les éléments que vous apercevez sur le Bureau sont en réalité entreposés ici.
- **Public** : Réunit des fichiers auxquels peuvent accéder tous les utilisateurs du Mac.
- **Documents, Images, Musique et Vidéos** : Dossiers vides dans lesquels vous stockez les fichiers correspondants.
- **Sites** : C'est là que sont stockés les fichiers réalisés avec iWeb, une application de création de pages Web.

Manipuler fichiers et dossiers

L'heure est venue d'organiser vos données. Vous allez donc être amené à créer des dossiers.

Créer un dossier

1. **Activez la fenêtre dans laquelle vous souhaitez que le nouveau dossier soit créé. Pour placer celui-ci sur le Bureau, assurez-vous au contraire qu'aucune fenêtre n'est ouverte ni active.**
2. **Choisissez Fichier/Nouveau dossier ou enfoncez les touches ⌘ + Majuscule + N.**

   Un nouveau dossier apparaît ; il s'intitule provisoirement "dossier sans titre". Ce nom est sélectionné.
3. **Tapez le nom que vous désirez attribuer à ce nouveau dossier.**

Si par inadvertance vous cliquez en dehors du nom avant de le saisir, vous désélectionnez le dossier. Pour le resélectionner, cliquez sur son icône et appuyez sur la touche Retour.

Maîtriser l'arborescence

Vous savez déjà que le Mac a adopté pour ses fichiers et dossiers une structure en arborescence. N'hésitez pas à vous en inspirer pour organiser vos données (Figure 11.5). Agissez de préférence dans votre dossier Documents.

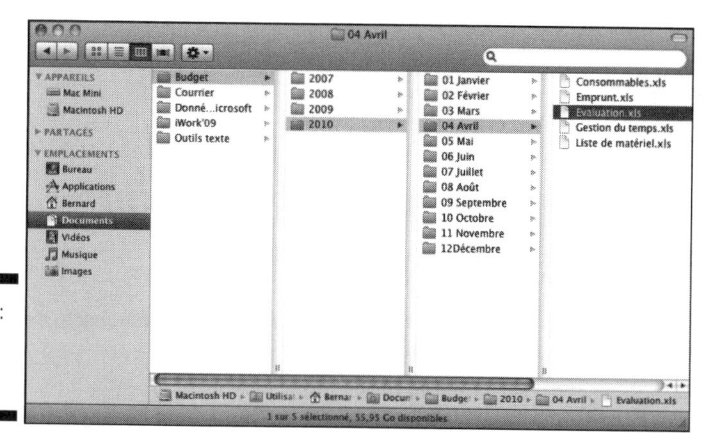

Figure 11.5 : Une arborescence typique.

D'une manière générale, organisez vos sous-dossiers en regroupant vos fichiers par type (traitement de texte, feuilles de calcul, images...), par date (Avril, Trimestre 1, Printemps 2010...) ou n'importe quel autre critère rationnel.

Pensez éventuellement à placer dans le Dock un raccourci vers votre dossier Documents (il suffit de tirer ce dossier – ou n'importe quel autre – jusqu'à droite du séparateur, dans le Dock). Cliquer sur son icône ouvrira le dossier en mode Éventail (Figure 11.6), Grille (un panneau d'icônes) ou Liste, selon le choix effectué dans le menu contextuel de l'icône, dans le Dock.

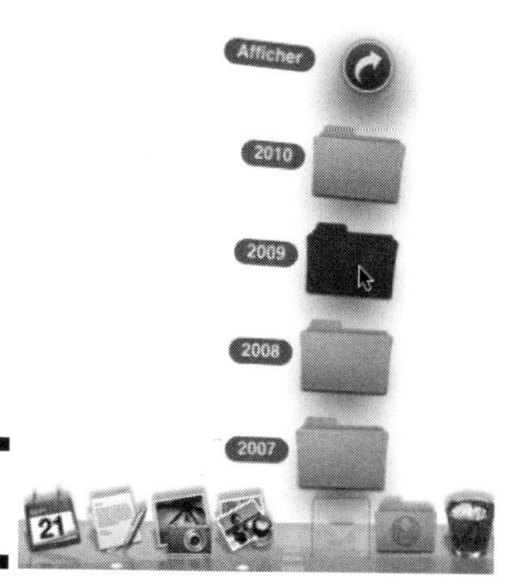

Figure 11.6 : Très classe !

Si, dans le menu contextuel d'un dossier figurant dans le Dock, vous choisissez l'option Pile au lieu de Dossier, ce n'est plus une icône de dossier qui est affichée, mais l'icône d'un élément qui se trouve dedans.

Déplacer un fichier ou un dossier

Supposons à présent que vous vouliez faire glisser le fichier Evaluation.xls du dossier Avril vers le dossier Mai afin de l'y utiliser :

1. **Cliquez sur l'icône Evaluation.xls et maintenez le bouton de la souris enfoncé.**
2. **Faites glisser l'icône jusque sur le dossier Mai.**

   La fenêtre de celui-ci peut être ouverte ou fermée.
3. **Dès que le nom du dossier de destination est surligné, relâchez le bouton de la souris.**

Enfoncez la touche Option en début de procédure : vous dupliquerez ainsi le fichier au lieu de le déplacer. Modifiez ensuite le nom de la copie (ce n'est pas obligatoire mais recommandé).

Dupliquer un fichier ou un dossier

Vous pouvez bien entendu mettre en œuvre la technique du déplacement en la combinant, comme vous venez de le voir, avec la touche Option. Il existe cependant une autre façon d'agir :

1. **Sélectionnez l'icône du fichier ou du dossier à dupliquer.**
2. **Choisissez Fichier/Dupliquer ou enfoncez les touches ⌘ + D.**

Ou :

1. **Ctrl + cliquez sur l'icône concernée.**
2. **Choisissez Dupliquer dans le menu contextuel qui se déroule sous votre pointeur.**

Dans tous les cas, l'élément est dupliqué ; il porte le nom de son original, précédé de la mention `Copie de`. Maintenez ce nom ou remplacez-le par un autre.

Rechercher un fichier ou un dossier

La commande Rechercher repose sur Spotlight, un outil permettant d'effectuer des recherches non seulement dans l'ordinateur, mais également dans les supports amovibles comme les disques durs externes, clés USB, etc., ainsi que dans les ordinateurs du réseau.

1. **Dans le champ de saisie en haut à droite, tapez le ou les mots à rechercher et appuyez sur la touche Retour (Figure 11.7).**

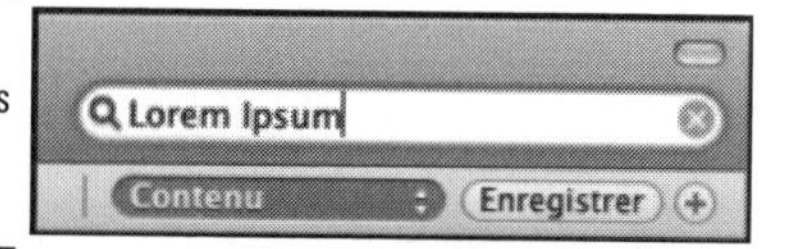

Figure 11.7 : Saisissez vos critères de recherche.

2. **Le contenu de la fenêtre du Finder change et montre les résultats de la recherche (Figure 11.8).**

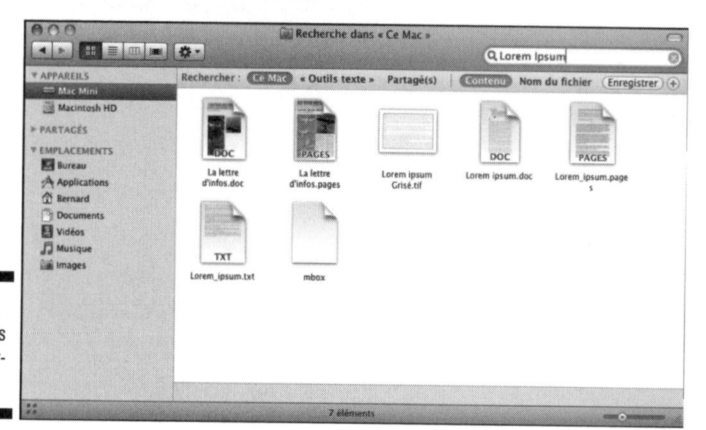

Figure 11.8 : Les résultats de la recherche.

3. **Si nécessaire, cliquez sur les boutons placés en haut de la fenêtre pour limiter la recherche en fonction de l'emplacement ou du nom des fichiers.**

   Les résultats de la recherche changent en fonction de vos choix (Figure 11.9).

Pour savoir où se trouve ce fichier, sélectionnez son nom dans la partie supérieure : le Mac indique alors, dans la partie inférieure de la fenêtre, son emplacement dans l'arborescence des dossiers (Figure 11.10).

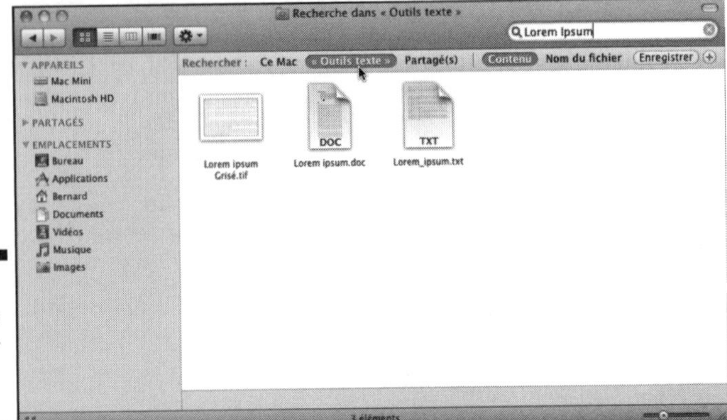

Figure 11.9 : Les résultats de la recherche sont affinés.

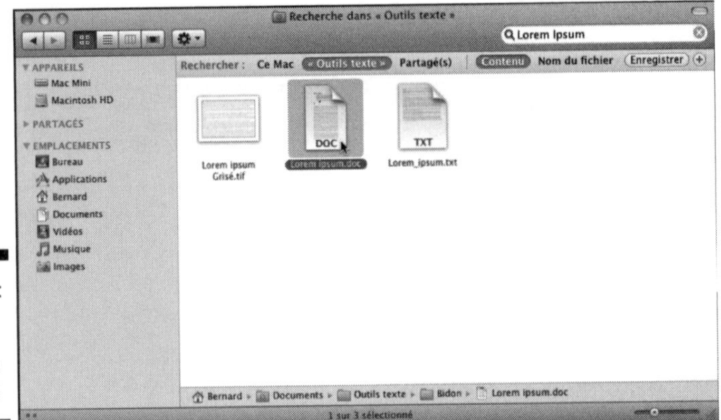

Figure 11.10 : Ainsi donc c'est là que se trouve ce texte bidon !

Enfin, pour l'ouvrir, utilisez l'une des techniques suivantes :

- Choisissez Fichier/Ouvrir.
- Appuyez sur ⌘ + O.
- Cliquez deux fois sur l'élément depuis le volet du haut ou du bas de la fenêtre.

Supprimer un fichier ou un dossier

Nous avons déjà à plusieurs reprises évoqué la suppression d'éléments. Il suffit de sélectionner le ou les éléments, puis de les tirer jusque sur la Corbeille.

Vous voulez récupérer un élément jeté à la Corbeille ?

1. **Ouvrez la fenêtre du dossier vers lequel vous souhaitez récupérer ces éléments.**
2. **Ouvrez la fenêtre de la Corbeille en cliquant sur son icône, dans le Dock.**
3. **Sélectionnez les icônes des éléments à récupérer et maintenez enfoncé le bouton de la souris.**
4. **Faites glisser les éléments vers la fenêtre ouverte à l'Étape 1.**
5. **Relâchez le bouton de la souris.**

Utiliser des supports amovibles

Cette dernière section est consacrée aux manipulations de base des disques : formater, copier des fichiers d'un disque à un autre, graver un CD, lire un disque PC et éjecter.

Vous savez déjà que tous les supports amovibles que vous connectez au Mac apparaissent normalement dans la barre latérale des fenêtres du Finder, mais aussi, dans certains cas, sur le Bureau.

Formater

Supposons que vous dotiez votre Mac d'un disque dur externe ou d'un lecteur amovibles comme un disque dur externe, une clé USB ou encore une unité de stockage SuperDisk ou Syquest.

Certains disques sont vendus *formatés*, c'est-à-dire prêts à être utilisés directement ; dans ce cas, pas de problème.

D'autres sont vendus non formatés, à charge pour vous de mener cette procédure à bien avant de pouvoir y engranger des données.

- Si le disque est formaté, il se "monte" directement sur le Mac.
- S'il ne l'est pas, le Mac vous invite à le formater. Suivez les instructions. La procédure est rapide et sans détour.

Copier

Comment copier des fichiers d'un disque vers un autre ? Comme vous le feriez avec des dossiers : par de simples cliquer-glisser.

Quand vous faites glisser des éléments d'un dossier vers un autre dossier du même disque, ces éléments sont déplacés. Pour les copier, vous devez appuyer sur la touche Option au cours de la manœuvre (voir la section "Déplacer" du Chapitre 5 et la section "Déplacer un fichier ou un dossier", plus haut dans ce chapitre).

C'est un peu différent avec les diques : les éléments sont copiés (plutôt que déplacés) même si la touche Option n'est pas enfoncée. Dans ces conditions, pour déplacer plutôt que copier, commencez par copier, puis débarrassez-vous de l'original en le jetant à la Corbeille.

Graver un CD

Il existe plusieurs techniques de gravure de disques : vous pouvez procéder directement à partir du Finder, mais aussi vous servir du programme Utilitaire de disques présent dans le dossier Utilitaires.

Pour graver un CD de données :

1. **Introduisez un CD ou un DVD vierge dans le lecteur correspondant.**
2. **Indiquez l'opération que vous souhaitez réaliser.**

   Par défaut, la boîte de dialogue vous propose d'ouvrir le Finder. Sélectionnez cette option pour afficher l'icône du disque sur le Bureau.

3. **Double cliquez sur cette icône, puis déposez-y les éléments à archiver.**
4. **Vérifiez le nom et la position des fichiers.**

   Vérifiez avant de graver, car aucune modification ne pourra être faite par la suite, quand le CD aura été gravé.

5. **Choisissez Fichier/Graver le disque ou cliquez sur le bouton Graver.**

Certaines applications, comme iTunes, contiennent également une commande Graver.

Sauvegarder vos données

En réalisant des copies de vos données sur votre disque dur externe, sur un disque dur amovible ou sur un CD, vous créez une copie de sauvegarde de vos données.

Personne ne sauvegarde par plaisir, mais en prévision du jour où un problème grave empêcherait d'accéder aux données : incendie, vol, surtension, panne de disque ou... erreur humaine.

Nous ne pouvons que vous encourager à sauvegarder régulièrement. Car si votre disque dur venait à rendre l'âme, pour une raison ou pour une autre, ces copies de sécurité vous permettraient de récupérer rapidement vos données.

Prévoyez deux séries de sauvegardes, que vous stockerez à des endroits différents – chez un proche, par exemple – pour éviter qu'un sinistre (vol, incendie, inondation...) détruise non seulement les originaux, mais aussi les copies. Mieux vaut prévenir que guérir.

L'heure est grave

La question qui se pose immédiatement est la fréquence à laquelle ces sauvegardes doivent être faites. C'est à vous de le décider.

Si les données produites pendant la journée sont essentielles pour vous ou votre entreprise, sauvegardez-les avant de quitter les lieux. En revanche, si vous ne traitez pendant quelques jours que des documents de moyenne importance, bornez-vous à sauvegarder en fin de semaine.

Sauvegarde musclée

La technique de la copie, en faisant glisser des icônes d'un support vers un autre, oblige à agir manuellement. Ce procédé présente quelques inconvénients :

- **Lenteur** : Il faut ouvrir les dossiers, sélectionner les icônes, cliquer-glisser, refermer les fenêtres...
- **Lourdeur** : Ignorant quels documents ont été modifiés et lesquels ne l'ont pas été depuis la dernière sauvegarde, vous devez les recopier tous.
- **Insécurité** : Comment être certain qu'aucun fichier n'a été oublié ?

Il est évident que si vous avez suivi notre conseil et regroupé vos documents dans le dossier Documents de votre dossier Départ, la

iDisk, un service Apple

Pour mettre vos données à l'abri, n'hésitez pas à utiliser votre iDisk, si vous en avez un. Comme vous l'avez appris au Chapitre 3, à la section "Le menu Aller", il s'agit là d'un disque virtuel d'une capacité de 20 Go qu'Apple loue aux utilisateurs pour le stockage distant. Pour en savoir plus, rendez-vous sur le site `www.apple.com/fr/mobileme/features/idisk.html`.

procédure devient nettement plus confortable. Pensez malgré tout à essayer la technique suivante.

Sauvegarde en douceur

À la technique de sauvegarde "hard" décrite ci-dessus, nous pouvons opposer celle de la sauvegarde "soft", un procédé qui confie le soin de copier les fichiers à un utilitaire spécialisé.

Ces programmes savent exactement quels fichiers ont été copiés lors de la dernière sauvegarde et sur quel support ils l'ont été. Ils savent aussi – c'est primordial – quels sont les documents qui ont subi des modifications depuis lors ; ils sont ainsi capables, lors d'une procédure automatisée de sauvegarde, de ne traiter que ces fichiers modifiés.

Vous pouvez vous servir du programme MobileMe Backup pour sauvegarder vos données. Pour plus d'informations, consultez le site d'Apple à l'adresse `www.apple.com/fr/mac/`.

Time Machine

Lorsque vous connectez un disque externe à votre Mac, une boîte de dialogue peut s'ouvrir et vous demander si vous souhaitez l'utiliser pour Time Machine. Ce dernier est un utilitaire qui se charge de sauvegarder automatiquement à intervalles réguliers le contenu du disque dur de votre Macintosh sur votre disque externe. En cliquant l'icône Time Machine dans le Dock, vous avez la possibilité de remonter dans le temps et de restaurer d'anciennes versions de fichiers ou de dossiers. Cela est particulièrement utile lorsque, par exemple, vous avez supprimé un fichier par mégarde (Figure 11.11).

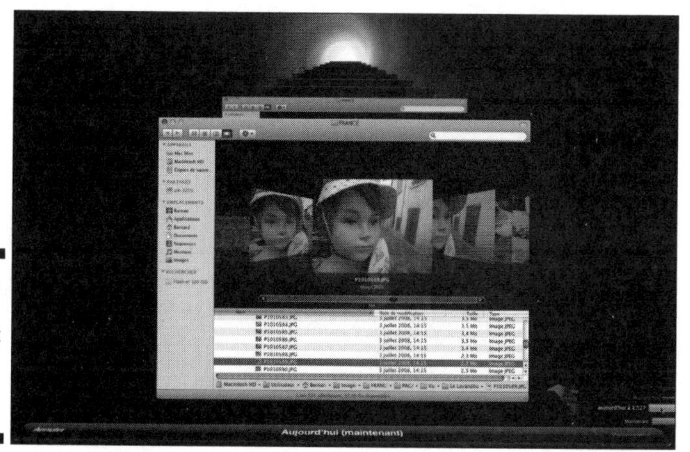

Figure 11.11 : Time Machine permet de remonter dans le temps.

Time Capsule, un support de sauvegarde

Plutôt que de connecter un disque externe à l'aide d'un câble USB ou FireWire, vous pouvez aussi faire l'acquisition d'un Time Capsule. Il s'agit d'un disque dur d'une capacité de 500 Go ou de 1 To (téra-octet, soit 1 024 Go) connecté au travers du réseau sans fil. Il permet de sauvegarder vos données grâce à Time Machine.

Éjecter

Vous voulez éjecter un disque dont vous n'avez plus besoin ?

- Sur le Bureau, activez l'icône du disque concerné, puis choisissez Fichier/Éjecter ou enfoncez les touches ⌘ + E.

  Ou :

- Sur le Bureau, cliquez l'icône du disque concerné, puis faites-la glisser à la Corbeille qui, pour l'occasion, change de look et s'intitule Éjecter.

  Ou :

- Dans la barre latérale, cliquez sur l'icône Éjecter en regard du nom du disque à traiter.

  Ou :

- Ctrl + cliquez sur l'icône du disque puis, dans le menu contextuel, choisissez Éjecter.

Troisième partie

Aller plus loin

"C'est signé, c'est la griffe de Leopard !"

Dans cette partie...

Arrivé à ce stade, vous devriez vous sentir à l'aise dans un environnement dont les principaux composants ne vous sont plus inconnus. Peut-être même vous sont-ils à présent familiers....

Il reste cependant quantité de choses à découvrir dans le Mac, à commencer par les nombreuses applications livrées avec. Sans elles, le Mac ne serait pas tout à fait ce qu'il est.

Chapitre 12

Les logiciels du dossier Applications

Dans ce chapitre :

- Aide-mémoire.
- Aperçu.
- Automator.
- Calculette.
- Carnet d'adresses.
- Chess.
- Comic Life.
- Dashboard.
- Dictionnaire.
- Exposé.
- Front Row.
- GarageBand.
- iCal.
- iChat.
- iPhoto.
- iSync.
- iTunes.
- iWeb.
- Lecteur DVD.
- Livre des polices.
- Photo Booth.
- QuickTime Player.
- Spaces.
- TextEdit.
- Time Machine.
- Transfert d'images.

Le dossier Applications de Mac OS X contient tous les programmes livrés avec l'ordinateur. C'est ici également que seront stockés les logiciels que vous installerez par la suite.

Pour y accéder, choisissez Aller/Applications ou appuyez sur ⌘ + Majuscule + A ou encore, cliquez sur l'icône Applications de la barre latérale de n'importe quelle fenêtre Finder. La Figure 12.1 montre le dossier Applications, avec en prime quelques logiciels installés par

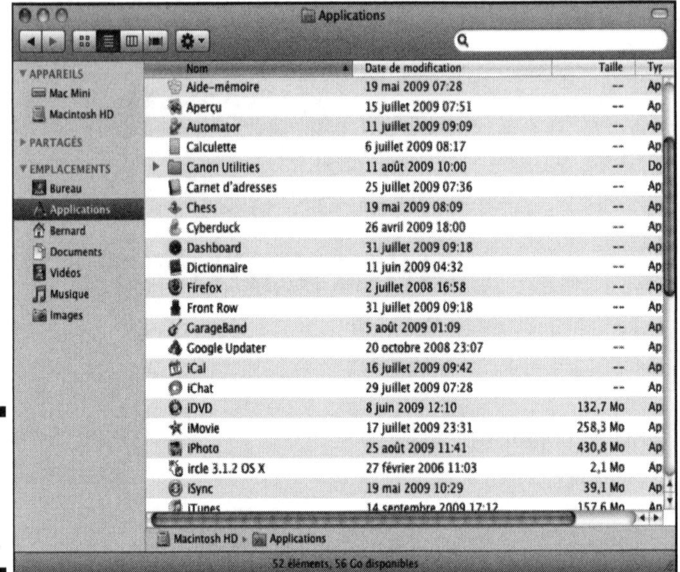

Figure 12.1 : Une partie du contenu du dossier Applications.

la suite, comme l'application de transfert de fichiers Cyberduck, le navigateur Web Firefox, l'utilitaire Google Updater ou la messagerie instantanée Ircle, qui ne sont pas livrés avec le Mac.

Aide-mémoire

Ces aide-mémoire ne sont rien d'autre que la version électronique des célèbres Post-It (Figure 12.2).

Créez de nouvelles notes en choisissant Fichier/Nouvelle note ou en appuyant sur ⌘ + N.

Placez-les où bon vous semble en les tirant par leur barre de titre.

Redimensionnez-les si nécessaire en tirant le coin à onglet en bas à droite. Bon à savoir : un double-clic sur la barre de titre réduit la fenêtre à sa plus simple expression.

Mettez-les en forme à votre guise : choisissez une couleur dans le menu Couleur, choisissez une typographie dans le menu Police et paramétrez le comportement de la fenêtre grâce au menu Note.

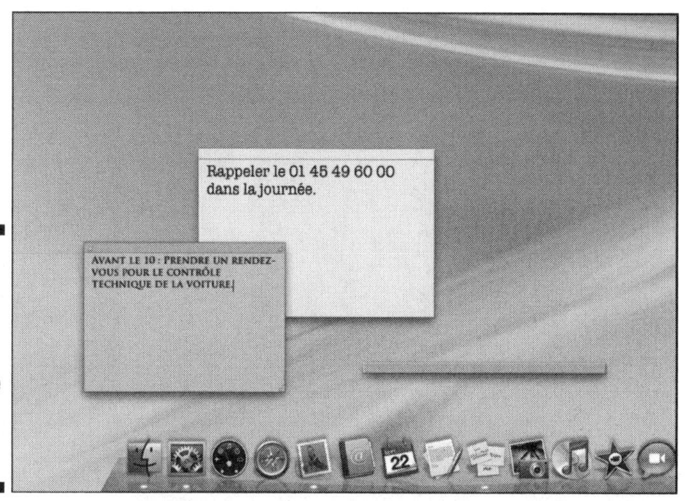

Figure 12.2 : Contrairement aux Post-It, les aide-mémoire du Mac ne laissent pas de colle sur l'écran.

Vous pouvez aussi imprimer les notes, y importer du texte provenant d'une autre application, les exporter sous forme de fichiers texte au format RTF ou RTFD...

Le contenu de ces notes est préservé tant que vous ne fermez pas leur fenêtre selon l'une des trois techniques suivantes :

- Choisir Fichier/Fermer.
- Enfoncer les touches ⌘ + W.
- Cliquer dans la case de fermeture de la note.

Quand vous fermez un aide-mémoire, le Mac vous demande si vous voulez l'enregistrer. À vous de voir.

Aperçu

Aperçu permet d'ouvrir, de visualiser et d'imprimer d'une part des fichiers PDF (*Portable Document Files*), et d'autre part un grand nombre de fichiers d'image (TIFF, JPEG, PICT, etc.). C'est d'ailleurs cette application qui est démarrée lorsque vous cliquez sur le bouton Aperçu, depuis une fenêtre d'impression.

Un tiroir, extractible en cliquant sur l'icône Barre latérale, dans la barre d'outils, provoque l'affichage, à droite de la fenêtre principale, d'une colonne contenant des vignettes lorsque plusieurs images préalablement sélectionnées sont ouvertes, ou les miniatures des pages

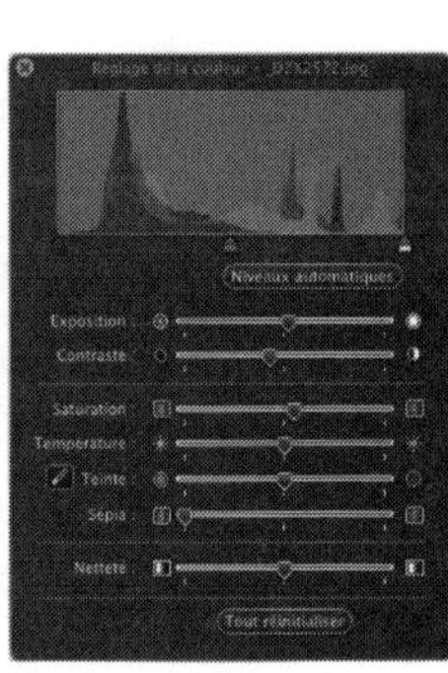

Figure 12.3 : Aperçu est capable de corriger les couleurs de vos photos.

d'un document PDF. Il suffit, pour accéder directement à une image ou à une page, de cliquer dessus dans la barre latérale.

Aperçu ne prend en charge que l'affichage, la recherche et l'impression des documents PDF, mais ne permet pas de les modifier. En revanche, la commande Réglage de la couleur, dans le menu Outils, contient des glissières de réglage de l'exposition et du chromatisme des photos numériques.

Automator

L'utilitaire Automator sert à automatiser des tâches. Son apprentissage étant un peu ardu, nous ne l'étudierons pas dans ce livre qui s'adresse essentiellement aux débutants.

Calculette

Sous son anodine apparence de petite calculette de type "quatre opérations", cette application cache en réalité une calculatrice scientifique truffée de commandes mathématiques, et une calculatrice pour programmeur capable de calculer et convertir dans les bases 8, 10 et 16 et d'effectuer des opérations logiques. Cliquez sur le menu Présen-

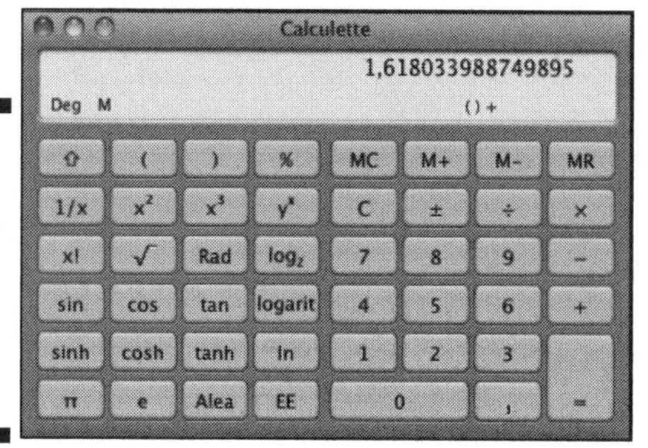

Figure 12.4 : Le nombre d'or (√5+1)/2 déterminé avec la calculette scientifique du Mac.

tation et, selon vos besoins, choisissez Élémentaire, Scientifique ou Programmeur.

Dans le menu Présentation mode RPN n'est autre que la notation polonaise inverse. Le menu Convertir, lui, propose quantité de conversions (devises, énergie, longueurs, températures, vitesses...). Enfin, l'option Bande papier permet de conserver une trace de la succession des opérations.

Carnet d'adresses

Voilà un programme qui porte bien son nom puisqu'il se charge, comme son nom l'indique, de conserver les adresses de vos correspondants.

Ajouter une adresse

1. **Lancez le programme.**

   La fenêtre Carnet d'adresses s'ouvre (Figure 12.5).

2. **Cliquez sur + dans le bas de la colonne Nom.**

   Une fiche vierge vous est proposée dans le volet droit.

   Le volet gauche, Groupes, sert à répartir vos contacts en groupes. Sélectionnez le groupe avant d'y placer un contact ou d'en créer un.

3. **Saisissez les coordonnées.**

   Passez d'un champ à l'autre en appuyant sur la touche Tabulation.

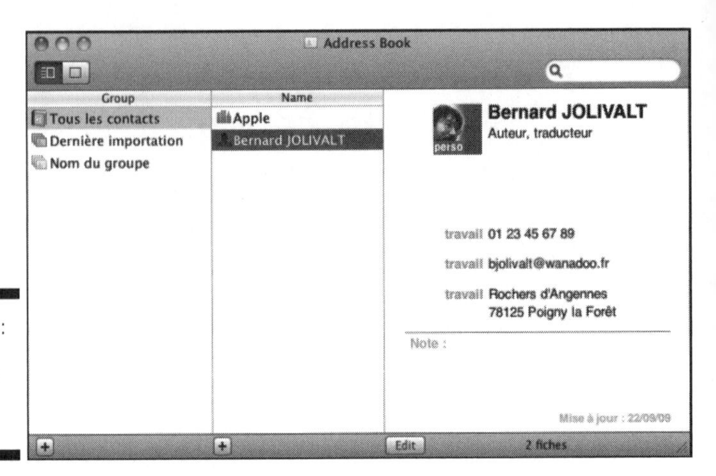

Figure 12.5 : Le Carnet d'adresses au démarrage.

4. **Cliquez sur Modifier.**

Sous ce mode, des champs peuvent être ajoutés ou supprimés.

Rechercher une fiche

1. **Démarrez le programme.**

   La fenêtre Carnet d'adresses s'ouvre.

2. **Restreignez si nécessaire la recherche en sélectionnant un groupe dans le volet gauche.**

3. **Entrez la donnée à rechercher dans la case Rechercher.**

   La recherche démarre ; la fenêtre affiche le résultat.

Pour modifier une fiche, sélectionnez-la, puis cliquez sur Modifier ou choisissez Modifier la fiche dans le menu Édition (⌘ + L). Pour la supprimer, sélectionnez-la également, puis choisissez Édition/Supprimer le contact.

Chess

Chess est le jeu d'échecs que montre la Figure 12.6. Ses commandes n'ont hélas jamais été traduites en français, et c'est en anglais que les coups sont annoncés.

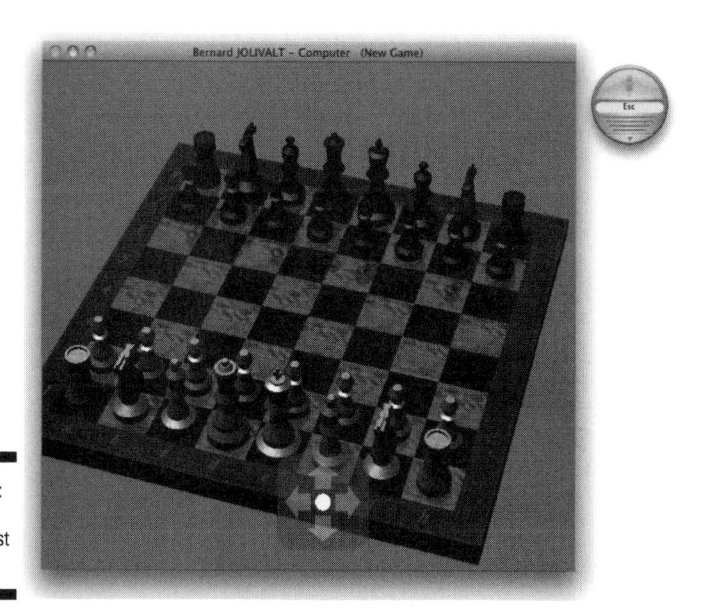

Figure 12.6 : Le plateau de Chess est orientable.

Le menu View permet d'afficher un échiquier en deux dimensions. C'est nettement moins beau, mais sans doute plus apprécié des puristes qui privilégient le jeu plutôt que le *look*.

Jouer

1. **Choisissez Game/New Game ou enfoncez les touches ⌘ + N.**

   Vous commencez avec les blancs.

2. **Cliquez sur une pièce et déplacez-la.**

   Chess réagit : il déplace une pièce noire pour contrer votre manœuvre.

3. **Et ainsi de suite.**

Pour que le programme suggère un déplacement, choisissez Moves/Show Hint. Chess vous montre alors ce qu'il considère comme l'action la plus adéquate ; pour vous aider à vous repérer, il fait clignoter la pièce à déplacer ainsi que la case de destination. Suivez son conseil ou ne le suivez pas.

Régler les préférences

Comme tous les programmes, Chess est paramétrable :

1. **Choisissez Chess/Preferences.**

2. **Opérez les réglages souhaités.**

   Vous pouvez :

   - Choisir l'aspect de l'échiquier dans les deux menus déroulants de la rubrique Style ;

   - Régler le niveau de difficulté en faisant glisser le curseur Computer Plays ;

   - Activer la commande vocale permettant de dicter vos mouvements, en anglais *of course*, comme "Knight G1 to F3".

3. **Fermez la fenêtre en cliquant sur le bouton rouge.**

Dashboard

En cliquant cette icône, ou sur l'icône du même nom dans le Dock, ou en appuyant sur la touche F12, vous activez la présentation du Dashboard, un tableau de bord sur lequel s'affichent des widgets, c'est-à-dire de petits gadgets parfois inutiles, et donc indispensables. La Figure 12.7 montre le sélecteur permettant de les activer ou les désactiver.

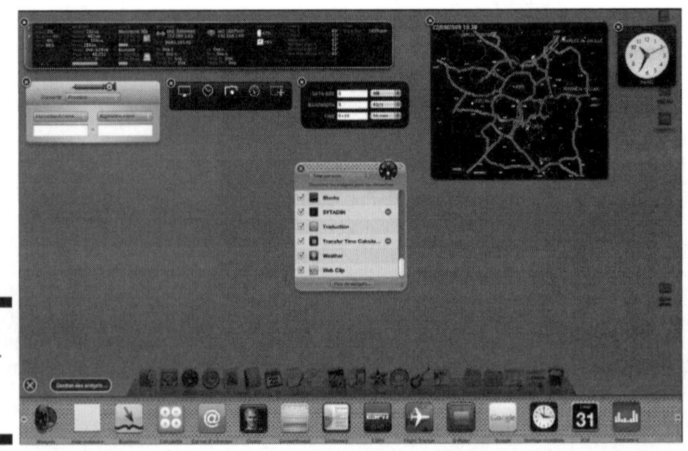

Figure 12.7 : Le sélecteur de widgets en action.

Certains widgets sont configurables. Par exemple, vous modifiez la ville pour laquelle vous souhaitez afficher la météo. En passant le pointeur de la souris sur le Widget, vous voyez s'afficher un *i* en bas à droite de ce dernier lorsqu'il est possible de modifier des paramètres. Cliquez sur le *i* pour afficher la liste des paramètres du widget.

En cliquant sur l'icône + placée en bas à gauche du Dashboard, un bandeau de widgets s'affiche. Faites glisser en dehors du bandeau les widgets que vous souhaitez ajouter.

Pour supprimer un widget, cliquez sur la croix placée en haut à gauche du widget.

Il est possible de télécharger des widgets supplémentaires (utilisez un moteur de recherche pour trouver leurs sites, ou allez sur le site d'Apple) et certains programmes en installent.

Dictionnaire

Dictionnaire (Figure 12.8) permet de rechercher une définition, y compris dans l'encyclopédie en ligne Wikipédia. Uniquement en anglais dans les versions précédentes de Mac OS X, il est en français dans Snow Leopard, ce qui est une avancée considérable de la part d'Apple, qui a toujours eu tendance à considérer les idiomes autres que l'anglais américain comme des langues vernaculaires.

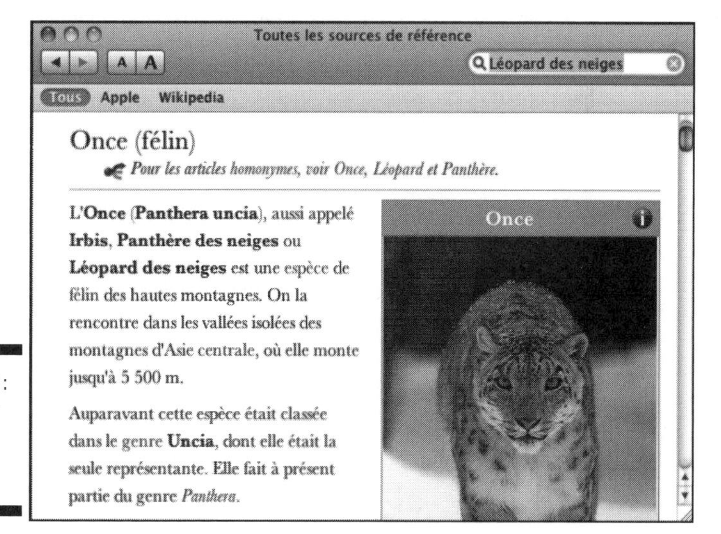

Figure 12.8 : Le dictionnaire est enfin en français.

La première fois que vous démarrez l'application Dictionnaire, le bouton Apple est sélectionné. Le dictionnaire fonctionne ainsi comme un index de la terminologie Apple. Pour trouver des définitions autres que macintoshiennes, cliquez sur le bouton Tous ou, si le Mac est connecté à l'Internet, Wikipedia.

Exposé

L'icône Exposé dans le dossier Applications n'est pas des plus utiles. En effet, lorsque vous double-cliquez cette icône, vous démarrez Exposé de la même manière que si vous aviez appuyé sur la touche F9, c'est-à-dire que vous affichez l'ensemble des fenêtres ouvertes sur le Bureau (car c'est bien à cela que sert principalement cette application).

Rappelons qu'Exposé est activé à l'aide des touches F9, F10 et F11, et que c'est en utilisant ces touches que l'accès aux fenêtres prend tout son sens.

Front Row

Front Row – "le premier rang", dans une salle de spectacle – est un lecteur permettant de profiter du contenu multimédia de votre ordinateur : les vidéos, la musique, les photos. S'il est connecté à Internet, vous pouvez aussi accéder à des contenus en ligne comme des bandes-annonces de films. Le lecteur multimédia Front Row peut être démarré à partir du dossier Applications. Si votre Mac était livré avec une télécommande, vous accédez à Front Row en appuyant sur le bouton Menu de la télécommande.

GarageBand

GarageBand est un programme de création de musique (Figure 12.9). Son utilisation n'est pas des plus simples, et elle dépasse le cadre de cet ouvrage d'initiation à OS X.

iCal

Intégré à OS X, iCal est un super petit agenda (Figure 12.10).

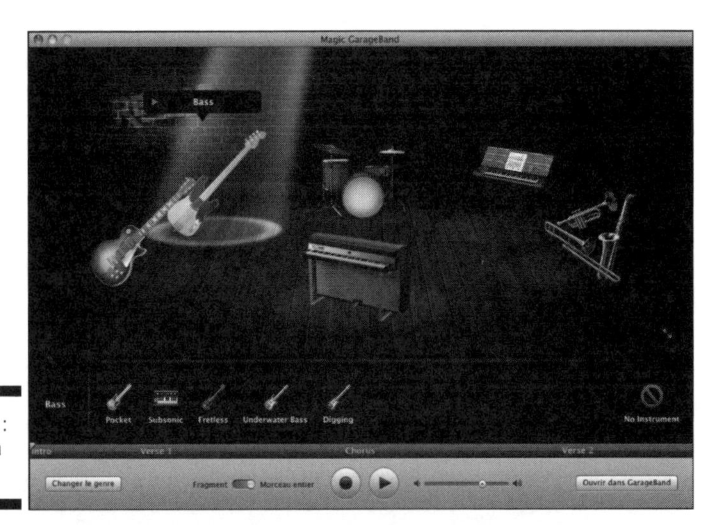

Figure 12.9 : Créez de la musique.

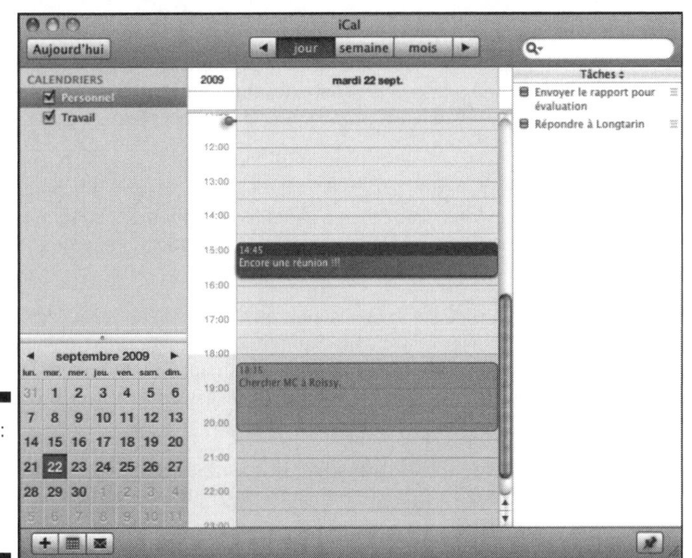

Figure 12.10 : Un outil de gestion du temps bien pratique.

Utilisez-le pour gérer vos rendez-vous, planifier vos tâches, visualiser plusieurs calendriers à la fois (personnel, travail, etc.).

Dans le Dock, l'icône de iCal indique toujours le jour du mois.

Très intéressant : toutes les personnes qui disposent d'un compte utilisateur sur le Mac peuvent créer un calendrier et visualiser, soit séparément, soit simultanément, ceux créés par les autres. Vous obtenez ainsi une vision globale de tous les emplois du temps.

Mieux, iCal vous permet de partager votre calendrier sur l'Internet afin que des personnes qui n'ont pas accès à votre poste de travail puissent néanmoins connaître votre emploi du temps.

Enfin, si vous disposez de plusieurs calendriers sur des ordinateurs ou sur d'autres appareils (assistant personnel, iPod, iPhone...), la synchronisation harmonisera les informations.

iChat

Destiné à l'envoi de messages instantanés textuels ainsi que des données audio et vidéo, iChat fera le bonheur de tous ceux désireux de garder le contact avec des proches résidant à l'autre bout de la planète.

Plusieurs personnes peuvent participer à la conversation, chacune étant représentée par une icône – petit dessin ou photographie – en regard de son nom, dans la liste des intervenants. Des groupes peuvent être créés selon les centres d'intérêt, les techniques de communication, etc.

La communication est essentiellement écrite, mais elle peut aussi être audio ou vidéo. Une icône à gauche de la photo de chaque correspondant représente un téléphone si la communication audio est possible, une caméra si une liaison vidéo est permise.

L'image de 640 x 480 pixels peut être agrandie en plein écran. Vous pouvez utiliser la webcam iSight intégrée à votre Mac ou connecter une webcam USB. Pour chaque participant, la fenêtre affiche la vidéo de l'interlocuteur ainsi que l'aperçu de sa propre image, qui peut être déplacé ou redimensionné.

iChat est capable de transférer des fichiers : faites glisser l'icône du document dans la fenêtre du message, puis envoyez le fichier avec la touche Retour.

iPhoto

iPhoto est un logiciel d'importation et d'archivage des photos numériques. Transférez-les depuis votre appareil photo ou depuis un CD ou un disque dur externe.

Organisez ensuite vos images dans la photothèque et répartissez-les éventuellement dans des albums. Une seule image peut appartenir à plusieurs albums sans être obligé de la dupliquer.

Corrigez vos photos au besoin (Figure 12.11) : recadrage pour leur donner plus de force, accentuation de la netteté, réglage de la luminosité et du contraste, réduction de l'effet yeux rouges, gestion des mots clés sont quelques-unes des fonctionnalités de iPhoto. La nouvelle version 09 est capable de géolocaliser les photos partout dans le monde – une épingle indique sur une carte où elle a été prise –, et de reconnaître les visages.

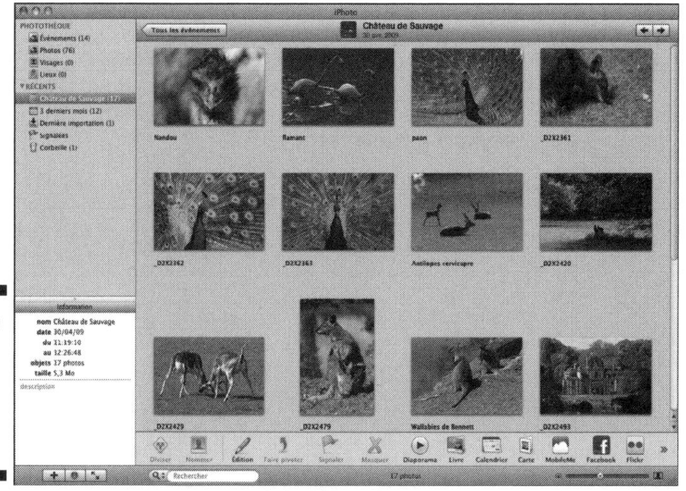

Figure 12.11 : Archivez, classez et annotez vos photos avec iPhoto.

iPhoto est équipé de commandes d'impression assorties de différentes options comme le tirage pleine page ou la carte de vœux. Pour diffuser vos photos, confectionnez un diaporama sonorisé ou exportez une série de photos sous la forme d'une séquence QuickTime. La gravure sur CD et DVD est aussi prévue.

iSync

iSync est le logiciel de synchronisation d'Apple, c'est-à-dire un programme qui évite tout conflit entre d'une part les données de votre carnet d'adresses, les rendez-vous de votre agenda iCal et les signets de votre navigateur Safari, et d'autre part avec des téléphones mobiles (compatibles iSync, comme l'iPhone), des ordinateurs de poche, organiseurs numérique et iPod.

Le programme compare les données dans le Mac avec celles dans l'autre appareil, puis effectue la mise à jour des données en respectant la concordance des informations.

iTunes

iTunes est le logiciel audiovisuel d'Apple. C'est un modèle du genre, un outil qui facilite considérablement la constitution d'une discothèque numérique et... le téléchargement de morceaux de musique depuis iTunes Store, un magasin en ligne qui fait les choux gras d'Apple.

iTunes vous permet aussi, et bien sûr, d'écouter des CD audio. Dès que vous en introduisez un dans le lecteur du Mac, iTunes le reconnaît aussitôt et transfère chaque morceau dans sa bibliothèque (Figure 12.12). Il est capable de convertir à la volée les pistes audio au format AAC ou MP3. Les bibliothèques servent à créer des listes de lecture par simple glisser-déposer des morceaux.

Figure 12.12 : Extraction du contenu d'un CD audio.

C'est à partir de ces mêmes listes de lecture que iTunes grave un CD audio que vous pourrez ensuite lire sur un lecteur de salon.

Mieux, iTunes est compatible avec quelques baladeurs MP3. Dès que vous connectez un de ces appareils au port USB du Mac, iTunes le détecte automatiquement et affiche une petite icône dans le panneau Source. Apparaissent alors directement dans la liste tous les morceaux présents dans le baladeur. Le transfert entre ce dernier et l'ordinateur, ou inversement, se résume alors à un simple cliquer-glisser des fichiers MP3 d'une fenêtre à une autre.

Écouter un CD audio

1. **Démarrez iTunes.**
2. **Introduisez le CD dans le lecteur.**

   Il apparaît dans le panneau Source ; le volet droit affiche son contenu.

   Pour que les informations sur le disque apparaissent – nom de l'album, de l'artiste et des pistes –, le Mac doit être connecté à l'Internet.
3. **Contrôlez la lecture.**

   Utilisez les boutons classiques en haut à gauche (lire, mettre en pause, passer au morceau suivant ou précédent).

   Exploitez également les commandes du menu Commandes (qui réunit des raccourcis clavier intéressants).
4. **Éjectez le CD selon l'une des techniques suivantes :**

   Choisissez Commandes/Éjecter le disque.

   Enfoncez les touches ⌘ + E.

   Cliquez sur le bouton Éjecter le CD, situé en bas à droite de la fenêtre d'iTunes.

Ajouter un morceau à la bibliothèque

Un morceau de votre CD vous plaît particulièrement ? Ajoutez-le à votre bibliothèque ; vous pourrez ainsi l'écouter sans le CD.

1. **Lancez iTunes.**
2. **Introduisez le CD dans le lecteur.**

   Il apparaît à gauche, dans le panneau Source ; le volet droit affiche son contenu.
3. **Décochez dans ce volet les morceaux que vous n'entendez pas archiver.**
4. **Cliquez sur Importer.**

   iTunes démarre la procédure, lisant les morceaux tandis qu'il les importe.

Vous pouvez interrompre cette diffusion en cliquant sur Pause. Cette action n'a aucun effet sur l'importation en cours.

iTunes code les morceaux au format AAC développé par Apple, et les stocke sur le disque dur. Un format audio est une technique de compression destinée au stockage des fichiers audio. iTunes peut être configuré pour utiliser le très connu format MP3 à la place du format propriétaire AAC.

5. **Éjectez le CD.**

Parcourir la bibliothèque

1. **Sélectionnez Bibliothèque dans le panneau Source.**
2. **Cliquez, à droite, sur Explorer.**

   Tous les morceaux s'affichent.

Utilisez la zone Rechercher pour trouver un morceau, un album ou un artiste précis.

Créer une liste de lecture

iTunes permet de créer des *listes de lecture*, c'est-à-dire une sélection de morceaux dans l'ordre dans lequel vous souhaitez les écouter. Vous pouvez en créer autant que vous le souhaitez, à partir de tous les morceaux de la bibliothèque.

La technique est simple :

1. **Choisissez Fichier/Nouvelle liste de lecture ou enfoncez les touches ⌘ + N.**
2. **Nommez la liste de lecture, puis appuyez sur la touche Entrée.**
3. **Sélectionnez Bibliothèque dans le panneau Source.**
4. **Faites glisser les éléments souhaités de la bibliothèque (ils sont affichés à droite) vers l'intitulé de votre liste de lecture du panneau Source (à gauche).**
5. **Si nécessaire, réorganisez cette liste par cliquer-glisser.**

Pour vous défaire d'une liste, faites-la glisser à la Corbeille.

Activer la fonction Genius

La fonction Genius affiche une barre latérale contenant une liste de morceaux que vous pouvez acheter sur iTunes Store, et qui sont en rapport avec la musique que vous avez sélectionnée. Avec Genius, vous créez également une liste de lecture automatique dans laquelle les titres sont en rapport avec un morceau que vous sélectionnez dans la bibliothèque.

Pour activer la fonction Genius, cliquez sur l'icône Genius dans le volet ou choisissez Store/Activer Genius. Dans la zone principale d'iTunes, cliquez sur le bouton Activer Genius. Saisissez votre identifiant Apple ainsi que votre mot de passe, puis suivez les instructions. Si vous ne possédez pas d'identifiant, suivez la procédure permettant d'en créer un. Ceci fait, iTunes collecte les informations de votre bibliothèque puis les transfère à Apple afin d'obtenir en retour une liste de résultats Genius (Figure 12.13) inspirée de vos goûts, qui donne à Apple la possibilité d'accroître ses ventes en ciblant mieux sa clientèle (ce n'est pas pour rien que iTunes se prononce "aïe ! Thunes").

Un bouton en bas à droite d'iTunes permet d'afficher ou de masquer la barre latérale Genius.

Figure 12.13 : Genius vous propose d'acheter les titres qui manquent à votre bibliothèque.

Créer un liste de lecture Genius

Pour créer une liste de lecture Genius, vous choisissez un titre et iTunes sélectionne automatiquement des morceaux en rapport. Pour créer la liste, affichez le contenu de votre bibliothèque et sélectionnez le titre à utiliser pour créer la liste, puis cliquez sur le bouton Lancer Genius, placé en bas à droite de la fenêtre. Si iTunes possède les informations nécessaires, il crée une liste dont le premier morceau est celui que vous avez sélectionné (Figure 12.14). Des boutons dans la partie supérieure du volet central vous permettent d'enregistrer la liste de lecture (elle prend le nom du premier morceau), de l'actualiser et d'en changer le nombre de morceaux.

Lorsque vous activez Genius et si vous possédez un modèle d'iPod récent, vous pouvez également créer des listes de lecture Genius directement sur l'iPod.

Figure 12.14 : Genius crée automatiquement une liste de lecture susceptible de vous intéresser.

iPod et iTunes

Si vous possédez un iPod ou un iPhone, iTunes servira à transférer les musiques, photos et vidéos, selon le modèle d'appareil que vous possédez.

Avec un iPhone ou un iPod Touch, vous transférez également vos contacts, votre calendrier, votre courrier électronique ou les signets de Safari. Mais si vous possédez un compte MobileMe, la synchronisation de ces éléments s'effectue avec MobileMe, sans passer par iTunes.

Vous utilisez le câble USB fourni pour relier l'iPod et votre Mac. Avant de connecter physiquement l'iPod et l'ordinateur, vous pouvez démarrer iTunes, mais, si vous ne le faites pas, ce dernier se lance automatiquement.

Votre iPod s'affiche dans la fenêtre d'iTunes. Vous pouvez le nommer et vous indiquez comment vous souhaitez synchroniser les morceaux et les photos (Figure 12.15).

Lorsque vous sélectionnez votre iPod dans le panneau Source, plusieurs onglets s'affichent dans le panneau principal d'iTunes. Par défaut, vous obtenez l'onglet Résumé qui indique l'état de votre iPod.

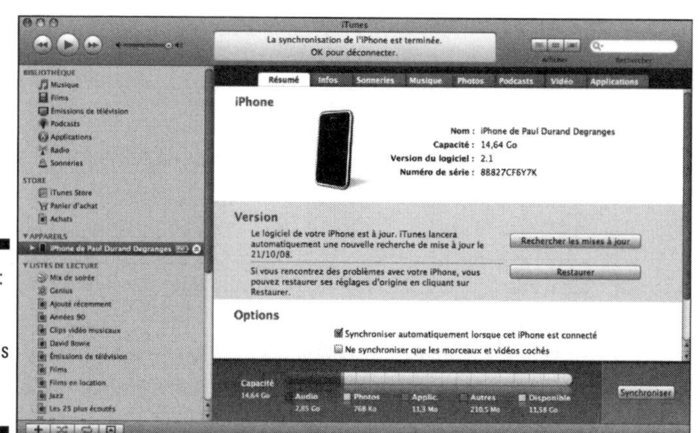

Figure 12.15 : L'iPod (ou l'iPhone) apparaît dans le panneau Source.

L'onglet Musique (Figure 12.16) permet de choisir la musique que vous transférez. Si la capacité de votre iPod vous le permet, vous pouvez choisir de synchroniser tous les morceaux se trouvant dans iTunes.

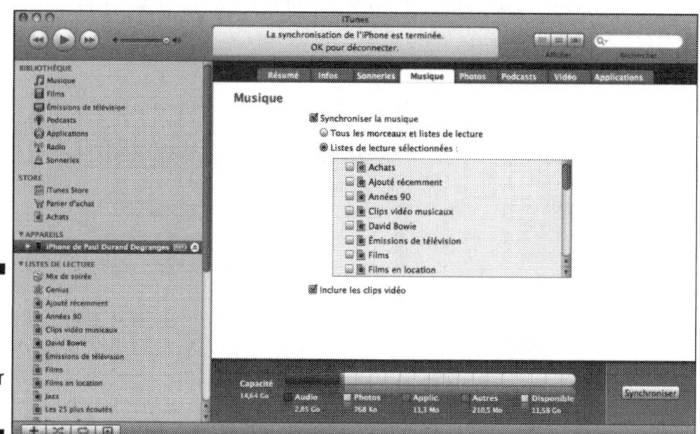

Figure 12.16 : Indiquez la musique à transférer sur l'iPod.

Si la capacité ne vous permet pas de transférer tous les morceaux de votre bibliothèque, créez des listes de lecture spéciales pour votre iPod, puis choisissez Listes de lecture sélectionnées et cochez les listes de lecture à transférer. Lorsque vous avez apporté des modifications, cliquez sur le bouton Appliquer pour qu'elles soient prises en compte.

L'onglet Film vous permet de configurer la manière dont vous souhaitez transférer les films sur votre iPod. N'oubliez pas que les films sont gourmands en espace de stockage.

Dans l'onglet Émission de télévision, vous indiquez la manière dont vous souhaitez synchroniser les émissions de télévision que vous possédez dans iTunes.

Si vous êtes abonné à des podcasts, vous indiquez dans l'onglet Podcast la manière dont vous souhaitez les synchroniser. Vous pouvez ainsi en transférer les derniers épisodes sur votre iPod et les écouter en déplacement.

Dans l'onglet Photos, vous indiquez la manière dont vous souhaitez synchroniser les photos. Vous avez la possibilité de transférer la totalité de votre photothèque, ou vous sélectionnez des événements ou des albums. Vous avez également la possibilité d'utiliser des photos qui se trouvent dans un dossier de votre ordinateur, par exemple le dossier Images.

L'onglet Infos est découpé en plusieurs parties et, dans le cas de l'iPod Touch ou de l'iPhone, il permet de configurer la synchronisation de différents éléments, par exemple les contacts ou le calendrier (Figure 12.17).

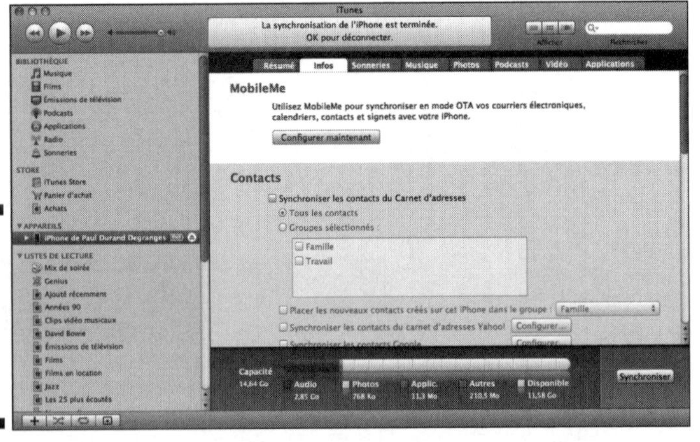

Figure 12.17 : Synchronisez votre calendrier et vos contacts ou utilisez MobileMe.

Les illustrations montrent des onglets obtenus avec un iPhone 3G. Si vous possédez un iPod, ils seront différents, en particulier si c'est un iPod Shuffle. L'iPhone affiche un onglet Sonneries qui permet de configurer le transfert des sonneries utilisées par le téléphone.

Lecteur DVD

Ce programme se déclenche spontanément dès que vous introduisez un DVD vidéo dans le lecteur de l'ordinateur. Il affiche une télécommande virtuelle – appelée "contrôleur" dans les menus de l'application – qui est en réalité une télécommande dotée des classiques boutons : retour et avance rapides, marche et arrêt, etc. La durée écoulée et restante du DVD ou le chapitre en cours de lecture sont affichés sur la télécommande.

Figure 12.18 : La "contrôleur" du Lecteur DVD.

Livre des polices

Cet outil sert à gérer les polices de caractères : installation, prévisualisation, organisation et gestion.

Installer une police

Pour installer une nouvelle police :

1. **Introduisez dans votre lecteur le disque contenant la police ou copiez-la sur votre disque dur.**
2. **Choisissez Fichier/Ajouter des polices ou enfoncez les touches ⌘ + O.**

   Une fenêtre d'ouverture apparaît.

3. **Choisissez la police à installer (Figure 12.19).**

Visualiser une police

Pour visualiser une police (Figure 12.20), choisissez la collection à gauche, puis la police au milieu. Une vue d'ensemble de ses caractères s'affiche dans le volet droit.

Pour modifier la taille dans le volet droit, actionnez la glissière vers le haut ou vers le bas, ou déroulez le menu Taille et choisissez un corps.

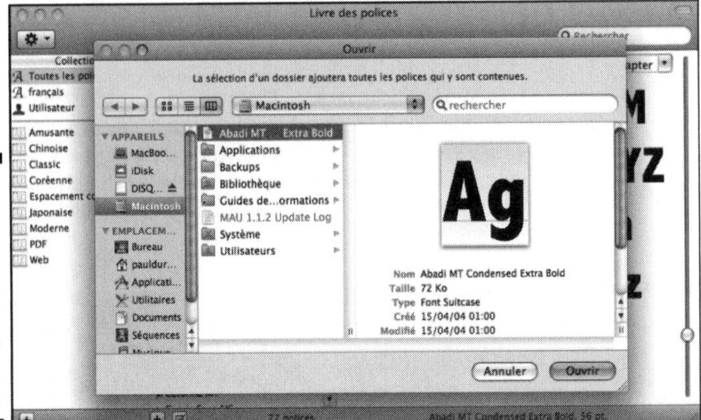

Figure 12.19 : La fenêtre d'ouverture du programme Livre des polices propose plusieurs destinations.

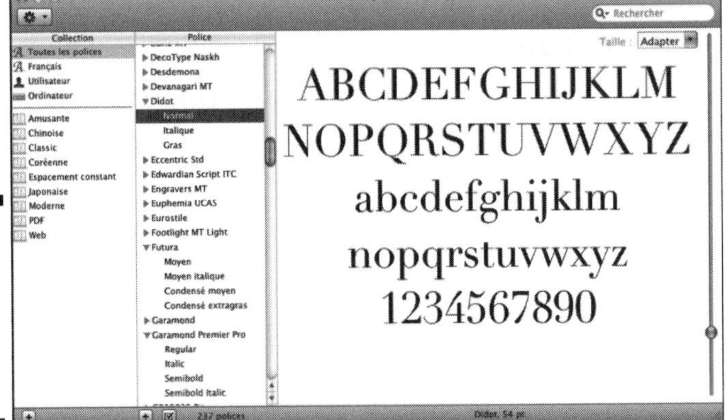

Figure 12.20 : La typographie de la police sélectionnée est visible à droite.

Dans le menu, l'option Adapter modifie la taille de l'aperçu selon la largeur de la fenêtre.

Désactiver une police

Pour désactiver une police afin qu'elle n'apparaisse plus dans le menu Polices de vos applications, sélectionnez-la, puis appliquez la commande Édition/Désactiver la police, ou utilisez aux mêmes fins le bouton Désactiver, en bas de la fenêtre. Confirmez votre intention.

Pour réactiver une police désactivée, sélectionnez-la puis choisissez la commande Activer la police, toujours dans le menu Édition. Ou encore cliquez sur Activer dans la partie inférieure de la fenêtre.

Lorsque vous activez ou désactivez une police, la modification est automatiquement prise en compte par les applications, car Mac OS X gère dynamiquement ces actions.

Créer une collection

Pour créer une nouvelle collection de polices :

1. **Choisissez Fichier/Nouvelle collection ou enfoncez les touches ⌘ + N.**
2. **Pour y ajouter une police, validez d'abord l'option Toutes polices de cette liste Collection, puis faites glisser les polices souhaitées de cette collection complète vers la nouvelle collection.**
3. **Pour retirer une police d'une collection, sélectionnez-la dans la liste centrale, puis validez la commande Fichier/Supprimer la police.**

La commande Fichier/Supprimer la collection se débarrasse, elle, de la collection sélectionnée.

Supprimer une police de la collection Toutes polices la fait disparaître définitivement. Aucune annulation n'est prévue.

Photo Booth

Photo Booth – "Photomaton", en anglais – est un programme facile à utiliser permettant de prendre des photos avec une webcam et de leur appliquer des effets spéciaux amusants.

QuickTime Player

Comparée aux anciennes versions de QuickTime Player, qui étaient de véritables lecteurs multimédia, l'actuelle version 10.0 paraît bien rudimentaire. Elle permet de lire les vidéos au format MOV tournées avec votre caméra numérique ou votre appareil photo numérique ou d'écouter de la musique. Elle permet aussi d'enregistrer les images filmées par une webcam connectée au Mac, ou d'enregistrer du son produit par un autre programme.

Une fonctionnalité intéressante (Figure 12.21), qui fera le bonheur de bien des vidéastes amateurs, a été ajoutée à QuickTime : la possibilité de couper les premières ou les dernières images d'une séquence. Il est ainsi possible de ne retenir que la partie la plus intéressante d'un clip vidéo, débarrassé des longueurs dues au fait que l'on a commencé à filmer un peu avant l'action et cessé de tourner un peu après pour être sûr de ne rien manquer.

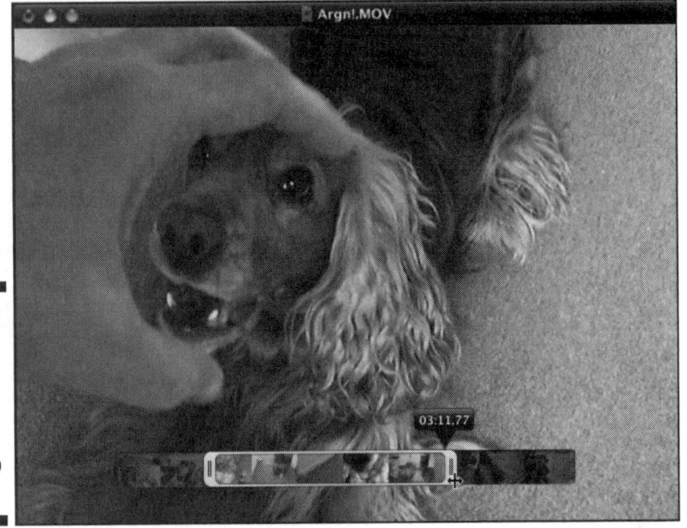

Figure 12.21 : Déplacez chacun des bords verticaux pour délimiter la partie du clip à retenir.

Auparavant, cet élagage n'était possible qu'en chargeant la vidéo dans un logiciel de montage comme iMovie. À présent, il est facile à effectuer en procédant comme suit :

1. **Double-cliquez sur le clip vidéo pour le lire avec QuickTime Player. Ou encore, cliquez dessus, touche Ctrl enfoncée et, dans le menu contextuel, choisissez Ouvrir avec/QuickTime Player.**

   La vidéo apparaît, figée à la première image.

2. **Cliquez sur le bouton Lecture pour regarder le clip. Notez, en bas à gauche, le moment – affiché sous la forme** hh:mn:ss **– où l'action commence, et celui où elle cesse d'être intéressante.**

   Vous définirez ainsi avec précision ce qui doit être conservé.

3. **Dans la barre de menus de QuickTime Player, choisissez Édition/Élaguer, ou appuyez sur les touches ⌘ + T.**

Un cadre jaune contenant des vignettes du clip à différents intervalles est affiché en bas de l'image.

4. **Tirez le bord gauche du cadre pour définir le début du clip, puis le bord droit pour indiquer la fin.**

   Surveillez les compteurs de temps ainsi que l'image.

5. **Le clip ainsi réduit à l'essentiel, cliquez sur le bouton jaune Élaguer qui apparaît à droite de la barre.**

   Débarrassé des prémices et de la fin qui se traînait, le clip vidéo est à présent beaucoup plus percutant.

6. **Dans la barre de menus, cliquez sur Fichier/Enregistrer sous, puis attribuez un nouveau nom au clip.**

   Ajoutez par exemple **_élagué** à son nom (ou rien que le signe de soulignement), ou encore un chiffre.

Dans la nouvelle version de QuickTime, écouter des radios et regarder la télévision n'est plus à l'ordre du jour. Ces fonctions ont été confiées à Front Row, décrit précédemment, qui est désormais le lecteur multimédia de prédilection du Mac.

Spaces

Spaces permet de créer plusieurs *espaces de travail*, c'est-à-dire plusieurs bureaux que vous utiliserez pour ouvrir les programmes en fonction du type de travail en cours. Vous créerez par exemple un bureau contenant essentiellement des logiciels de bureautique, un autre avec des outils de retouche photo, etc.

Cliquer sur l'icône Spaces du dossier Applications équivaut à cliquer sur l'icône Spaces située dans le Dock ou à l'appui sur la touche F8.

TextEdit

TextEdit est un traitement de texte moins rudimentaire qu'il y paraît, pour peu que vous vous donniez la peine de parcourir ses menus. Il est possible de choisir la police, régler les marges, créer des listes et des tableaux et même de coller des images dans le document.

TextEdit est capable d'ouvrir ou d'enregistrer des documents au format Microsoft Word. Pratique pour ceux qui veulent lire ou produire des fichiers de ce type mais qui ne possèdent pas le traitement de texte de Microsoft. TextEdit reconnaît le format .docx de Word 2007.

Attention toutefois, car si la sauvegarde ne pose apparemment aucun problème, ce qui est normal puisque les possibilités de TextEdit sont bien en dessous de celles de Word, l'ouverture par TextEdit de documents Word comportant des mises en forme complexes n'est en revanche pas toujours convaincante.

Time Machine

Time Machine, "la machine à remonter le temps" en anglais, est un logiciel de sauvegarde permettant de copier les fichiers modifiés vers un disque dur externe ou sur un CD ou DVD.

Lorsque vous démarrez Time Machine pour la première fois, vous devez le configurer en indiquant le disque de destination. Ceci fait, il procède à une sauvegarde complète de toutes vos données. Par la suite, la sauvegarde s'effectue à intervalles réguliers, toutes les heures, tous les jours pendant un mois et toutes les semaines, jusqu'à remplir le disque dur. À ce moment, Time Machine vous avertit que les plus anciennes sauvegardes seront remplacées par les plus récentes.

Lorsque vous avez effectué des sauvegardes, vous pouvez remonter le temps en démarrant Time Machine et en parcourant les fenêtres du Finder à différentes périodes. Vous pouvez ensuite sélectionner les fichiers que vous souhaitez restaurer et cliquer sur le bouton Restaurer (Figure 12.22).

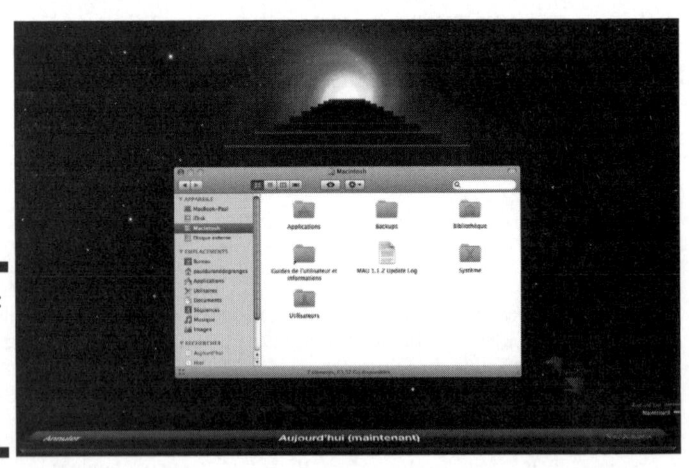

Figure 12.22 : Remontez dans le temps pour récupérer vos fichiers.

Transfert d'images

Le programme Transfert d'images ne vous servira que si vous possédez un appareil photo numérique ou un scanner dont il transférera les images vers le disque dur du Mac.

Il est capable d'automatiser en partie le téléchargement, puisqu'il peut se lancer dès que vous branchez l'appareil photo numérique ou un lecteur de cartes mémoire (Figure 12.23) au Mac. Il est aussi capable de transférer les photos directement dans iPhoto.

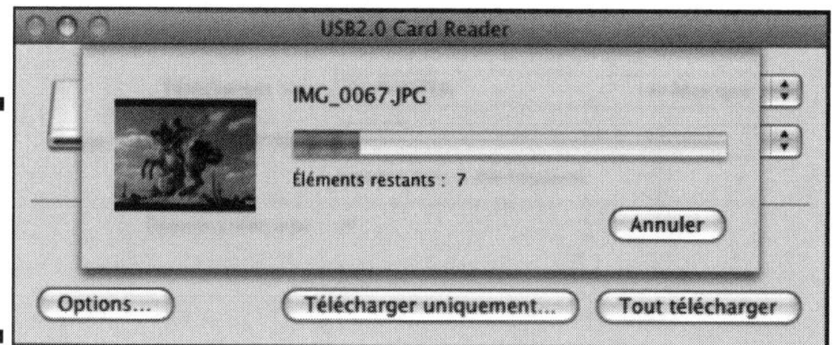

Figure 12.23 : Un transfert depuis une carte mémoire est en cours.

Chapitre 13

Découvrir le dossier Utilitaires

Dans ce chapitre :

- Assistant Boot Camp.
- Assistant migration.
- Capture.
- Colorimètre numérique.
- Configuration audio et MIDI.
- Console.
- Échange de fichiers Bluetooth.
- Éditeur AppleScript
- Grapher.
- Informations Système.
- Installation à distance de Mac OS X.
- Java.
- Moniteur d'activité.
- Terminal.
- Transfert de podcast.
- Trousseau d'accès.
- Utilitaire AirPort.
- Utilitaire ColorSync.
- Utilitaire d'annuaire.
- Utilitaire de disque.
- Utilitaire de réseau.
- Utilitaire RAID.
- Utilitaire VoiceOver.
- X11.

Le dossier Utilitaires n'a rien à envier au dossier Applications. Il est lui aussi assez richement doté (Figure 13.1).

Toutefois, il s'agit ici de programmes que vous n'exploiterez que rarement. Ce sont en effet les applications qui y font majoritairement appel.

Assistant Boot Camp

Snow Leopard exigeant que le Mac soit équipé d'un processeur Intel, il est de ce fait capable de fonctionner sous Windows XP, ou Windows

Figure 13.1 : Une partie du contenu du dossier Utilitaires.

Vista ou Windows 7, et donc d'utiliser des logiciels pour PC (dans certains domaines, ils sont beaucoup plus nombreux que les logiciels pour Mac).

Bien entendu, vous devez posséder le disque d'installation de Windows ainsi qu'une licence d'utilisation pour pouvoir installer ce système d'exploitation sur votre Mac.

Démarrez l'assistant et laissez-vous guider au cours de l'installation. Vous commencerez par partager votre disque dur pour créer un espace sur lequel vous installerez Windows.

Boot Camp permet d'installer Windows sur votre ordinateur, puis de choisir si vous souhaitez démarrer l'ordinateur sous Snow Lepoard ou sous Windows. Vous ne pourrez pas utiliser les deux systèmes d'exploitation en même temps. Sachez toutefois qu'il existe des programmes qui permettent leur fonctionnement simultané.

Assistant migration

Il a pour mission de vous aider quand vous changez de Mac ou quand vous devez réinstaller le système d'exploitation. Une fois que vous avez démarré l'Assistant migration, vous lui indiquez comment vous voulez transférer vos données. Celles-ci peuvent se trouver sur un autre Mac équipé d'un port FireWire, sur un autre volume du Mac (ou sur un disque externe) ou encore sur une copie de sauvegarde réalisée avec Time Machine.

Capture

Ce petit programme photographie littéralement l'écran (zone définie, fenêtre ou écran complet).

Quel intérêt ? Pour vous, peut-être aucun. Pour nous qui rédigeons des manuels et des ouvrages informatiques, et devons les illustrer, Capture est indispensable.

La fonctionnalité la plus intéressante de cet utilitaire est sans doute sa commande Écran en différé : vous disposez d'une dizaine de secondes pour préparer l'écran (ouvrir une fenêtre, dérouler un menu, activer une icône...) avant que la capture se produise. Le fichier d'image qui en résulte est au format TIFF, sans doute le meilleur pour la publication dans des livres.

Par défaut, le pointeur est invisible. Mais les préférences du programme permettent de le capturer. Comme le montre la Figure 13.2, plusieurs pointeurs peuvent être représentés. En revanche, les pointeurs spéciaux de nombreux programmes ne sont pas reproduits (un widget comme Screenshot Plus, placé dans le Dashboard, permet cependant de les capturer).

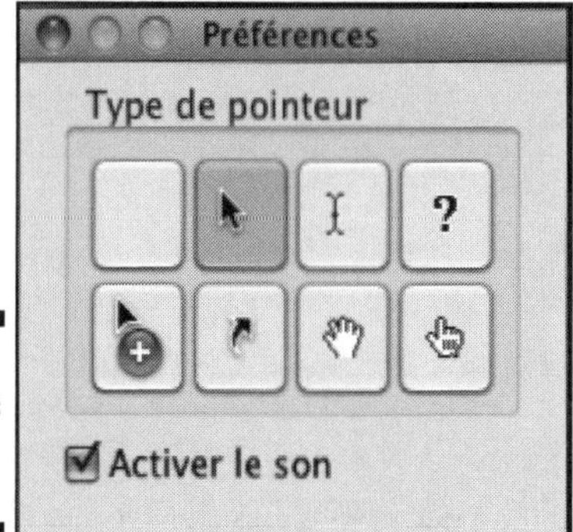

Figure 13.2 : Les pointeurs Mac de Capture.

Colorimètre numérique

Ce petit programme sert à analyser les composants chromatiques des pixels, dans plusieurs espaces colorimétriques. Il est destiné aux professionnels des arts graphiques et de la PAO (publication assistée par ordinateur)

Configuration audio et MIDI

Cet utilitaire prend en charge la configuration des périphériques d'entrée et de sortie audio (Figure 13.3) et MIDI (*Musical Instrument Digital Interface,* interface numérique d'instruments de musique) connectés à votre ordinateur.

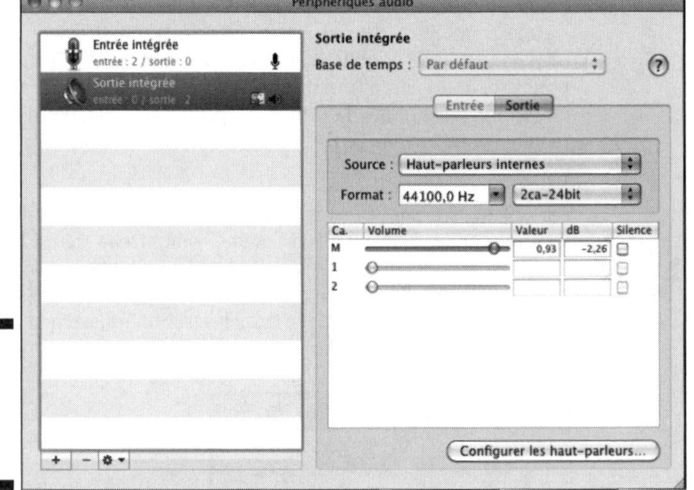

Figure 13.3 : Le gestionnaire de périphériques audio.

Console

Le système d'exploitation Mac OS X et les applications qui tournent sous sa férule émettent des messages techniques auxquels Console vous permet d'accéder.

Le programme n'a d'intérêt que si vous êtes capable d'interpréter ces messages, ce qui, à ce stade, n'est sans doute pas le cas. Ils sont exprimés en langage Unix, le langage de programmation qui sous-tend Mac OS X et qui n'est pas franchement convivial.

Console ne vous servira à rien si vous ne maîtrisez pas Unix.

Échange de fichiers Bluetooth

Cet utilitaire vous permet d'échanger des fichiers (.gif, vCards de votre carnet d'adresses et vCal de votre agenda) entre votre Mac et votre périphérique Bluetooth par cliquer-glisser, sans pour autant que les deux unités concernées soient physiquement en connexion.

Éditeur AppleScript

Il s'agit d'un outil d'automatisation qui enregistre des séquences d'action ou "scripts", reproduites ensuite à la demande.

Ainsi, vous pourriez rédiger un script qui mettrait le programme Mail en service, relèverait les nouveaux messages et les archiverait dans un dossier préalablement désigné.

Ce programme quelque peu aride ne s'adresse de toute évidence pas aux néophytes.

Grapher

Grapher est un programme qui vous permet de créer des courbes à partir de formules mathématiques particulièrement trapues. Ceux qui préfèrent un dictionnaire de rimes peuvent passer leur chemin.

Informations Système

Cet utilitaire livre toutes sortes de renseignements concernant votre Mac : version du système, type de clavier, configuration réseau, périphériques connectés, etc. Examinez-les attentivement pour mieux connaître votre ordinateur, même si certaines notions vous sont encore obscures.

Trois rubriques figurent dans le volet gauche : Logiciel, Matériel et Réseau (Figure 13.4).

S'il vous arrivait de contacter un service d'aide en ligne, vous auriez sans doute à fournir au technicien des données techniques que vous trouverez ici.

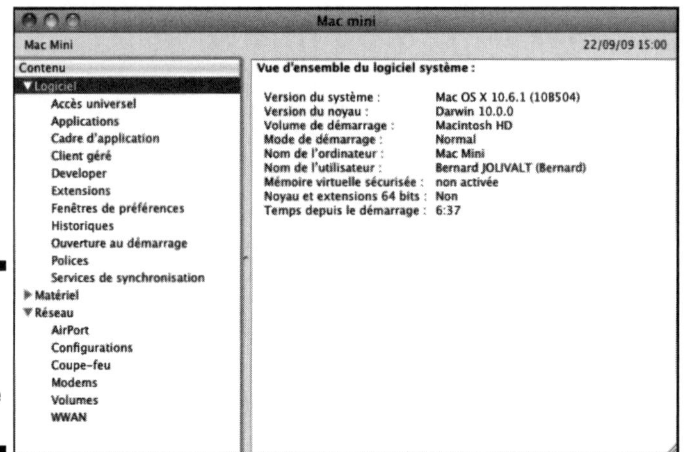

Figure 13.4 : Tout ce que vous voulez savoir sur votre Mac se trouve ici.

Installation à distance de Mac OS X

Comme son nom l'indique, cet utilitaire permet d'installer Mac OS X à distance. Il est très utile avec les modèles d'ordinateur MacBook Air qui ne sont pas équipés de lecteur de disques optonumériques. Vous devez alors utiliser un second Mac équipé d'un lecteur dans lequel vous insérez le CD ou le DVD d'installation du logiciel. Puis vous démarrez l'assistant Installation à distance de Mac OS X et suivez les instructions afin d'installer le logiciel sur le MacBook Air.

Java et Préférences Java

Il s'agit là d'un dossier qui regroupe plusieurs éléments, le principal étant Java Web Start, lequel permet d'exploiter la version Apple de Java, un des langages de programmation pour l'affichage des pages Web.

Pourquoi ce nom Java, et cette icône en forme de tasse de café des Préférences Java ? Rien à voir avec l'île. Java est une célèbre marque de café aux Etats-Unis, dont se gobergent les passionnés d'informatique pour rester éveillés tard la nuit devant leurs écrans. Le nom de ce breuvage a été choisi pour le langage éponyme.

Il vous permet donc d'exécuter sur votre Mac des programmes écrits en langage Java sans l'intervention d'aucun navigateur. Sauf si vous êtes programmeur – mais alors, que diable faites-vous avec ce livre entre les mains ? –, vous n'avez pas à vous aventurer dans cet utilitaire.

Moniteur d'activité

Moniteur d'activité vous tient informé de la charge de travail du microprocesseur de votre Mac.

Cette surveillance peut s'avérer utile lorsque vous manipulez des programmes exigeant d'énormes quantités de calcul, notamment les applications graphiques (retouche photo, montage vidéo...).

Terminal

Mac OS X est basé sur le langage de programmation Unix, fondé sur une interface à lignes de commande (tout comme le vieux MS-DOS des PC d'antan). C'est donc en saisissant des commandes que vous pilotez votre environnement.

Vous voulez un échantillon ? En voilà un en trois lignes de commandes :

```
ftp petaouchnock.domaine.fr
cd /compta/2009/trimestre2
mget *.xls
```

Elles établissent la connexion avec un ordinateur distant, vont dans le dossier Trimestre2 et transfèrent dans le Mac tous les fichiers Excel. Comme vous le constatez, Terminal est un outil qui n'intéressera que les fondus de la programmation.

Ce qui a peu de chance d'être votre cas.

Transfert de podcast

Ce programme ne vous sera utile que si vous êtes connecté à un ordinateur exécutant Mac OS X Server et Podcast Producer. Si c'est le cas, vous devez sans aucun doute disposer des éléments pour utiliser ce programme.

Trousseau d'accès

Vous en avez assez de saisir des mots de passe à tout bout de champ ? Utilisez Trousseau d'accès. Cet utilitaire crée un trousseau qui rassemble tous vos mots de passe (accès à vos programmes, sites Web et serveurs) et les fournit lorsqu'ils sont sollicités, vous dispensant ainsi de les retaper.

C'est très pratique, surtout lorsque vous possédez plusieurs comptes de messagerie dont chacun est associé à un mot de passe distinct. Si vous regroupez tous ces mots de passe dans un seul et même trousseau, vous accéderez alors à tous vos messages au moyen d'une seule clé d'accès.

La marche à suivre est la suivante : créez un trousseau (via la commande Fichier/Nouveau trousseau) puis associez-lui un mot de passe. Ajoutez ensuite les autres mots de passe au trousseau. Les applications qui gèrent cette fonctionnalité utilisent alors le trousseau plutôt que de solliciter votre intervention.

Utilitaire Airport

Il configure l'accès de votre ordinateur à un réseau Airport existant ou définit une borne d'accès Airport.

Utilitaire ColorSync

ColorSync est le nom d'un système colorimétrique qu'Apple a mis au point pour assurer la parfaite correspondance entre couleurs affichées et couleurs imprimées. Vous choisissez d'abord un profil colorimétrique qui corrige chacun des éléments de la chaîne graphique (scanner, écran, imprimante...) afin que les couleurs soient identiques dans chacun de ces équipements. À l'instar du Colorimètre numérique, il s'adresse essentiellement aux professionnels des arts graphiques et de la publication.

Utilitaire de disque

Utilitaire de disque est un utilitaire très... utile ! Détaillons ses fonctionnalités, sachant que sa vocation principale est de mettre à votre disposition les outils nécessaires à la gestion et à l'entretien de vos disques et partitions.

Obtenir des informations

Lancez le programme, choisissez, dans la colonne de gauche qui répertorie tous les disques connectés à votre poste de travail, le disque qui vous intéresse, puis cliquez sur le bouton Infos, dans la barre d'outils.

Si ce disque est partitionné, vous aurez l'occasion de désigner une partition.

Des informations sur le volume sélectionné apparaissent dans une fenêtre indépendante (Figure 13.5).

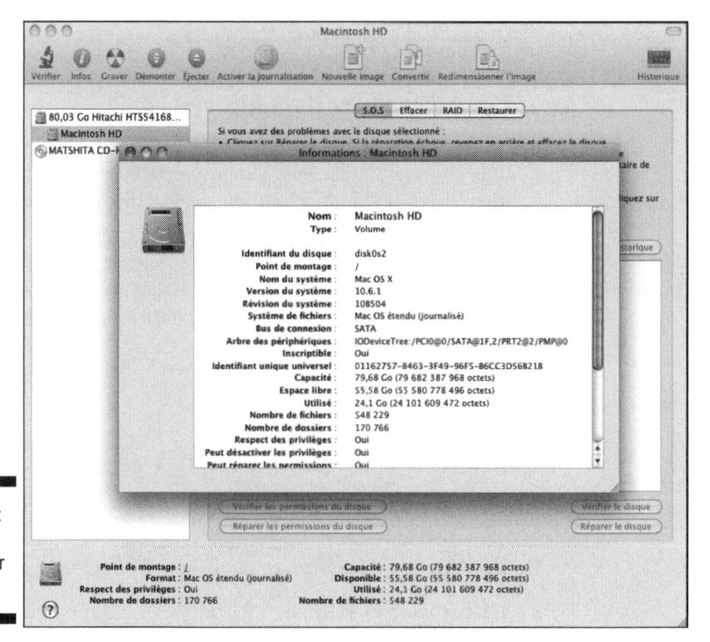

Figure 13.5 : Pour en savoir plus sur un disque.

Tester et réparer

Pour tester ou réparer un disque (disque dur interne ou externe, SuperDisk, DVD-RAM ou autres supports réinscriptibles), vous devez commencer par ouvrir une session en tant qu'administrateur. Procédez ainsi comme suit :

1. **Sélectionnez, dans la colonne de gauche, le disque à tester et/ou à réparer.**

CD-ROM et DVD-ROM ne peuvent pas être traités. Ils sont en effet en lecture seule, c'est-à-dire que leur contenu ne peut pas être modifié.

Impossible également de traiter le disque de démarrage (celui sur lequel tourne Mac OS X), à moins d'avoir préalablement redémarré l'ordinateur depuis le CD d'installation Mac OS X. Pour ce faire, introduisez le CD dans le lecteur, choisissez Pomme/Redémarrer tout en maintenant la touche C enfoncée ; choisissez ensuite Ouvrir Utilitaire de disque, dans le menu Installer.

2. **Cliquez sur l'onglet S.O.S.**

   Le panneau correspondant apparaît.

3. **Cliquez sur Vérifier le disque (pour tester) ou sur Réparer le disque (pour tester et réparer).**

Dans le premier cas, le programme entre en action, puis il établit la liste des problèmes éventuels affectant l'unité traitée. Dans le second cas, il établit cette liste, puis se met à l'ouvrage.

4. **Quittez le programme quand tout est terminé.**

5. **Si vous avez agi depuis un CD, redémarrez le Mac sans enfoncer la touche C de manière à démarrer depuis le disque dur interne.**

Effacer

L'onglet Effacer réinitialise les données d'une partition ou d'un disque entier. Il permet de traiter les CD-RW ; ces disques réinscriptibles doivent en effet être effacés avant de pouvoir être réutilisés.

1. **Sélectionnez dans la colonne de gauche le disque à effacer.**

2. **Activez l'onglet Effacer.**

3. **Cliquez sur Effacer.**

Tous les CD-RW ne sont pas de qualité égale ; certains résistent moins bien aux effacements successifs que d'autres. Vérifiez leurs caractéristiques afin de connaître leur durée de vie.

Partitionner

Partitionner un disque dur consiste à le diviser en parties distinctes qui fonctionneront ensuite chacune indépendamment les unes des autres. Par exemple, une partition pourra être formatée sans que les autres, sur le même disque dur, le soient.

Qui dit "partition" dit "formatage". Et qui dit "formatage" dit "effacement". En effet, quand vous formatez un disque, vous effacez toutes les données qui se trouvent dans la partition active. Faites d'abord des copies de sauvegarde : on n'est jamais trop prudent !

1. **Sélectionnez, dans la colonne de gauche, le disque à partitionner.**
2. **Activez l'onglet Partitionner.**

Une fois encore, impossible de traiter de la sorte le disque de démarrage.

3. **Définissez les options de partition.**
4. **Cliquez sur OK.**

Si vous gravez fréquemment des CD, prévoyez une partition de 650 Mo, c'est-à-dire égale à la capacité du disque, dans laquelle vous stockerez les données en attente de gravure.

Configurer en mode RAID

Cet onglet sert à configurer deux disques durs internes afin que le contenu de l'un soit toujours la copie conforme de l'autre. En cas d'incident sur un disque dur, des données intactes sont transférées de l'autre disque dur.

La configuration RAID (*Redundant Array of Independent Disks,* réseau indépendant de disques redondants) est un système de sécurité des données largement utilisé en entreprises.

Restaurer

L'onglet Restaurer vous permet de rétablir le Mac dans l'état qui était le sien à la sortie d'usine, en agissant depuis un CD-ROM ou depuis un fichier appelé "image disque" (Figure 13.6).

Ainsi, le programme permet de monter une image sur le Bureau : cliquez deux fois sur le fichier image. L'application Utilitaire de disque prend la main et affiche une icône qui ressemble à s'y méprendre à celle d'une icône de disque.

Les images disques

Vous installez généralement vos logiciels depuis un CD ou depuis Internet. Le plus souvent, ces logiciels sont accompagnés d'un programme d'installation chargé de décompresser les fichiers qui les constituent et de les installer au bon endroit sur votre disque dur.

Mais il y a belle lurette qu'Apple a mis au point un autre procédé : l'image disque. Il s'agit en fait d'un disque qui n'en est pas un, mais qui, une fois monté sur le Bureau (par "monté", entendez "reconnu par le système d'exploitation"), se comporte comme tel.

Vous pouvez ainsi l'ouvrir, visualiser son contenu dans une fenêtre du Finder, copier ce contenu vers un autre disque ou, plus prosaïquement, mettre son icône à la Corbeille pour vous en débarrasser. Vous pouvez même l'envoyer par Internet.

Les images disques sont intéressantes pour les éditeurs de logiciels, qui peuvent en effet prévoir une version sur CD vendue dans les magasins de logiciels et une version sous forme d'image disque téléchargeable depuis l'Internet.

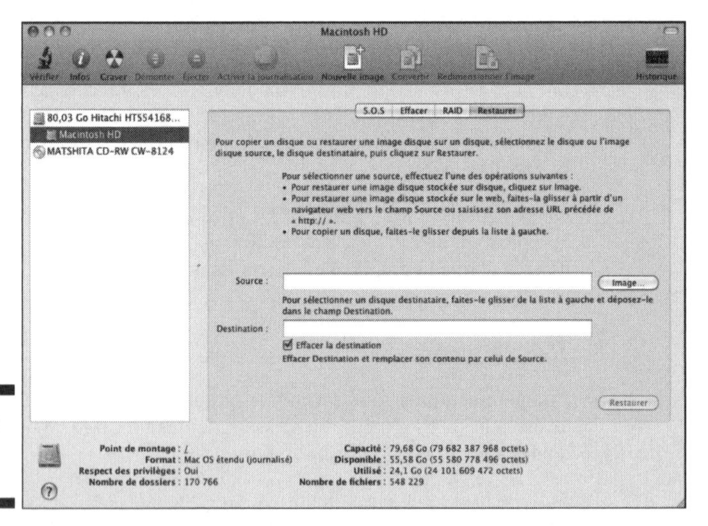

Figure 13.6 : L'onglet Restaurer.

Mais Utilitaire de disque ne se borne pas à monter des images après avoir double-cliqué sur leur icône ; il vous permet aussi de créer vos propres images disques (icône Nouvelle image, dans la barre d'outils) et de graver des fichiers images disques sur des CD-ROM, en cliquant sur l'icône Graver.

Utilitaire de réseau

Il s'agit là encore d'un programme destiné aux administrateurs de réseaux. Ce programme ne s'adresse pas au commun des mortels.

Utilitaire RAID

Pour utiliser ce programme, votre ordinateur doit être équipé d'une carte RAID. Si tel est le cas, vous savez ce qu'est une telle carte et par conséquent l'utilité de ce programme.

Utilitaire VoiceOver

Cet utilitaire permet entre autres de configurer la synthèse vocale de l'ordinateur.

X11

Il s'agit d'un équivalent de Terminal. Si vous n'avez aucune connaissance d'Unix, ce programme ne vous est pas destiné.

Chapitre 14

Paramétrer les Préférences Système

Dans ce chapitre :

- Accéder aux préférences.
- Régler les préférences.

Les Préférences Système permettent de personnaliser votre environnement de travail. N'hésitez pas à les examiner et les régler à votre convenance, car aucun de ces réglages ne peut mettre votre Mac en difficulté. Toutes les options peuvent être rétablies comme auparavant.

Accéder aux préférences

Les Préférences Système sont toutes regroupées au même endroit. Pour les atteindre :

- Choisissez Pomme/Préférences Système.
- Cliquez deux fois sur l'icône Préférences Système depuis le dossier Applications.
- Cliquez une fois sur l'icône Préférences Système depuis le Dock.

La fenêtre est divisée en parties dans lesquelles les préférences sont classées par catégories (Figure 14.1).

Figure 14.1 : Les Préférences Système. Que de réglages en perspective !

Gérer la fenêtre

Dès que vous activez une icône de la fenêtre – un simple clic suffit –, son contenu se modifie de manière à présenter les réglages correspondants. Vous pouvez également agir au travers du menu Présentation qui regroupe toutes les préférences.

Quand vous vous trouvez ainsi dans la fenêtre d'une préférence particulière, le bouton Tout afficher, en haut à gauche, permet de revenir à la fenêtre principale.

Avez-vous remarqué le champ de recherche, en haut à droite de la fenêtre ? Saisissez vos critères dans cette zone, par exemple *clavier*, pour obtenir une liste d'éléments correspondants. Les icônes de la fenêtre s'"éclairent" pour indiquer les réglages correspondants. Afin d'affiner la recherche, vous saisissez plusieurs critères.

Au bas de la fenêtre, vous pouvez trouver la section Autre dans laquelle sont placés des éléments de configuration de programmes ou de matériels non fournis par Apple.

Déverrouiller une préférence

Il arrive que certaines préférences soient verrouillées. Un cadenas, accompagné d'une mention, apparaît en bas à droite (Figure 14.2).

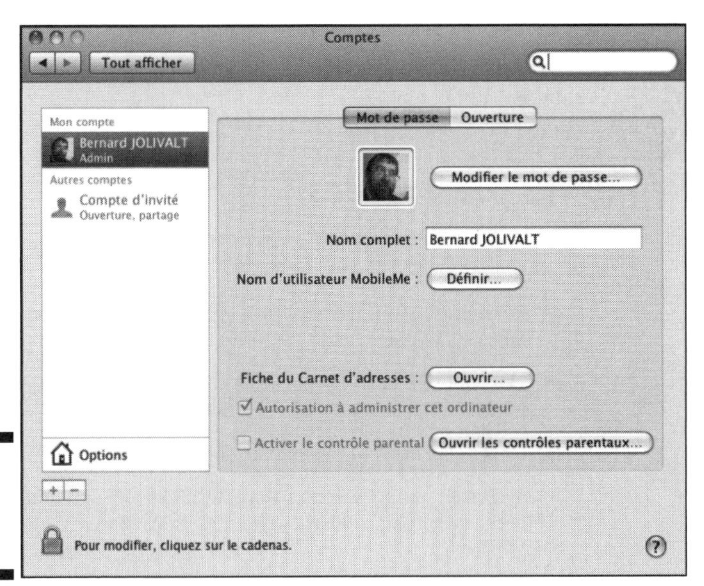

Figure 14.2 : Cette préférence est verrouillée.

Vous ne pourrez ouvrir le cadenas, et de ce fait libérer la préférence, que si vous jouissez de privilèges d'administrateur. Voyez à ce sujet le chapitre suivant. Dans ce cas :

1. **Cliquez sur le cadenas.**

   Le Mac ouvre une fenêtre d'authentification qui demande votre mot de passe d'utilisateur (Figure 14.3).

Figure 14.3 : Identifiez-vous.

2. **Saisissez votre mot de passe.**
3. **Cliquez sur OK.**

Le Système déverrouille la préférence.

Vous souhaitez rétablir le verrouillage après modification ? Cliquez de nouveau sur le cadenas.

Régler les préférences

Nous traiterons les volets ou "catégories" dans l'ordre dans lequel ils se présentent. Elles ont pour nom :

- **Personnel** : Apparence, Bureau et éco. d'écran, Dock, Exposé et Spaces, Langue et texte, Sécurité, Spotlight.
- **Matériel** : CD et DVD, Clavier, Souris, Économiseur d'énergie, Imprimantes et fax, Moniteurs, Son.
- **Internet et sans fil** : MobileMe, Réseau, Bluetooth, Partage.
- **Système** : Accès universel, Comptes, Contrôle parental, Date et heure, Démarrage, Mise à jour de logiciels, Parole, Time Machine.

Apparence

Définissez, grâce à Apparence, certains paramètres de votre environnement comme l'aspect général des boutons, menus et fenêtres, la couleur de contraste, la position des flèches de défilement… (Figure 14.4).

Bureau et éco. d'écran

Cette préférence contient deux onglets.

Le premier, Bureau, permet de choisir un arrière-plan pour votre Bureau. Mais vous le connaissez déjà car vous l'avez découvert au Chapitre 2, à la section "Modifier l'arrière-plan".

Le second, Économiseur d'écran, sert à choisir et paramétrer un économiseur d'écran. À l'époque des écrans cathodiques, son but était de faire varier le contenu de l'écran pour éviter un effet de rémanence qui, à la longue, imprimait littéralement le contenu de l'écran à sa surface. Ce problème n'existe plus avec les écrans plats, mais la fonctionnalité a été conservée pour des raisons esthétiques, et aussi sécuritaires, comme expliqué plus loin à la section "Sécurité". Nous avons aussi déjà abordé l'économiseur d'écran au Chapitre 1, à la section "Mettre en veille".

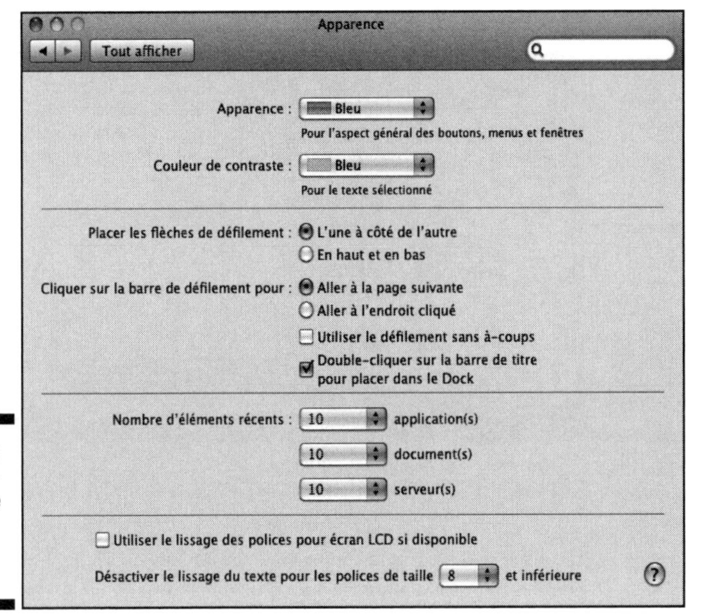

Figure 14.4 : Personnalisez ici votre environnement de travail.

Dock

Le Dock est décrit en détail au Chapitre 6. Ses préférences sont étudiées dans la section "Paramétrer".

Exposé et Spaces

Exposé permet de miniaturiser les fenêtres pour vous aider à trouver la bonne, ou de les chasser vers la périphérie de l'écran pour vous permettre d'accéder à un élément placé sur le Bureau. Il est à ce titre un excellent adjoint du Finder.

Mais revenons en arrière. Si vous êtes un habitué du Mac, vous avez sans aucun doute déjà été confronté à un problème récurrent : plusieurs fenêtres ouvertes simultanément, superposées sur le Bureau (Figure 14.5).

Exposé apporte à ce problème une solution élégante, vous permettant en toute simplicité de jongler avec ces fenêtres.

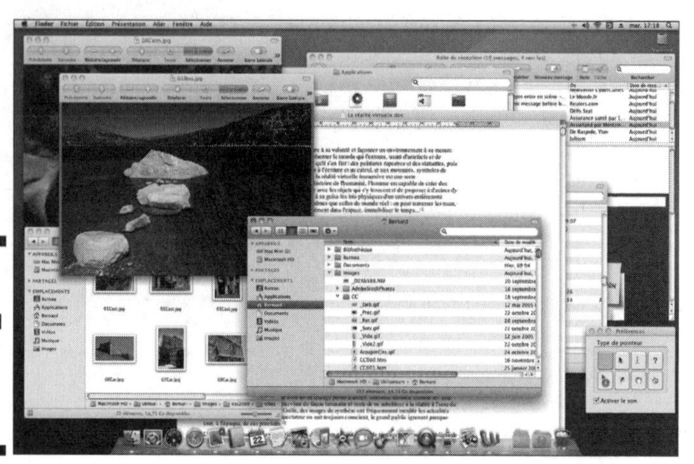

Figure 14.5 : Un beau fouillis quand Exposé n'est pas actif. Mais où est donc Mail ?

Le principe est simple : il repose sur le recours à trois touches, F9, F10 et F11.

F9 réduit la taille de toutes les fenêtres afin qu'elles soient toutes parfaitement en vue (Figure 14.6). Promenez votre pointeur sur chacune d'entre elles – leur bordure s'illumine en bleu –, puis cliquez sur celle qui vous intéresse : toutes les fenêtres retrouvent instantanément leur taille normale ; celle dans laquelle vous avez cliqué est affichée au premier plan, par-dessus toutes les autres.

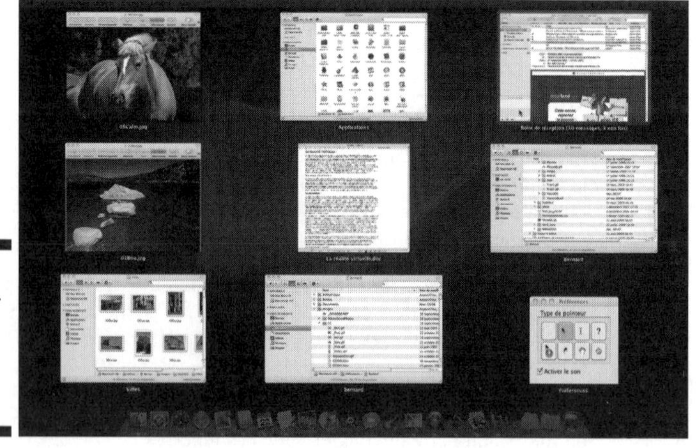

Figure 14.6 : Appuyez sur la touche F9. Mail est ici en haut à droite.

F10 produit le même effet que F9, mais limite son action aux fenêtres de l'application active, Aperçu à la Figure 14.7.

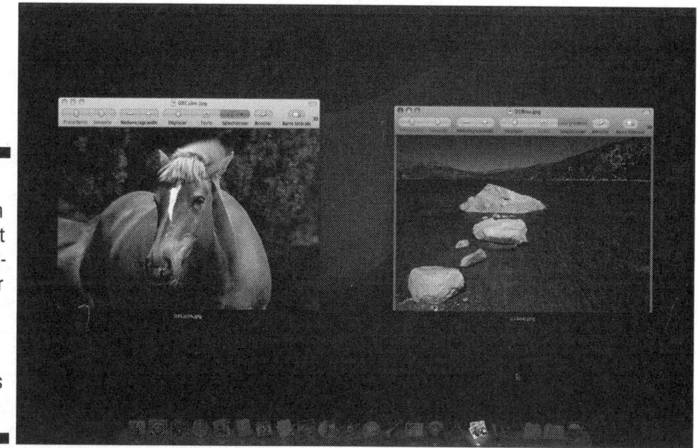

Figure 14.7 : L'application Aperçu étant à présent active, appuyer sur F10 ne montre que les fichiers ouverts dans ce logiciel.

Dans Snow Leopard, il n'est même plus nécessaire d'activer une fenêtre et appuyer sur F10 pour étaler les fenêtres. L'opération est devenue beaucoup plus simple : dans le Dock, maintenez le clic sur l'application dont vous voulez voir les fenêtres, et elles sont exposées un instant après (Figure 14.8). Maintenez le pointeur sur une fenêtre et appuyez sur la barre Espace pour zoomer en avant ou en arrière.

Figure 14.8 : Une autre technique : cliquer continûment sur une icône dans le Dock, comme sur l'icône Aperçu ici, expose toutes fenêtres de cette application.

Enfin, F11 libère le Bureau en poussant toutes les fenêtres ouvertes à sa périphérie (Figure 14.9). Fini les fenêtres enchevêtrées qui masquent le Finder ! F11 dégage l'espace en un tournemain ; de simples filets aux bords de l'écran indiquent où elles sont.

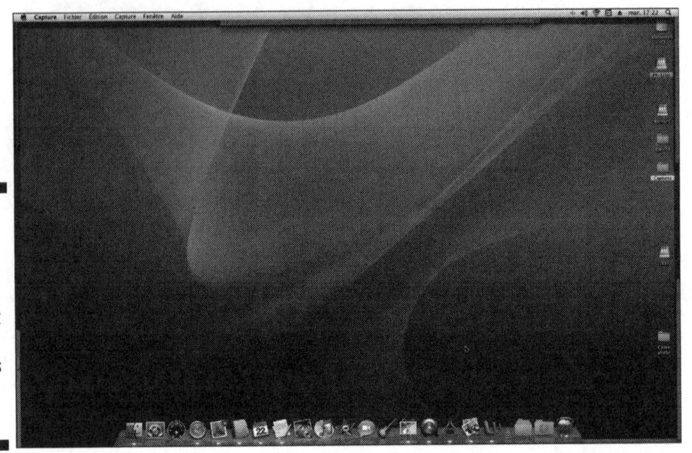

Figure 14.9 : Avec la touche F11, toutes les fenêtres font place nette en filant vers le pourtour de l'écran.

Exposé est si pratique que vous en viendrez, tout naturellement, à y recourir sans modération, y compris au sein d'un même programme. Imaginez que plusieurs documents soient simultanément ouverts dans Word. Inutile d'aller les rechercher par le menu : activez la touche F10 et voilà tous vos fichiers Word miniaturisés et étalés sous vos yeux. Vous n'avez plus qu'à cliquer sur celui de votre choix.

L'onglet Exposé de la préférence système dont il est question ici permet de personnaliser le fonctionnement d'Exposé (Figure 14.10).

Trois possibilités sont proposées : utiliser un coin actif de l'écran, recourir à d'autres touches que celles proposées par défaut ou y consacrer un bouton de votre souris (si elle en comporte trois).

Vous pouvez aussi configurer la touche du clavier et le bouton de la souris permettant de démarrer le Dashboard.

Pour seconder Exposé, Apple a prévu une petite fonctionnalité fort commode permettant de passer rapidement d'une application ouverte à une autre (Figure 14.11). Pour la mettre en œuvre, enfoncez les touches ⌘ + Tabulation et maintenez-les. Une palette transparente s'affiche au centre de l'écran : elle regroupe les icônes de tous les programmes ouverts, encadrant en outre celui qui est actif. Sélectionnez le programme à activer à la place de celui qui l'est actuellement.

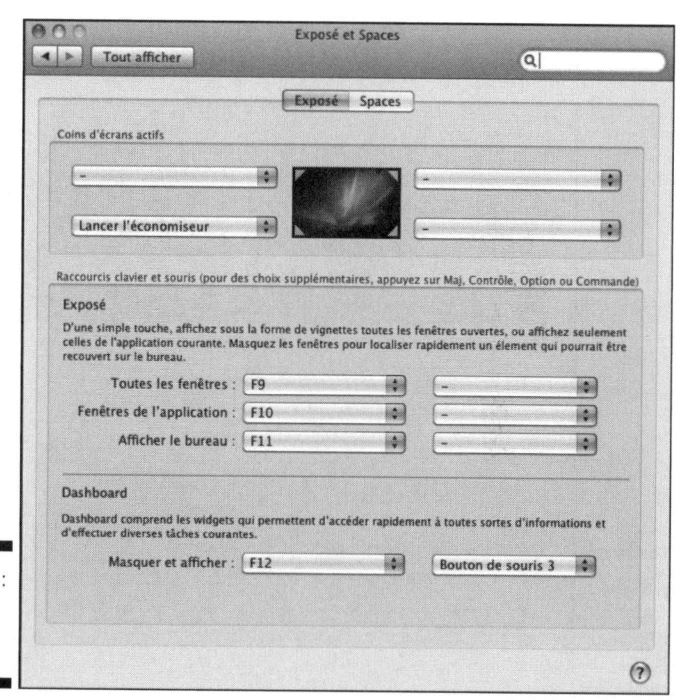

Figure 14.10 : Les préférences de Exposé.

Figure 14.11 : Un sélecteur de fenêtre plus que commode.

La fonction Spaces sert à créer différents Bureaux selon les logiciels que vous utilisez (bureautique, loisirs...) et de passer rapidement d'un espace à l'autre.

En cliquant sur l'onglet Spaces des préférences (Figure 14.12), vous avez la possibilité :

- D'activer ou de désactiver la fonction Spaces.
- D'afficher les espaces dans la barre des menus. En activant cette option, une icône s'affiche dans la barre des menus et vous permet de basculer rapidement d'un espace à l'autre à l'aide de votre souris.

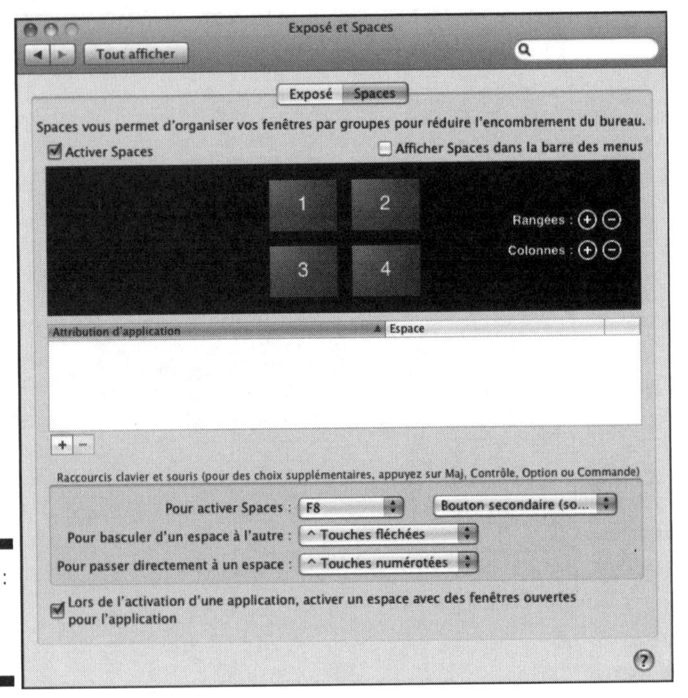

Figure 14.12 : Les paramètres de Spaces.

- À l'aide des boutons + et -, vous ajoutez ou supprimez des rangées et des colonnes.
- Indiquez éventuellement les touches et le bouton de souris à utiliser pour activer Spaces et pour basculer d'un espace à l'autre.

Quand vous activez Spaces à l'aide de la touche F8 – ou de la touche que vous avez configurée –, les différents espaces s'affichent. Vous pouvez alors faire glisser les fenêtres des applications d'un espace vers l'autre (Figure 14.13).

Vous passez rapidement d'un espace à l'autre à l'aide des touches du clavier. Il s'agit par défaut de la touche Ctrl combinée à une touche de direction. Il est aussi possible de la combiner à une touche numérotée du pavé numérique ou de la partie supérieure du clavier alphanumérique pour accéder directement à l'espace désiré.

Lorsque vous utilisez l'une de ces deux dernières fonctions, une palette aide à vous repérer dans les espaces (Figure 14.14).

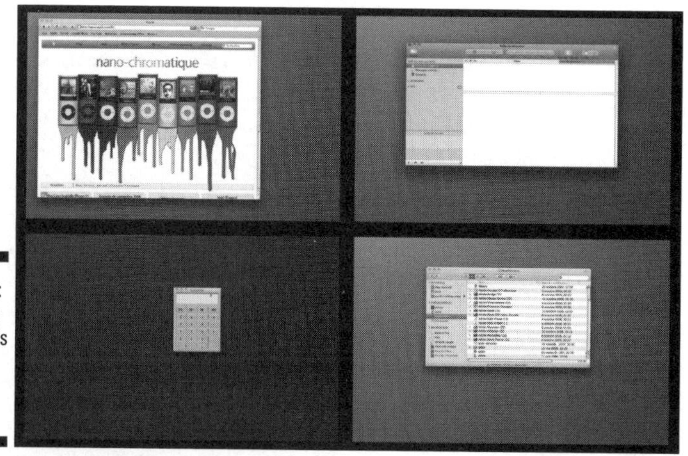

Figure 14.13 : Les espaces dans lesquels vous pouvez faire glisser les fenêtres.

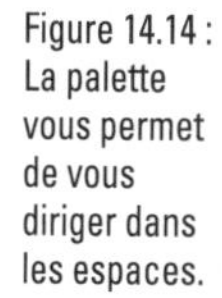

Figure 14.14 : La palette vous permet de vous diriger dans les espaces.

Langue et texte

Cette fenêtre contient les réglages relatifs au pays pour lequel le Mac est configuré. Elle compte quatre onglets : Langues, Texte, Formats et Méthodes de saisie. Détaillons-les.

Langues

La liste Langues permet de définir l'ordre de préférence des langues à utiliser dans les menus et fenêtres de vos applications. Procédez par cliquer-glisser, tout simplement, comme le montre la Figure 14.15.

Le principe est le suivant : si un programme utilise la première langue de cette liste, c'est dans cette langue qu'il affiche ses menus et ses commandes. Sinon, il les présente dans la prochaine langue de la liste qu'il est capable de gérer.

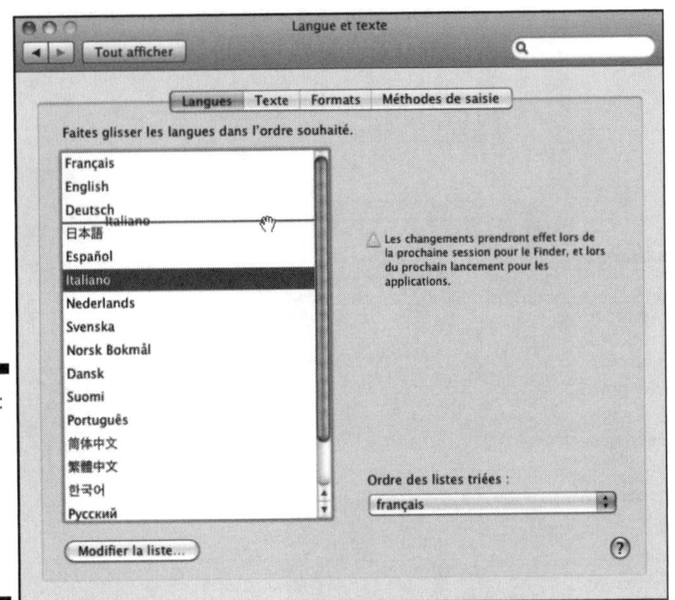

Figure 14.15 : Si vous êtes polyglotte, classez les langues dans l'ordre où vous les utilisez.

Le bouton Modifier la liste donne accès à la liste des langues. Sélectionnez celle que le Mac devra utiliser et désélectionnez les autres. Confirmez par OK.

L'option Ordre des listes triées permet d'indiquer la langue à utiliser pour les tris. L'option Césure permet de spécifier la langue à laquelle est appliquée la fonction de la césure des mots.

Texte

La fenêtre Texte (Figure 14.16) contient en réalité des options de correction automatique de l'orthographe. Lorsqu'une case est cochée dans la colonne Activé, les caractères dans la colonne Remplacer sont substitués par celui ou ceux de la colonne Avec.

Vous pouvez ajouter à la liste vos propres corrections automatiques. Par exemple, si vous avez pris la fâcheuse habitude d'écrire "évènement" dans vos textes, vous pourrez faire en sorte qu'à chaque fois que le Mac rencontre cette orthographe erronée il remplace le terme par "événement". Voici comment :

1. **Cliquez sur l'icône Préférences Système, dans le Dock (ou accédez à cette option dans le menu Pomme).**

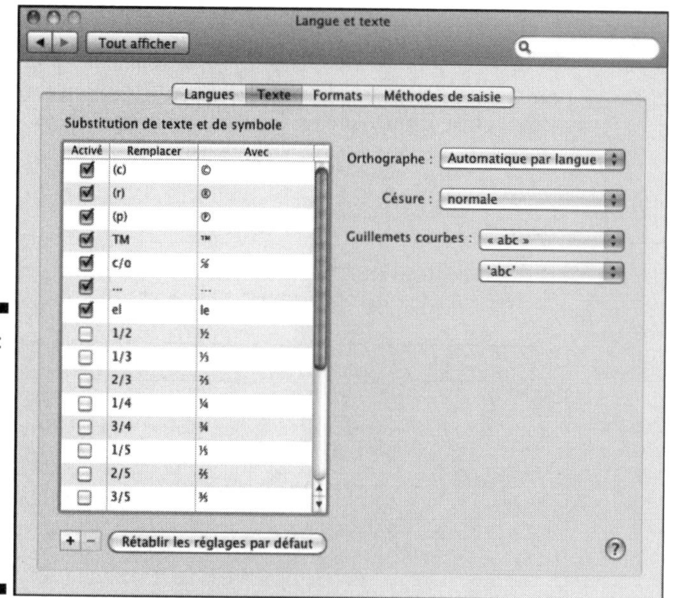

Figure 14.16 : Quand une case est cochée, les caractères saisis au clavier sont remplacés par un symbole spécial.

2. **Cliquez sur Langue et Texte, puis sur l'onglet Texte.**

3. **En bas de la liste Substitution de texte et de symbole, cliquez sur le bouton +.**

   Un champ de saisie apparaît en bas de la colonne Remplacer.

4. **Saisissez le mot que vous avez tendance à mal orthographier.**

   Il s'agit dans notre exemple de "évènement".

5. **Appuyez sur la touche Tabulation.**

   Un champ de saisie apparaît en bas de la colonne Avec.

6. **Saisissez le mot correctement orthographié.**

   Il s'agit de "événement".

7. **Appuyez sur la touche Retour.**

   Désormais, chaque fois que vous accentuerez mal le mot dans TextEdit, Mail et dans d'autres applications livrées avec le Mac, il sera automatiquement corrigé dès que vous aurez fini de le saisir (autrement dit quand vous appuierez sur la barre Espace ou sur une touche de ponctuation).

À gauche de la fenêtre, des options permettent de choisir une autre règle de césure ou un style de guillemet (français, anglais, droit...).

Notez que les applications textuelles comportent toutes des options de correction orthographique fonctionnant de concert avec les préférences de texte que nous venons d'évoquer.

Formats

Cet onglet contient les formats des dates, des heures et de nombres apparaissant dans vos applications (Figure 14.17).

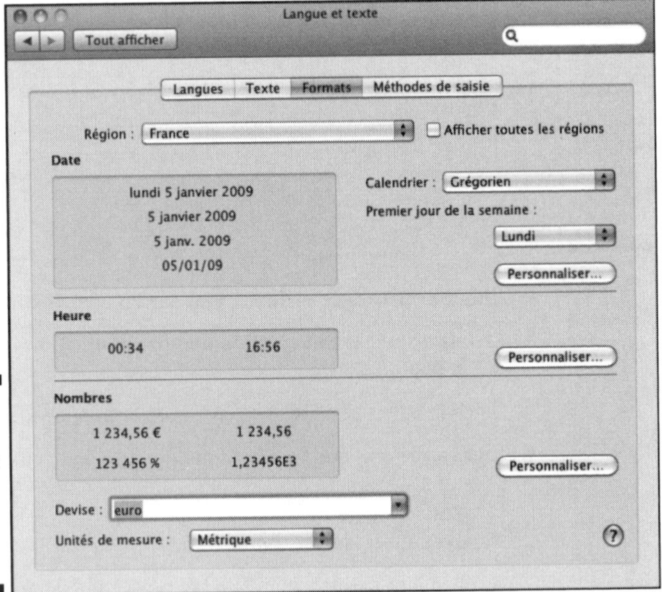

Figure 14.17 : L'onglet Formats régit la mise en forme du temps et des nombres.

En règle générale, vous n'aurez jamais à intervenir dans cette fenêtre, sauf peut-être pour modifier la mise en forme automatique de la date, qui est du type JJ/MM/AA par défaut. Cliquez sur le bouton Personnaliser, en bas à droite de la rubrique Date, pour choisir une autre présentation.

Il en va de même des heures, où vous trouverez d'étranges sigles comme AM, PM, HNEC et HEC. Les deux premiers, *Ante Meridiem* (avant midi) et *Post Meridiem* (après midi), servent à définir l'heure dans la notation basée sur 12 heures : 7 PM équivaut à 19 heures. Utilisé pour les fuseaux horaires, HNEC est l'abrégé de Heure Normale d'Europe Centrale (heure d'hiver) et HEC celui de Heure d'Europe Centrale (heure d'été).

Méthode de saisie

Dernier onglet de cette fenêtre (Figure 14.18), l'onglet Méthode de saisie contient des configurations de clavier qui varient selon les pays, ainsi qu'un visualiseur fort utile.

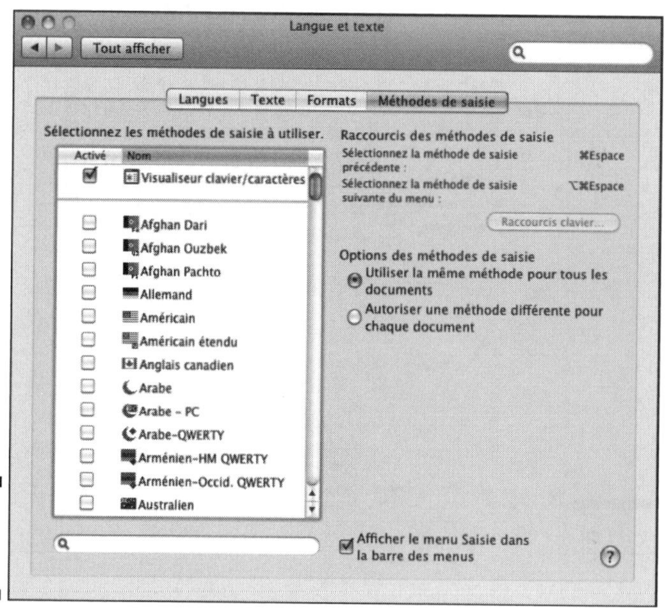

Figure 14.18 : L'onglet Menu Saisie.

Vous avez besoin de plusieurs configurations de clavier parce que vous écrivez à la fois en français et en russe ? Cochez ici les claviers que vous utilisez. À chaque choix correspond un menu qui s'affiche dans la partie droite de la barre des menus afin de vous y assurer un accès facile.

Par défaut, la case Visualiseur clavier/caractères est cochée. De ce fait, la petite icône à gauche de cette option figure également dans la barre de menus du Mac. Cliquez dessus pour déployer un menu comportant trois commandes :

- **Afficher Visualiseur de caractères :** Une palette contenant des caractères spéciaux apparaît. Vous y trouverez quantité de symboles permettant d'agrémenter vos rapports, offres publicitaires, plaquettes : des coches, des cases à cocher, des ciseaux, des téléphones, étoiles, etc. En fait, cette fenêtre n'est autre que celle affichée en choisissant Édition/Caractères spéciaux, dans le menu du Finder.

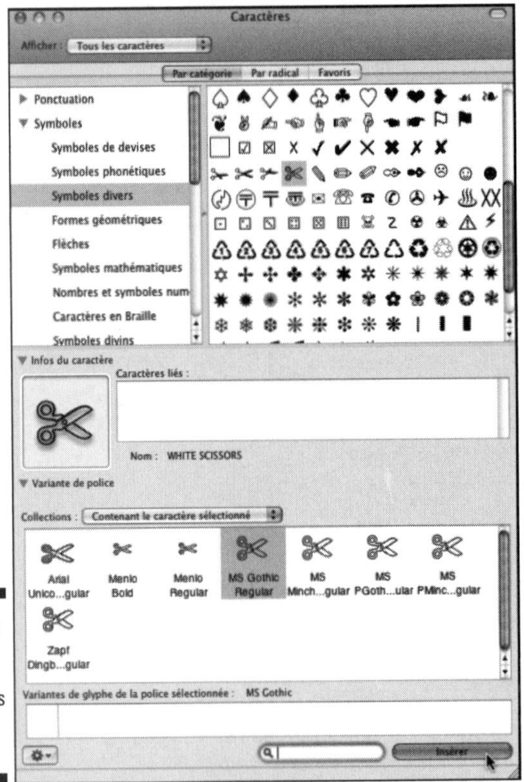

Figure 14.19 : Choisissez l'un des innombrables symboles graphiques.

- **Afficher Visualiseur de clavier :** C'est un utilitaire vraiment utile qui affiche le clavier du Mac. Par exemple, vous vous demandez comment saisir le caractère É ("e" majuscule accentué). Au lieu de tâtonner parmi les touches, affichez le visualiseur et appuyez sur les touches Pomme, Option, Majuscule ou, comme à la Figure 14.20, sur la touche Verrouillage des majuscules (ou sur plusieurs à la fois). Vous découvrirez ainsi tous les caractères cachés du clavier.

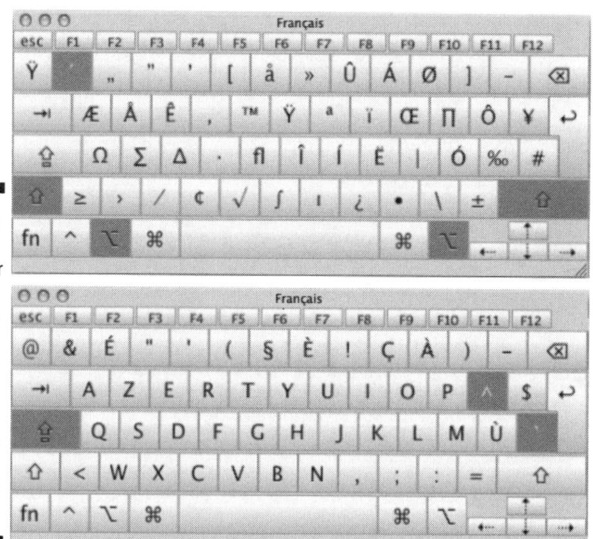

Figure 14.20 : Les caractères du clavier touches Option + Majuscule enfoncées (en haut) et touche Verrouillage des majuscules enfoncée (en bas).

La ou les touches enfoncées apparaissent en gris. Les touches orangées sont celles des touches dites mortes, comme l'accent circonflexe, qui exigent l'appui sur une seconde touche pour insérer le caractère. Notez qu'à l'instar de la plupart des fenêtres le visualiseur de clavier est redimensionnable.

- **Afficher le clavier :** Affiche les préférences système Clavier, décrites plus loin.

Sécurité

Il contient trois onglets permettant de configurer les paramètres de sécurité de votre ordinateur (Figure 14.21).

Général

Vous trouvez sous cet onglet des paramètres de sécurité généraux :

- **Exiger le mot de passe ... après la suspension d'activité ou le lancement de l'économiseur d'écran** : Votre mot de passe vous sera demandé pour accéder de nouveau au Mac lorsque l'économiseur d'écran est en fonction, ou réveiller le Mac lorsqu'il est en veille. Le menu indique la durée, de 5 secondes à quatre heures, pendant laquelle le Mac doit être suspendu avant que le

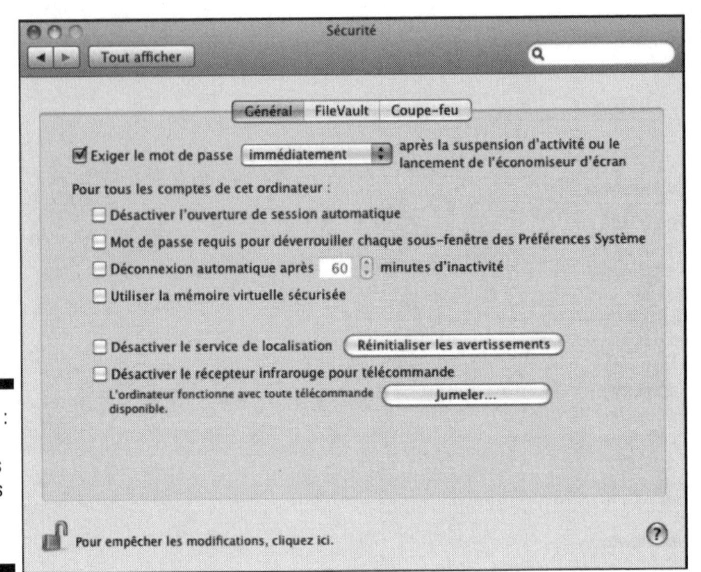

Figure 14.21 : L'onglet Général des préférences système Sécurité.

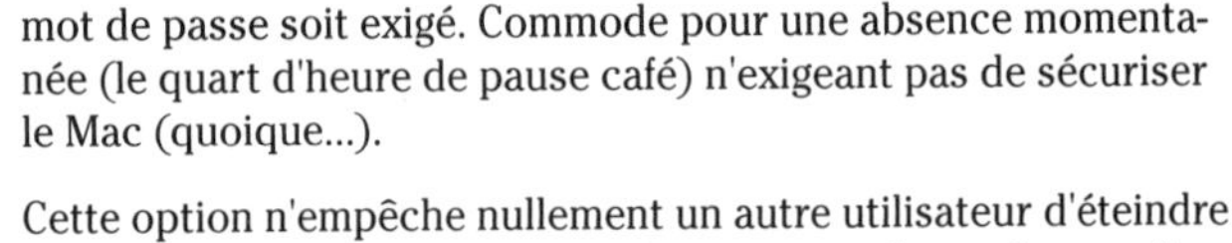

mot de passe soit exigé. Commode pour une absence momentanée (le quart d'heure de pause café) n'exigeant pas de sécuriser le Mac (quoique...).

Cette option n'empêche nullement un autre utilisateur d'éteindre puis de rallumer l'ordinateur, et d'ouvrir une séance de travail sous son nom. C'est pourquoi, pensez à sauvegarder vos fichiers avant de mettre votre Mac au repos.

- **Désactiver l'ouverture de session automatique** : À chaque redémarrage de l'ordinateur, chaque utilisateur devra fournir son nom et sa clé d'accès. Impossible donc de se connecter automatiquement.

Pour pouvoir démarrer sans être obligé de fournir ces données, ouvrez la préférence système Comptes, cliquez sur le bouton Options de session, puis validez l'option Ouvrir une session automatiquement en tant que. Notez que cette option ainsi que toutes celles qui suivent ne sont accessibles que si plusieurs comptes d'utilisateurs ont été créés sur le Mac, comme expliqué plus loin à la section Comptes.

- **Mot de passe requis pour déverrouiller les préférences des systèmes sécurisés** : Verrouille toutes les Préférences Système concernant tous les utilisateurs et ne les déverrouille que sur mot de passe administrateur.

- **Déconnexion automatique après ... minutes d'inactivité** : Met le Mac hors service au terme d'un délai réglable si, pendant cette durée, vous n'avez exécuté aucune action clavier ni souris.
- **Utiliser la mémoire virtuelle sécurisée** : Activez cette option (ce qui est le cas par défaut) pour faire en sorte que les informations provenant de la mémoire RAM écrites sur le disque dur par la mémoire virtuelle soient bien effacées.
- **Désactiver le récepteur à infrarouge pour télécommande** : Si votre Mac a été livré avec une télécommande – ou si vous en avez acheté une –, cette option offre la possibilité de la désactiver. En cliquant sur le bouton Jumeler, vous pouvez aussi jumeler une télécommande avec l'ordinateur afin qu'elle seule puisse être utilisée. La télécommande du Mac régit l'application Front Row.

FileVault

FileVault, le "coffre à fichiers" que montre la Figure 14.22, vous permet de blinder l'accès à votre dossier Départ, puisqu'il est capable, en un clic de souris, d'en sécuriser totalement le contenu grâce à un cryptage des données codé sur 128 bits. Mieux, ce cryptage s'opérant en temps réel, l'opération est tout à fait transparente pour l'utilisateur.

Il est recommandé de commencer par faire une copie de sauvegarde de ce dossier pour parer à toute éventualité (problème lors du cryptage sur 128 bits, perte du mot de passe, panne du disque dur...).

Attribuez ensuite un mot de passe principal à votre système Mac OS X. Cette clé d'accès n'est ni le mot de passe d'administrateur du système ni celui de l'utilisateur de l'ordinateur. C'est un mot de passe spécifique permettant de déverrouiller n'importe quel compte d'utilisateur crypté à l'aide de FileVault.

Quittez ensuite toutes les applications ouvertes, puis cliquez sur le bouton Activer FileVault. Votre session est fermée puis Mac OS X crypte votre dossier Départ et affiche son panneau de connexion, vous engageant ainsi à vous reconnecter à votre compte. Le Mac décrypte vos données à la volée et crypte tout ce que vous enregistrez.

Coupe-feu

Ce logiciel est chargé de filtrer les connexions entrantes afin d'intercepter celles qui, provenant de pirates informatiques, pourraient nuire à vos données ou tenter d'exfiltrer vos identifiants et mots de passe,

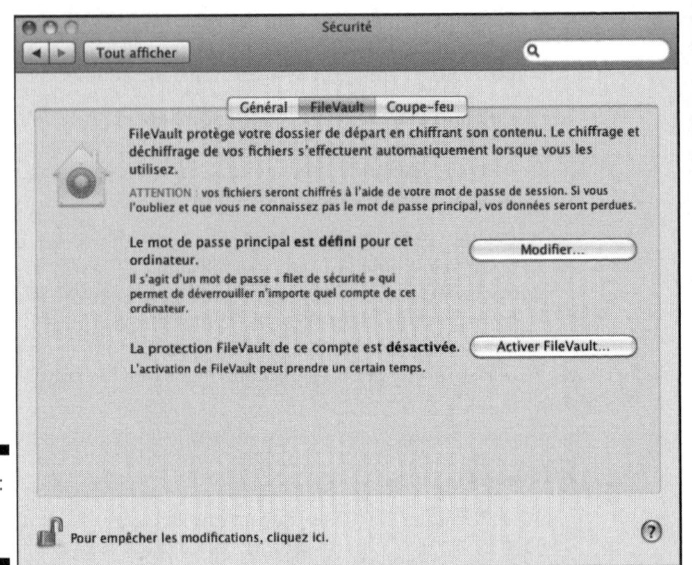

Figure 14.22 : L'onglet FileVault.

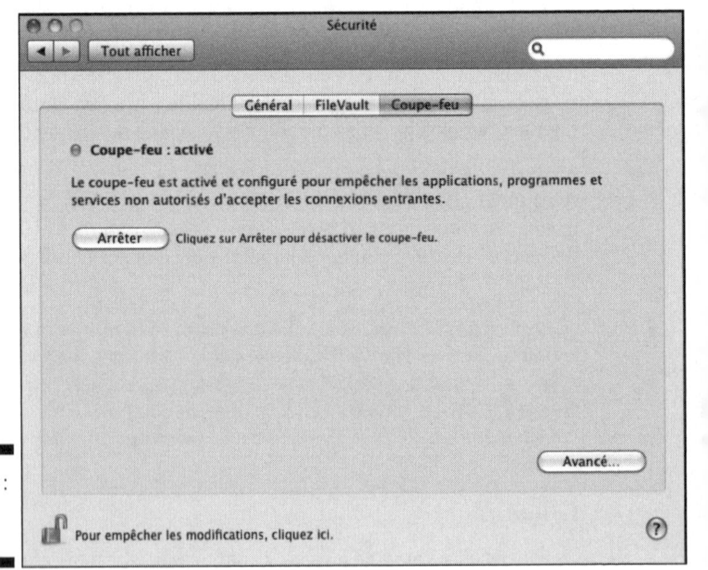

Figure 14.23 : L'onglet Coupe-feu.

voire vos saisies au clavier. C'est un outil de sécurité qu'il est impératif d'activer.

Le bouton Avancé ouvre une fenêtre montrant les programmes pour lesquels une connexion entrante est autorisée ou interdite. Ne touchez pas à ces paramètres si vous n'êtes pas à l'aise avec les subtilités des connexions Internet. En bas de la fenêtre, la case Activer le mode furtif rend l'ordinateur indétectable sur le Web, ce qui ne l'empêche pas de fonctionner comme d'habitude.

Notez que le coupe-feu de Mac OS X est unidirectionnel : il ne surveille que les connexions entrantes, mais pas les connexions sortantes. Autrement dit, si un logiciel malfaisant a été installé à votre insu dans le Mac et qu'il envoie des données sensibles vers l'Internet, le coupe-feu ne remarquera rien. Le coupe-feu des routeurs et box Internet est heureusement bidirectionnel, ce qui limite les risques.

Spotlight

Spotlight sert à effectuer des recherches sur votre ordinateur. Vous y accédez en cliquant sur l'icône en forme de loupe placée en haut à gauche, dans la barre des menus.

La préférence système Spotlight se compose de deux onglets : Résultats de la recherche et Confidentialité. Quel que soit l'onglet sélectionné, vous trouvez en bas de la fenêtre des options qui vous permettent de configurer les raccourcis clavier à utiliser pour accéder à Spotlight.

Résultats de la recherche

L'onglet Résultats de la recherche (Figure 14.24) vous permet de sélectionner les catégories qui doivent être affichée lors des recherches ainsi que l'ordre dans lequel elles apparaissent. Pour désactiver une catégorie, décochez la case correspondante. Pour modifier l'ordre d'apparition, faites glisser la ou les catégories vers le haut ou vers le bas.

Confidentialité

Dans l'onglet Confidentialité (Figure 14.25), vous indiquez les dossiers ou les lecteurs pour lesquels vous souhaitez empêcher Spotlight d'effectuer des recherches. Pour ajouter un dossier, cliquez sur le bouton + placé au bas de la liste, puis sélectionnez le dossier dans la boîte de dialogue qui s'affiche.

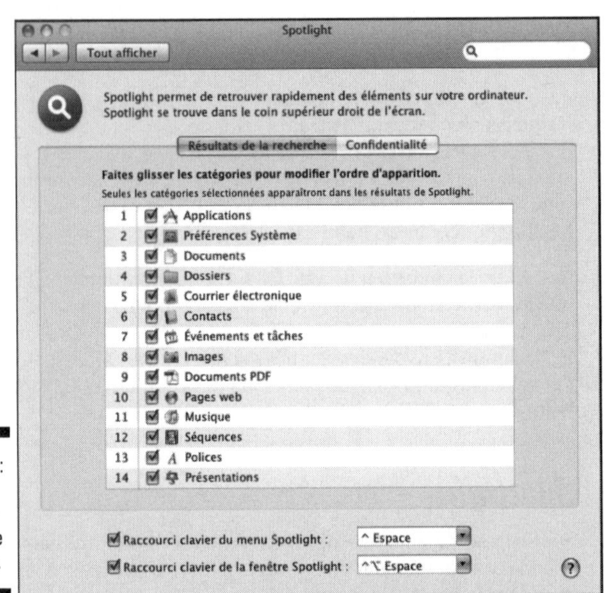

Figure 14.24 : L'onglet Résultats de la recherche de Spotlight.

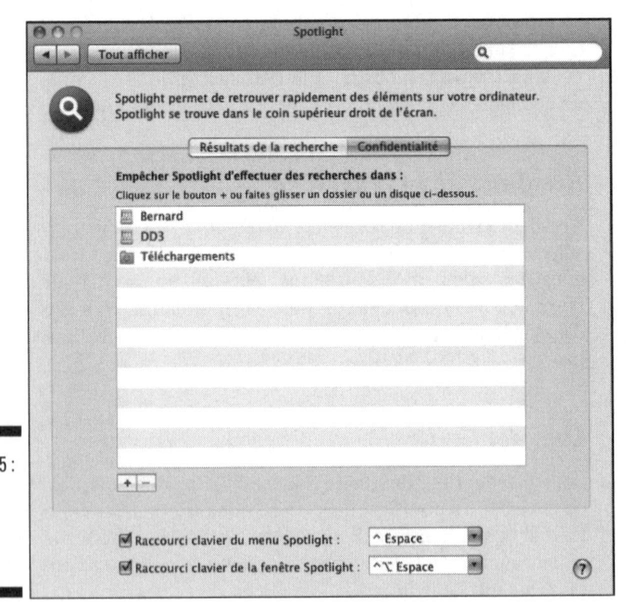

Figure 14.25 : L'onglet Confidentialité de Spotlight.

CD et DVD

Cette préférence permet de paramétrer le comportement du Mac à chaque insertion d'un CD ou d'un DVD vierge ou contenant des données.

Clavier

Ces préférences (Figure 14.26) régissent le comportement du clavier :

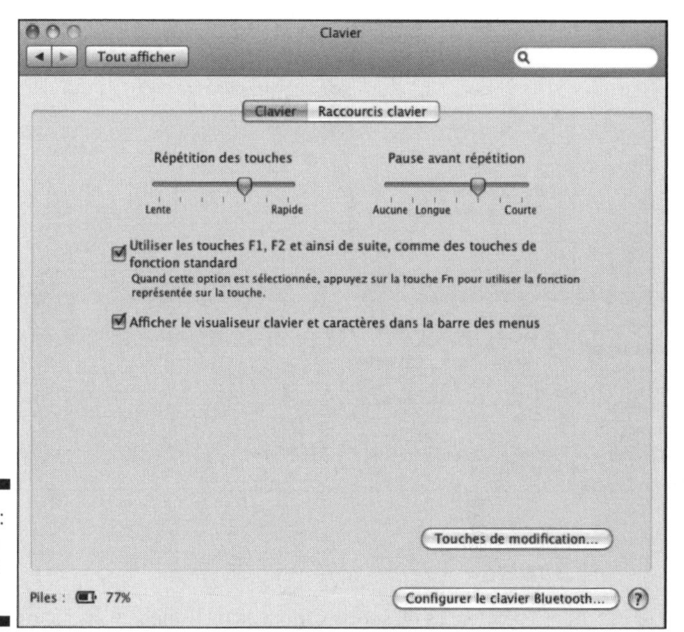

Figure 14.26 : Réglez ici la réactivité du clavier.

- Réglez d'abord la **Pause de répétition** : Il s'agit de la durée pendant laquelle la touche doit rester enfoncée avant que la répétition commence.
- Réglez ensuite la **répétition des touches** : Ce curseur régit la vitesse de répétition de la touche maintenue enfoncée.
- Configurez aussi le rétroéclairage du clavier, s'il en est équipé.

TRUC

Si le clavier est un modèle sans fil, comme à la Figure 14.26, une petite icône, en bas à gauche, indique le niveau des piles.

L'onglet Raccourcis clavier (Figure 14.27) contient les raccourcis clavier de quelques applications du Mac. Vous pouvez désactiver ceux qui ne vous conviennent pas. Le bouton + permet d'ajouter des raccourcis à l'application sélectionnée.

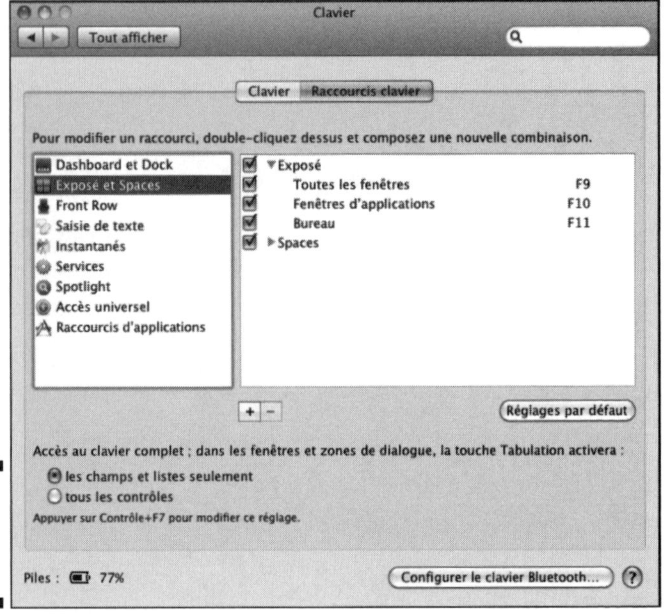

Figure 14.27 : La gestion des raccourcis clavier.

Souris

Les préférences de souris varient selon le modèle. La Figure 14.28 montre cellles d'une souris sans fil Mighty Mouse fabriquée par Apple. Celles d'une souris de type PC sont moins nombreuses et sont suffisamment explicites pour qu'il soit inutile de s'y attarder.

Si vous possédez un Mac portable (PowerBook ou iBook) équipé d'un trackpad, l'onglet TrackPad assure la gestion de ce périphérique.

En ce qui concerne la souris représentée sur l'illustration, remarquez les menus permettant d'associer fonctionnalité et ouverture de programme aux divers boutons. Par exemple, l'appui simultané sur les deux boutons latéraux lance l'utilitaire Capture. Appuyer à droite de la molette affiche l'écran en mode Spaces.

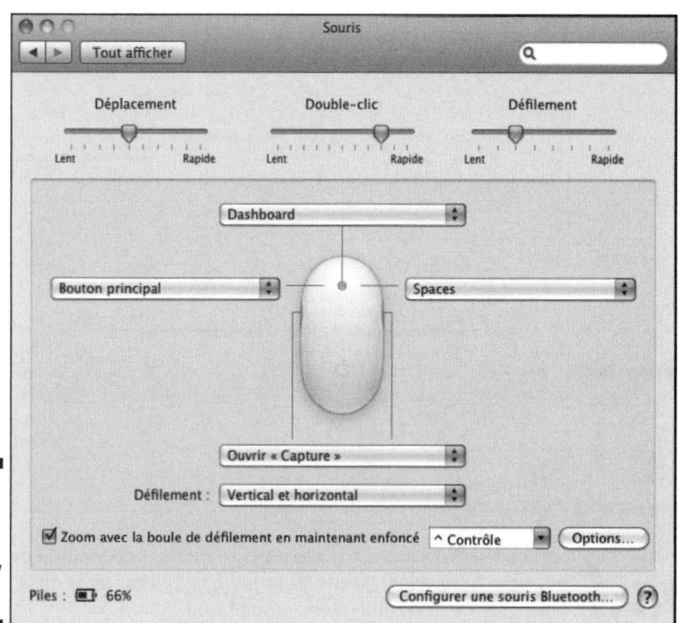

Figure 14.28 : Les réglages d'une souris Mighty Mouse.

Si la souris est un modèle sans fil, comme à la Figure 14.28, une petite icône, en bas à gauche, indique le niveau des piles.

Remarquez aussi la fonction Zoom avec la boule de défilement en maintenant enfoncé Contrôle (où "boule" peut être remplacé par "molette" selon la souris connecté). Elle permet de zoomer dans l'écran en actionnant la molette, touche Ctrl enfoncée.

Économiseur d'énergie

Tous les Mac sont dotés d'une fonction d'économie qui suspend l'activité du Mac après une période d'inactivité déterminée.

La fenêtre des Mac portables est différente. Elle contient des options Réglages de, ainsi que Optimisation, qui permettent de configurer l'ordinateur selon qu'il fonctionne avec l'adaptateur secteur ou sur la batterie.

L'option Suspendre dès que possible l'activité du ou des disques durs s'avère surtout utile pour les Mac portables car elle permet d'économiser la batterie.

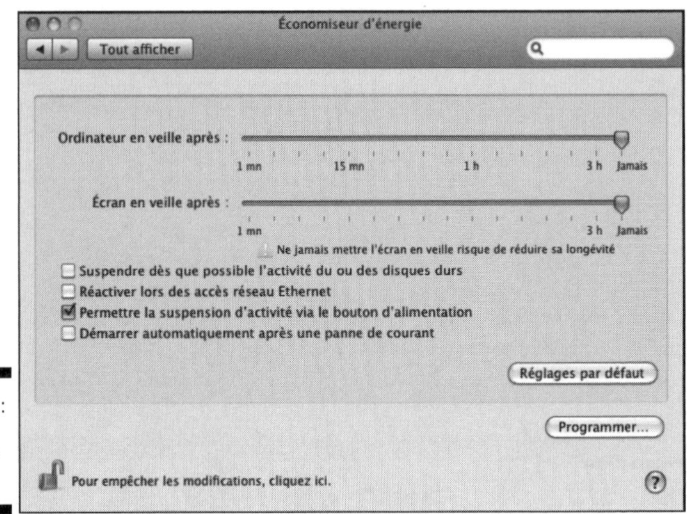

Figure 14.29 : Les options d'économie d'énergie.

Le bouton Programmer (Figure 14.30) donne accès à une boîte de dialogue qui permet de programmer l'extinction ou la mise en veille du Mac ainsi que son allumage automatique.

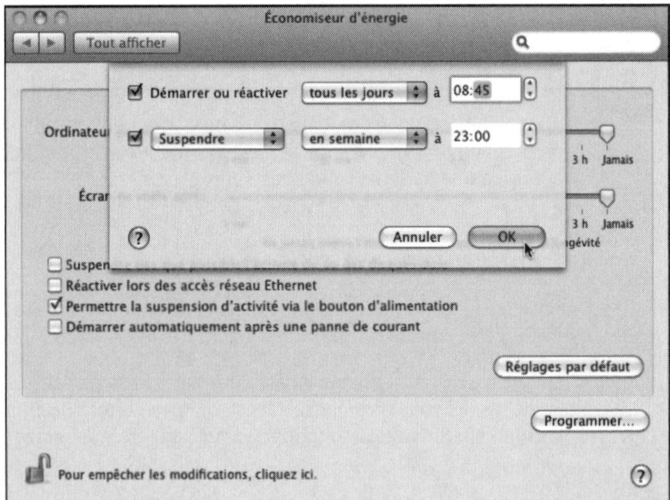

Figure 14.30 : Les fonctions de programmation.

Pour réveiller le Mac, déplacez la souris ou enfoncez une touche.

Imprimantes et fax

Ces préférences régissent les imprimantes et les télécopieurs. Elles ont été présentées au Chapitre 10.

Moniteurs

Un moniteur est tout simplement l'écran d'un ordinateur. C'est dans les préférences Moniteur que vous le réglez et l'étalonnez.

Moniteur

Commençons par l'onglet Moniteur que montre la Figure 14.31.

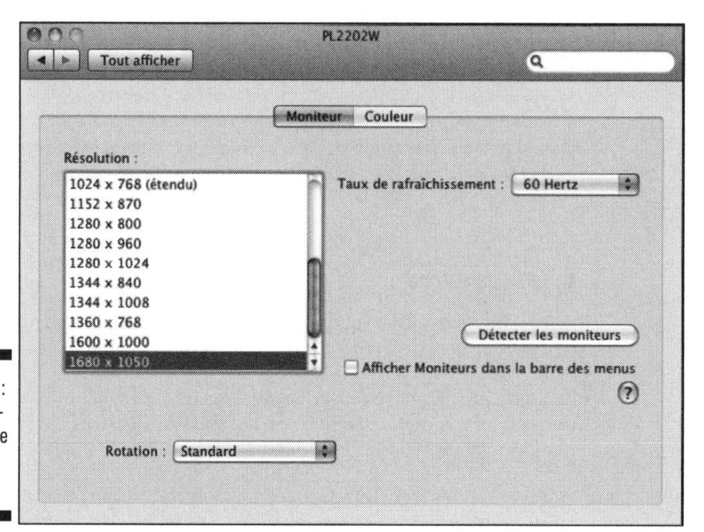

Figure 14.31 : L'onglet Moniteur affiche les réglages courants.

Si vous avez un écran plat, ce qui est aujourd'hui le cas de l'immense majorité des utilisateurs de Mac, vous n'avez rien à modifier ici. La résolution, qui est celle du nombre de pixels en largeur et en hauteur, est fixe. Si vous en choisissez une autre, l'image sera brouillée même si le rapport largeur/hauteur est le même.

Ne modifiez pas, non plus, le taux de rafraîchissement de l'image, car l'écran risquerait de ne plus rien afficher et il vous serait de ce fait difficile de rétablir l'ancienne valeur. Dans le pire des cas, un taux trop élevé risque d'endommager l'écran.

Géométrie

Certains écrans vous permettent de régler les dimensions, l'angle et/ou l'inclinaison de l'image. C'est le cas de votre unité d'affichage si vous avez accès à l'onglet Géométrie.

Sélectionnez, à gauche, le type de réglage à effectuer, puis faites glisser, à droite, les bords de l'icône du moniteur.

Couleur

L'onglet Couleur contient des profils colorimétriques. Le bouton Étalonner démarre un assistant permettant de régler le rendu des couleurs et le contraste. Ne modifiez rien si vous n'êtes pas familiarisé avec la gestion des couleurs, un domaine très technique réservé aux infographistes et spécialistes de la publication.

Son

Configurez ici les options audio du Mac, y compris les effets sonores des alertes, le volume des haut-parleurs ou la sensibilité du microphone.

Effets sonores

Sélectionnez dans cet onglet (Figure 14.32) un son d'alerte, autrement dit une variante du fameux "bip", et réglez son volume.

Le menu local Émettre les effets sonores via, au milieu de la fenêtre, permet, au cas où le Mac dispose de plusieurs sorties, de choisir celle par laquelle ce son doit être diffusé.

La case Activer les effets sonores de l'interface utilisateur associe des effets sonores à des actions, comme jeter un fichier dans la Corbeille.

La case Émettre un son lorsque le volume est modifié provoque l'émission d'un son à chaque activation d'une de ces touches (il s'agit, en général, des touches de fonction F4 et F5).

Enfin, la case Activer les effets sonores de Front Row autorise ou non les sons lorsque vous utilisez le lecteur multimédia Front Row.

D'autres sons peuvent être sélectionnés. Ils sont placés dans le dossier Sounds du dossier Audio du dossier Bibliothèque du disque dur (Macintosh HD, par exemple). Vous ne souhaitez pas les partager ? Placez-

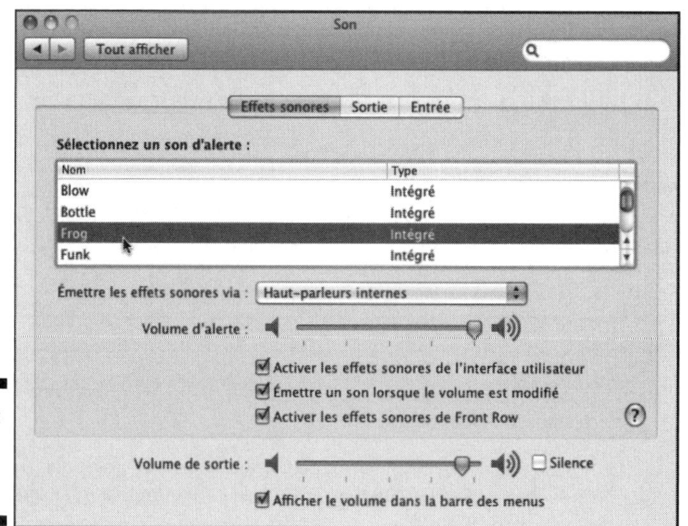

Figure 14.32 : Les réglages du son d'alerte.

les dans le dossier Sounds du dossier Audio du dossier Bibliothèque de votre dossier Départ.

Sortie

Réglez ici le volume de chacun de vos périphériques de sortie, autrement dit des haut-parleurs. Choisissez ici d'afficher ou non l'icône de réglage du volume du haut-parleur dans le menu du Mac.

Entrée

Réglez ici la sensibilité du microphone, si le Mac en possède un ou si vous en avez branché un. La jauge du niveau d'entrée indique si le signal est faible ou proche de la saturation.

MobileMe

MobileMe (Figure 14.33) permet de régler la configuration de votre compte MobileMe et de l'iDisk qui lui est associé, si vous avez souscrit à ce service. Autrement, la fenêtre vous propose d'essayer gratuitement MobileMe pendant deux mois. Apple vous demandera vos coordonnées bancaires ; si vous avez oublié de renoncer à temps à l'offre, vous êtes abonné d'office, une pratique discutable.

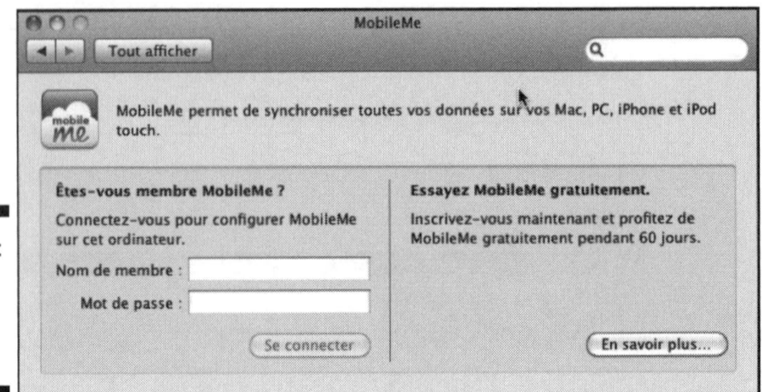

Figure 14.33 : La configuration d'un compte MobileMe.

Saisissez vos nom de membre et mot de passe, puis cliquez sur le bouton Se connecter.

Une fois connecté, vous accédez aux onglets Synchronisation, iDisk et Accès à mon Mac qui permettent de configurer les différents éléments de votre compte.

Réseau

Vous paramétrez ici votre connexion à l'Internet et/ou à votre réseau local ou domestique. La Figure 14.34 montre le panneau des préférences d'une connexion à une borne Wi-Fi.

Il fut un temps ou la fenêtre Réseau était truffée d'onglets aux doux noms de TCP/IP, DNS, WINS, 802.1x, Proxys et Ethernet. Vous les retrouvez en cliquant sur le bouton Avancé, en bas à gauche de la fenêtre.

Mac OS X est devenu si performant pour détecter une borne Wi-Fi ou un réseau que vous n'avez quasiment plus rien à faire. Le seul problème qui peut se poser à un Mac nomade est la connexion à un réseau Wi-Fi protégé. Il vous faudra alors demander la clé de sécurité WEP au propriétaire du réseau – il s'agit généralement d'un code de 26 caractères – et parfois mettre le routeur ou la box en mode "association" afin qu'elle accepte le nouveau venu. Par la suite, l'ordinateur sera automatiquement reconnu et ces deux formalités ne seront plus requises.

Si toutes ces technologies ne vous sont pas familières, laissez-vous guider par l'Assistant Réglages de réseau. Cliquez sur le bouton Assistant, en bas de la fenêtre, pour le mettre à contribution.

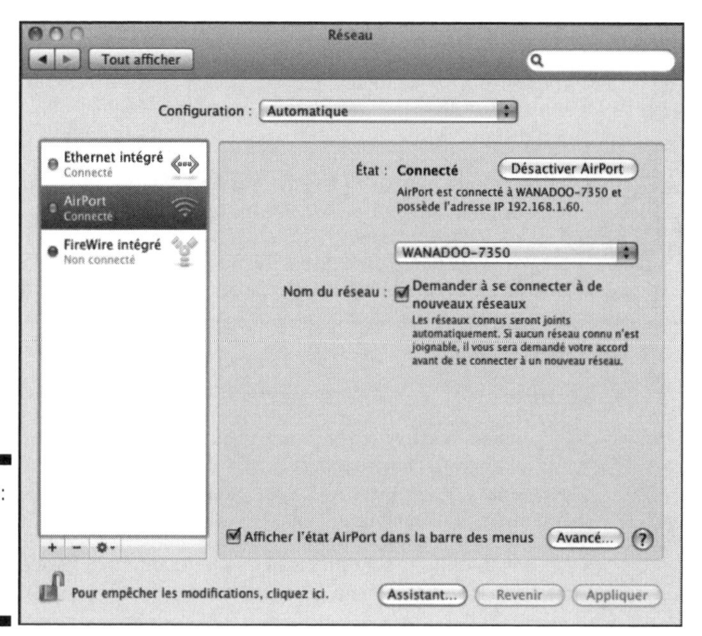

Figure 14.34 : Le Mac est connecté à une Livebox d'Orange.

Bluetooth

Si votre Mac est équipé du émetteur-récepteur radio Bluetooth, cette préférence vous permettra de configurer les différents paramètres de communication.

Partage

Les réglages disponibles dans cette fenêtre concernent le *partage*, c'est-à-dire l'utilisation d'un même Mac par plusieurs utilisateurs ou l'échange de fichiers au travers d'un réseau informatique ou de l'Internet.

Le partage du Mac est étudié au chapitre suivant. Internet est abordé dans la cinquième partie de cet ouvrage.

Accès universel

Vous éprouvez des difficultés pour lire, entendre ou encore manier la souris ou utiliser le clavier ? L'Accès universel vous facilitera l'utilisation de votre Mac.

Deux options figurent en bas de tous les onglets de ces préférences. La première, Activer l'accès pour les périphériques d'aide, permet d'utiliser des équipements spéciaux. La seconde, Afficher l'état d'Accès universel dans la barre des menus, place une petite icône dans le menu du Mac. Cliquer dessus déploie un menu contenant les options d'accès sélectionnées ici.

Vue

Le panneau que montre la Figure 14.35 contient des options destinées aux malvoyants, notamment VoiceOver, un utilitaire très sophistiqué permettant de piloter le Mac vocalement, de lire le contenu de l'écran et d'utiliser un affichage Braille.

Les autres options sont un zoom très puissant, l'affichage en noir et blanc ou le renforcement du contraste.

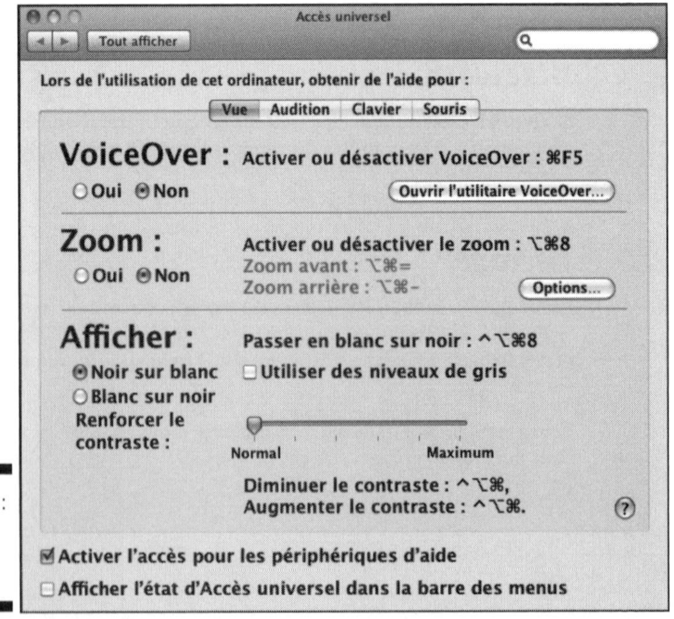

Figure 14.35 : Les options de l'onglet Vue.

Audition

Cet onglet peut faire clignoter l'écran dès qu'un signal d'alerte retentit.

Prévue pour les malentendants, cette commande rendra un fier service à ceux qui utilisent leur ordinateur dans un environnement particulièrement bruyant (idéal pour vérifier sa comptabilité dans une boîte de nuit ou rédiger des courriers électronique au milieu d'une rave party).

Clavier

Cet onglet sert à régler le mode de saisie des commandes au clavier. Deux rubriques sont disponibles : la première concerne les touches à automaintien, la seconde les touches lentes.

- **Touches à automaintien** : Permettent de remplacer des combinaisons de touches par des successions de touches.
- **Touches lentes** : Créent une pause entre le moment où la touche est activée et celui où elle est acceptée.

Souris

Ce dernier onglet permet d'utiliser les touches du pavé numérique au lieu de la souris.

La touche 5 – signalée par un ergot à l'intention des aveugles et des malvoyants – est au milieu du pavé. Toutes les touches situées au-dessus opèrent un déplacement vers le haut, celles en dessous un déplacement vers le bas, celles à gauche vers la gauche et celles à droite vers la droite. Qui l'eût cru ?

Comptes

Ces préférences ne sont accessibles qu'aux administrateurs. Le Chapitre 15 vous en apprend plus à ce sujet.

Contrôle parental

Ces préférences permettent de modifier les paramètres du contrôle parental appliqué à un compte. Consultez le Chapitre 15 pour en savoir plus.

Date et heure

La fenêtre que montre la Figure 14.36 contient trois onglets : Date et heure, Fuseau horaire et Horloge. Détaillons-les.

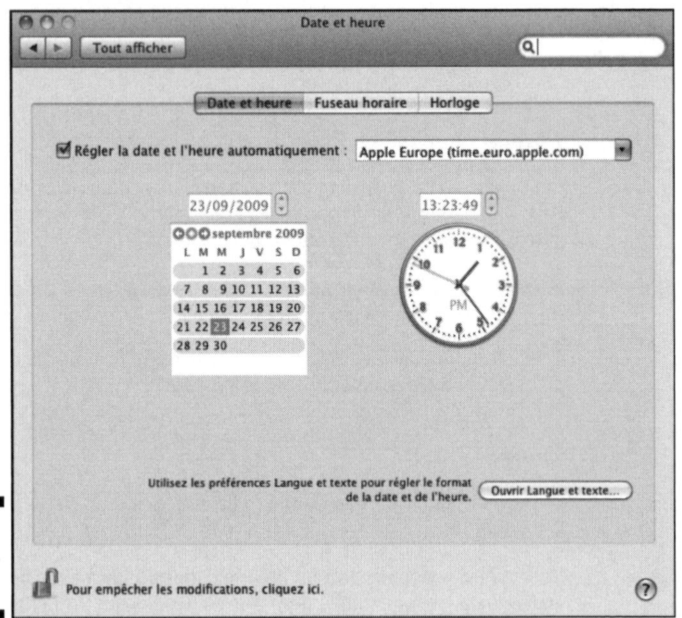

Figure 14.36 : L'onglet Date et heure.

Date et heure

Il est impossible de régler ces deux paramètres si la case Régler automatiquement est cochée, car elle synchronise votre Mac avec un serveur de temps, `time.euro.apple.com` en l'occurrence.

Pour régler manuellement la date, décochez la case précitée, cliquez dans le calendrier ou sur un chiffre, dans le champ qui se trouve au-dessus, et cliquez sur les boutons fléchés.

Pour régler l'heure, agissez dans la même fenêtre, mais cette fois dans la partie droite. Faites glisser les aiguilles de l'horloge ou agissez dans la zone d'édition du haut : entrez les valeurs ou utilisez les flèches de défilement.

Vous regrettez votre action ? Cliquez sur Revenir : les réglages précédents sont restaurés.

Fuseau horaire

La carte des fuseaux horaires de Snow Leopard est de toute beauté, comme le révèle la Figure 14.37. Cliquez sur l'emplacement géographique correspondant à l'endroit désiré, et le Mac se met à l'heure de ce lieu. La ligne de partage de date se trouve aux bords de la carte, et des créneaux incluent ou excluent les îles ou les régions selon leur appartenance légale à tel ou tel fuseau.

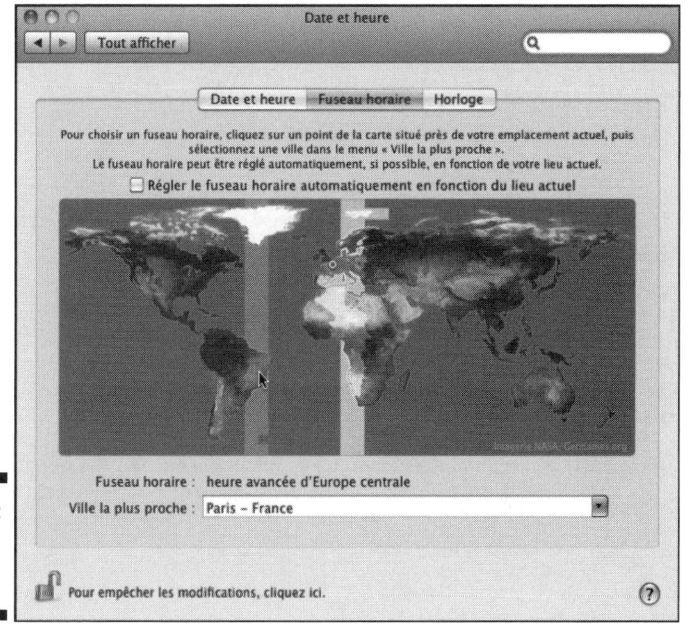

Figure 14.37 : Changez d'heure à volonté.

Horloge

L'onglet Horloge sert à paramétrer l'affiche de l'heure, à droite dans la barre de menus du Mac (Figure 14.38).

Pour que l'horloge n'apparaisse pas dans la barre de menu, décochez la case de la première option, tout en haut de la fenêtre.

Les Options d'horloge étant explicites, nous ne nous y appesantirons pas. Remarquez une curiosité rare : les deux cases Utiliser le format 24 heures et Afficher AM/PM (autrement dit l'affichage sur 12 heures) auraient dû être des boutons d'option, car les deux cases ne peuvent pas être cochées simultanément.

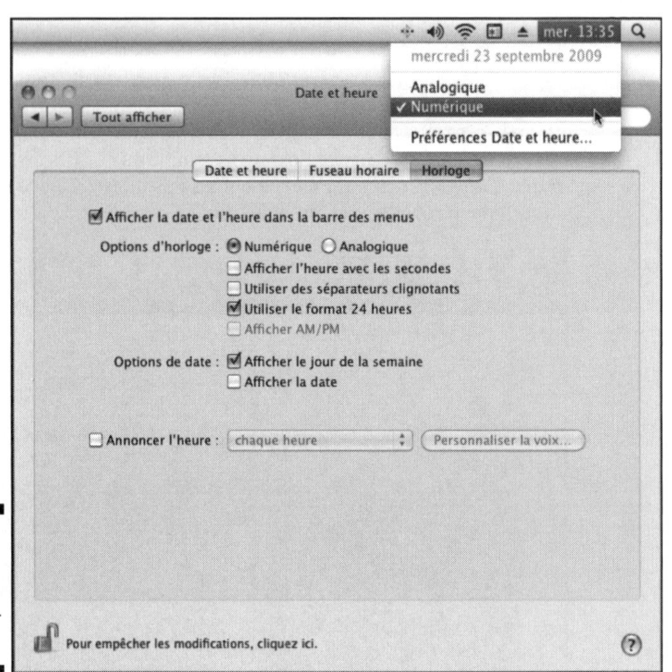

Figure 14.38 : L'onglet Horloge et le menu correspondant.

La case Annoncer l'heure, lorsqu'elle est cochée, permet au Mac de dire l'heure à chaque heure, demi-heure ou quart d'heure, mais en anglais seulement : "*It's five o'clock.*" Indispensable pour ne pas oublier le thé de cinq heures.

Démarrage

Ces préférences auxquelles vous n'aurez sans doute pas recours servent à choisir le système d'exploitation sous lequel devra s'effectuer le prochain démarrage de l'ordinateur, si vous avez installé Windows à l'aide de Boot Camp, par exemple.

Seuls sont répertoriés dans cette fenêtre les disques ou volumes sur lesquels est installé un système d'exploitation opérationnel.

Mise à jour de logiciels

Régulièrement, Apple édite de nouvelles versions de tout ou partie de ses systèmes d'exploitation, programmes d'application et autres utilitaires, ainsi que des correctifs.

Grâce aux préférences système que montre la Figure 14.39, et si le Mac est connecté à l'Internet, vous êtes informé de ces nouveautés et vous pouvez choisir de les télécharger, ce qui est vivement recommandé.

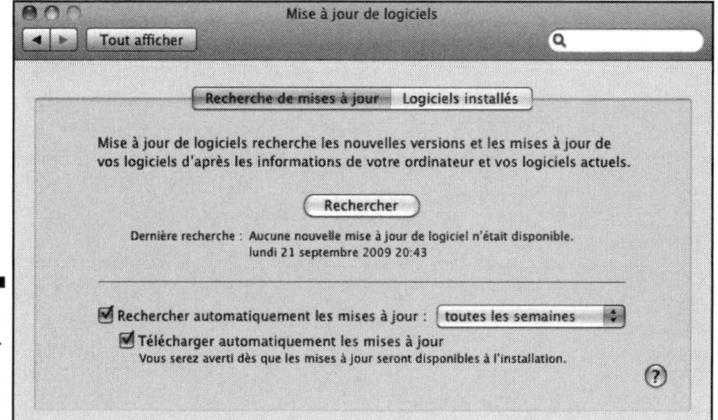

Figure 14.39 : Les préférences de mise à jour.

Par défaut la procédure est automatique. Vous pouvez cependant la lancer à tout moment en cliquant sur le bouton Rechercher, dans la fenêtre Mise à jour de logiciels. La périodicité de la recherche automatique des mises à jour est réglable : quotidienne, hebdomadaire ou mensuelle. Quand le Mac détecte une mise à jour, il affiche spontanément de panneau de la Figure 14.40.

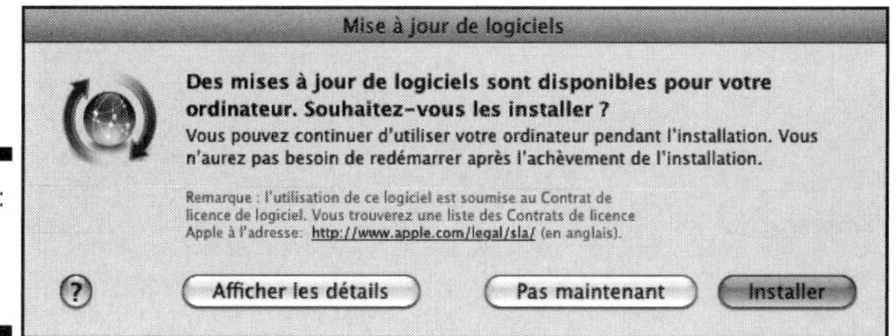

Figure 14.40 : Des mises à jour sont disponibles.

L'historique des mises à jour se trouve sous l'onglet Logiciels installés.

Parole

La préférence système Parole, qui gère la synthèse vocale du Mac, contient deux onglets.

Reconnaissance vocale

Ce premier onglet contient les réglages régissant l'écoute par le Mac des ordres transmis au travers d'un microphone.

Le microphone doit être de bonne qualité, ce qui n'est pas toujours le cas d'un micro intégré. Toutefois, vous pouvez facilement installer un micro externe, soit sur l'entrée micro, soit en connectant un microphone USB. Si vous utilisez votre ordinateur pour téléphoner sur Internet, vous disposez certainement d'un microphone adapté.

La reconnaissance vocale permet de lancer des programmes et de mener quelques actions élémentaires, comme vider la Corbeille. Notez qu'elle n'est pas du tout appropriée à la dictée d'un texte à saisir.

Synthèse vocale

Ces préférences régissent la voix du Mac lorsqu'il prononce des alertes, avec un fort accent anglais. Vous réglerez notamment le débit. Cliquez sur Lire pour entendre la voix reconfigurée.

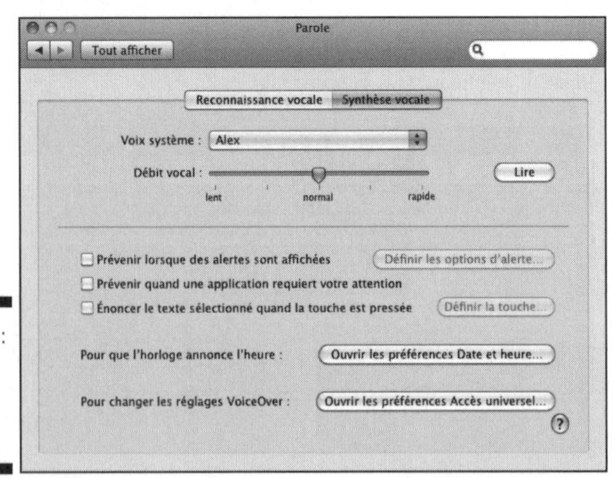

Figure 14.41 : Configuration de la synthèse vocale.

Time Machine

Vous activez ou désactivez ici la sauvegarde avec Time Machine, avec en prime la possibilité de choisir un autre disque de destination, ou d'afficher l'état de Time Machine dans la barre de menus du Mac.

Chapitre 15

Partager le Mac

Dans ce chapitre :

- Gérer les comptes d'utilisateurs.
- Activer le contrôle parental.
- Partager des dossiers.

Même si vous êtes le seul utilisateur de votre Mac, son système d'exploitation n'en est pas moins multi-utilisateur, ce qui, au vu de ses antécédents Unix, suppose une gestion sophistiquée des droits et des privilèges.

L'administrateur d'un Mac accorde à d'autres personnes le droit d'accès à l'ordinateur en leur ouvrant un compte. Celles-ci peuvent ensuite accéder à l'ordinateur après avoir fourni leur nom d'utilisateur et leur mot de passe.

Vous apprendrez dans ce chapitre à ouvrir des comptes pour les

Gérer les comptes d'utilisateurs

C'est à l'administrateur qu'il incombe de gérer les comptes d'utilisateurs, c'est-à-dire de les créer, de les modifier et... de les supprimer !

Créer un compte d'utilisateur

1. **Choisissez Pomme/Préférences Système ou activez l'icône correspondante du Dock.**
2. **Cliquez sur l'icône Comptes de la rubrique Système et assurez-vous que l'onglet Mot de passe est activé.**

La fenêtre Comptes s'affiche (Figure 15.1). Elle recense les noms des personnes habilitées à utiliser le Mac et renseigne sur leur statut. Au départ, on trouve l'administrateur et le compte d'invité dans la liste.

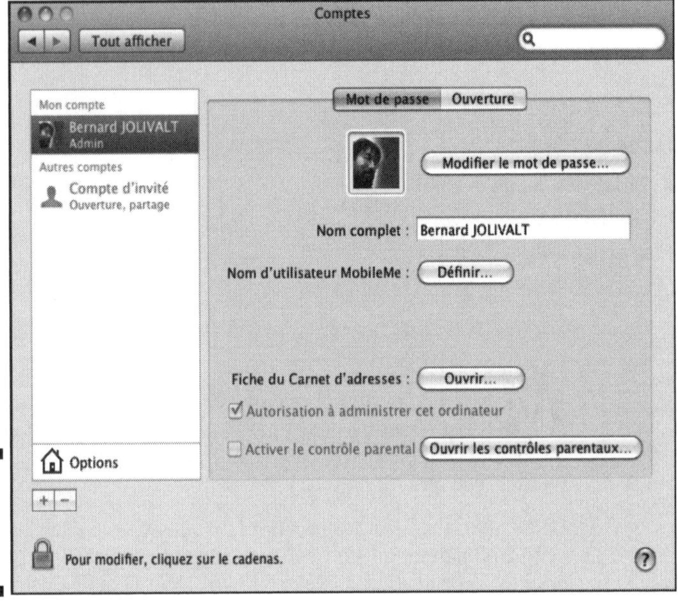

Figure 15.1 : Vous êtes seul maître à bord.

Pour rappel, le premier utilisateur créé – en général pendant l'installation du système d'exploitation – dispose systématiquement des privilèges d'administrateur.

3. **Cliquez sur le signe + (plus) placé en bas à gauche (au-dessus du cadenas).**

   Un panneau permettant la saisie des informations sur le compte s'affiche (Figure 15.2).

   Si ce bouton est grisé, c'est que les préférences sont verrouillées. Déverrouillez-les.

4. **Dans la liste Nouveau compte, sélectionnez le type de compte à créer.**

   Administrateur : Un administrateur est autorisé à créer et à supprimer des comptes, à installer des logiciels, à modifier les réglages système ainsi qu'à modifier les réglages des autres utilisateurs.

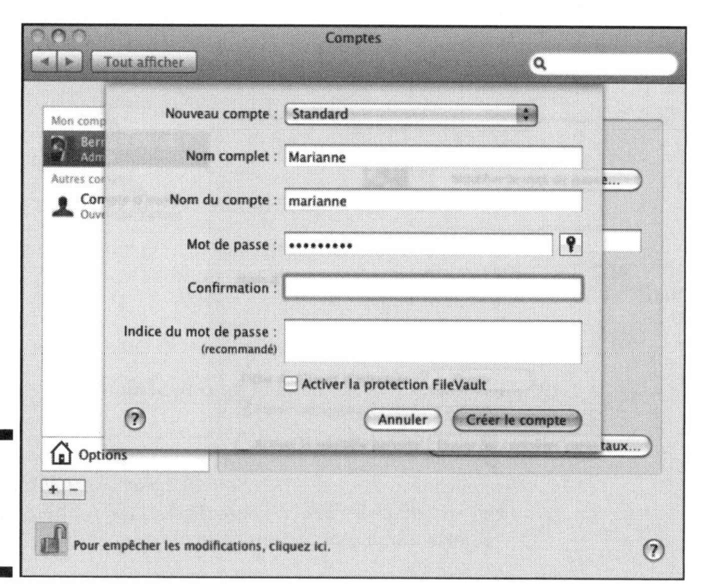

Figure 15.2 : Création d'un nouvel utilisateur.

Standard : Compte utilisateur standard. Un utilisateur standard peut uniquement installer des logiciels pour le compte d'utilisateur ; il n'est pas autorisé à modifier des préférences système verrouillées ou à créer des comptes.

Géré avec Contrôles parentaux : Compte dont les privilèges sont limités et gérés par les contrôles parentaux.

Partage uniquement : Permet uniquement d'accéder aux fichiers d'un emplacement défini. Il est impossible de modifier des fichiers de l'ordinateur ou d'ouvrir une session via la fenêtre d'ouverture de session.

Groupe : Compte comprenant des utilisateurs sélectionnés.

5. **Dans la case Nom, entrez le nom complet du nouvel utilisateur.**

6. **Enfoncez la touche Tabulation.**

   Le Mac introduit un nom abrégé dans la case correspondante.

   C'est ce nom abrégé que le Mac utilise pour reconnaître l'utilisateur et affecte à son dossier particulier, chaque utilisateur disposant d'un dossier à son nom stocké dans le dossier Utilisateurs du disque dur.

7. **Acceptez ce nom abrégé ou introduisez-en un autre.**

   Il n'est pas possible d'utiliser des espaces dans le nom abrégé. Bien qu'il soit possible de modifier la suggestion de Mac OS X, sachez que l'ordinateur choisit ici un nom adapté à sa base d'utilisateurs.

8. **Dans la case Mot de passe, entrez le mot de passe.**

   Si vous avez besoin d'aide pour créer un mot de passe fiable, cliquez sur le bouton en regard de Mot de passe pour afficher l'Assistant Mot de passe.

9. **Dans la case Confirmation, répétez le mot de passe.**

10. **Introduisez éventuellement un commentaire dans la case Indice mot de passe.**

    Ce commentaire est destiné à rafraîchir la mémoire de l'utilisateur qui aurait oublié son mot de passe. Ne soyez pas trop explicite (du style "Mon numéro de téléphone") pour éviter que n'importe qui puisse deviner cette clé d'accès.

11. **Pour protéger efficacement les données du compte, vous pouvez cocher la case Activer la protection FileVault.**

12. **Cliquez sur le bouton Créer le compte.**

13. **Si l'ouverture automatique est activée, une boîte de dialogue s'affiche et demande si vous désirez la conserver.**

14. **Le nouveau compte est créé (Figure 15.3). Vous pouvez éventuellement cliquer sur l'image pour la modifier.**

    L'image sera affichée dans la fenêtre de connexion de Mac OS X, sur votre fiche perso du Carnet d'adresses ainsi que dans la fenêtre d'identification iChat. Faites votre choix parmi les images de l'album d'OS X ou cliquez sur Modifier l'image pour sélectionner une image sur le disque dur ou prendre une photo à l'aide de Photo Booth.

15. **À ce stade, vous avez la possibilité de transformer le compte en compte d'administrateur en cochant la case Autorisation à administrer cet ordinateur, ou d'activer le contrôle parental.**

16. **Répétez l'opération pour d'autres utilisateurs à créer (Figure 15.4).**

17. **Fermez la fenêtre en cliquant sur le bouton rouge.**

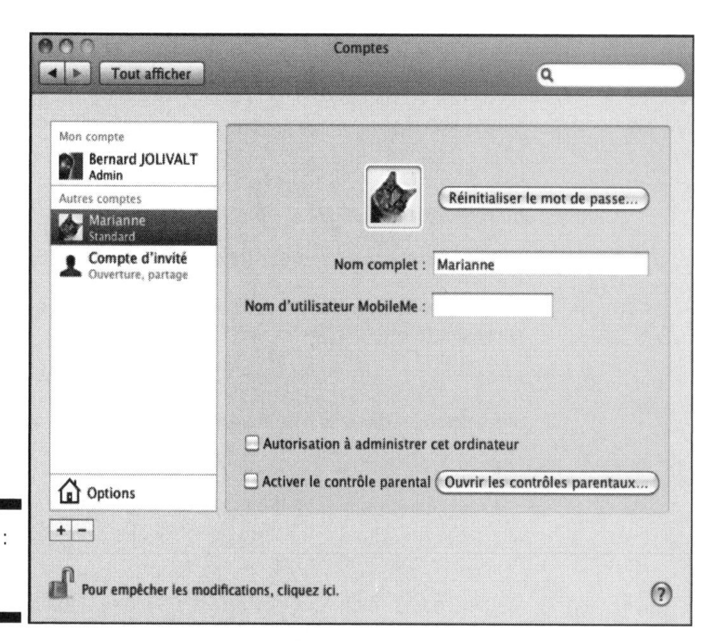

Figure 15.3 : Le compte est créé.

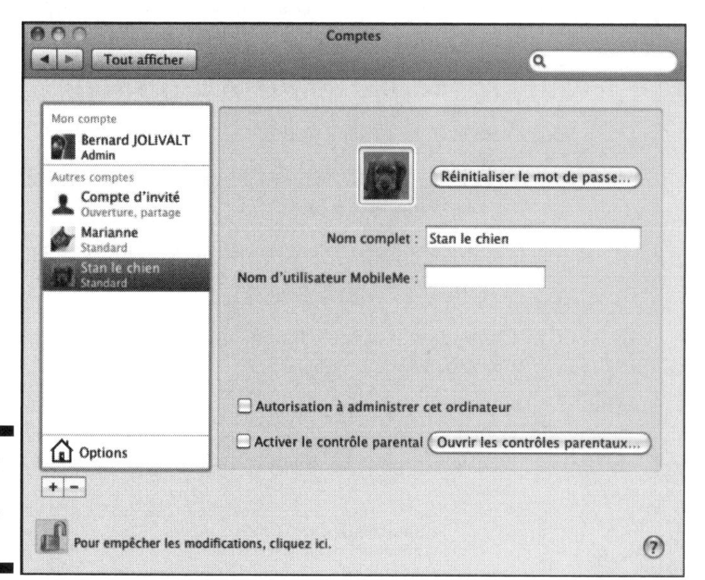

Figure 15.4 : Vous êtes trois, désormais.

Chaque utilisateur se voit attribuer un répertoire Départ dans le dossier Utilisateurs. Ce dossier occupe le premier niveau de l'arborescence du disque de démarrage de Mac OS X. Il comporte donc autant de dossiers nominatifs que le Mac compte d'utilisateurs.

Modifier un compte d'utilisateur

Pour modifier tout ou partie des réglages d'un utilisateur donné :

1. **Choisissez Pomme/Préférences Système ou activez l'icône correspondante du Dock.**
2. **Cliquez sur l'icône Comptes de la rubrique Système.**
3. **Sélectionnez, dans la liste de gauche, l'utilisateur à modifier.**
4. **Opérez les changements souhaités.**

   Vous pouvez changer le nom, le nom d'utilisateur MobileMe, le mot de passe, l'image, le statut et/ou les restrictions, mais vous ne pouvez pas modifier le nom abrégé.

   Vous ne pourrez agir que si vous êtes dûment habilité à le faire.

5. **Fermez la fenêtre en cliquant dans sa case de fermeture.**

Supprimer un compte d'utilisateur

Vous intervenez au même endroit :

1. **Choisissez Pomme/Préférences Système ou activez l'icône correspondante du Dock.**
2. **Cliquez sur l'icône Comptes de la rubrique Système.**
3. **Sélectionnez, dans la liste de gauche, l'utilisateur à supprimer.**
4. **Cliquez sur le signe – (moins) placé en bas à gauche (au-dessus du cadenas).**
5. **Indiquez ce que vous souhaitez faire du dossier Départ de l'utilisateur (Figure 15.5). Vous avez la possibilité de l'enregistrer dans une image disque, de le conserver ou de le supprimer.**

6. **Cliquez ensuite sur OK.**

   Pour ne pas supprimer l'utilisateur, cliquez sur Annuler.

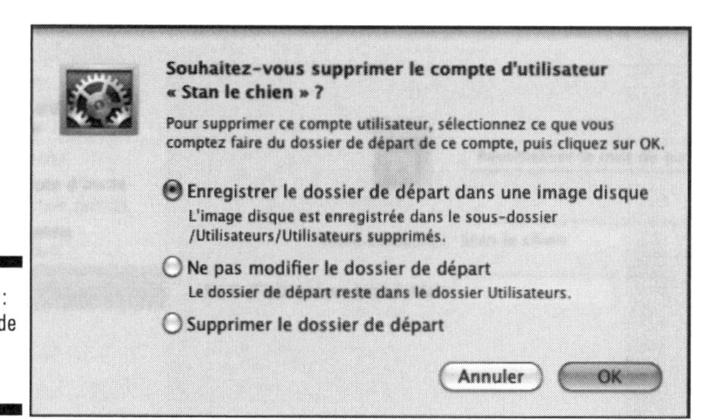

Figure 15.5 : Faites le vide autour de vous !

Comme dans le cas précédent, vous ne pourrez intervenir que si vos privilèges d'administrateur vous y autorisent.

7. **Fermez la fenêtre en cliquant dans sa case de fermeture.**

Activer le contrôle parental

Dans la liste des comptes d'utilisateurs se trouve l'option Activer le contrôle parental. Après avoir sélectionné un utilisateur, Cochez cette case pour limiter les possibilités d'accès de cet utilisateur à l'ordinateur et au Web (par exemple, pour interdire à un enfant l'accès à votre logiciel de comptabilité et y faire des jeux d'écriture qui feront le bonheur du fisc quand il découvrira comment vous gérez votre petite affaire).

1. **Choisissez Pomme/Préférences Système ou activez l'icône correspondante du Dock.**

2. **Cliquez sur l'icône Comptes de la rubrique Système.**

3. **Sélectionnez, dans la liste de gauche, l'utilisateur à restreindre.**

   Vous ne pouvez limiter la marge de manœuvre d'un utilisateur disposant de privilèges d'administrateur.

4. **Cochez la case Activer le contrôle parental.**

5. **Cliquez sur le bouton Ouvrir les contrôles parentaux.**

   La fenêtre qui apparaît est celle que vous obtenez en cliquant sur l'icône Contrôle parental, dans les Préférences système.

   Vous pourrez à présent limiter la marge de manœuvre de l'utilisateur (Figure 15.6).

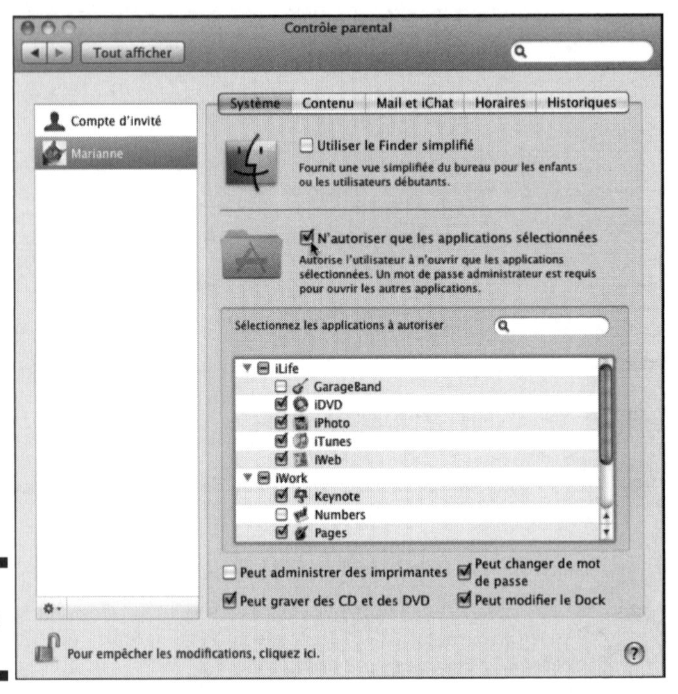

Figure 15.6 : Spécifiez les restrictions.

6. **Dans l'onglet Système, activez les options souhaitées.**

L'option Finder simplifié remplace le Finder classique par une version réduite.

En cochant N'autoriser que les applications sélectionnées, vous activez la liste des applications, puis vous cochez celles que vous autorisez à l'utilisateur.

Par défaut, l'utilisateur peut administrer les imprimantes, changer son mot de passe, graver des CD et des DVD et modifier son Dock. Décochez les éléments que vous ne souhaitez pas autoriser.

7. **Cliquez sur l'onglet Contenu (Figure 15.7).**

Vous pouvez masquer les p... de s... de grossièretés de m... du dictionnaire d'OS X.

Vous pouvez limiter l'accès aux sites Web par un filtrage automatique ou par une liste de sites Web autorisés.

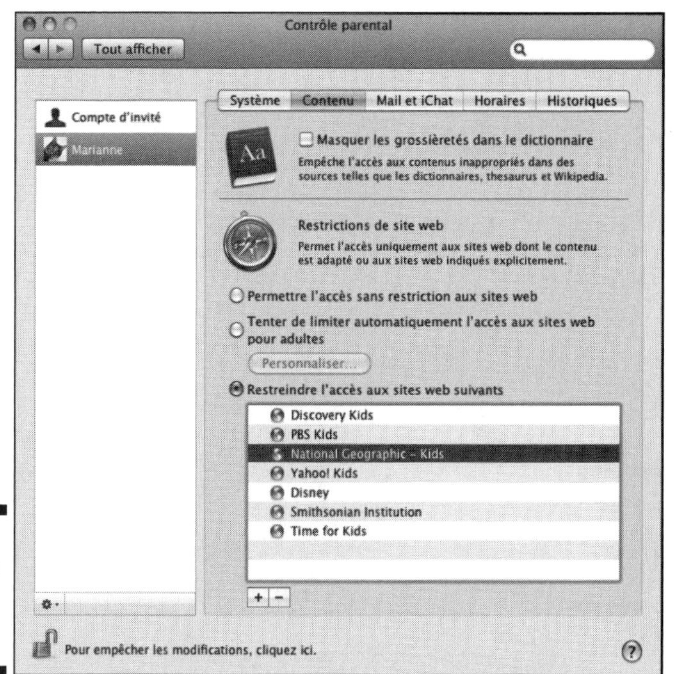

Figure 15.7 : Spécifiez les restrictions sur le contenu.

8. **L'onglet Mail et iChat permet de restreindre l'utilisation du courrier électronique et de la messagerie instantanée (Figure 15.8).**

9. **L'onglet Horaires sert à préciser le temps d'utilisation maximal de l'ordinateur en semaine et durant le week-end. Vous précisez aussi les heures de coucher, afin d'interdire l'utilisation de l'ordinateur à des heures indues (Figure 15.9).**

10. **L'onglet Historique donne accès aux listes révélant l'utilisation de l'ordinateur (Figure 15.10).**

11. **Lorsque vous avez terminé de configurer le contrôle parental, fermez la fenêtre.**

    Celle de Mac OS X, pas celle de la chambre de l'enfant.

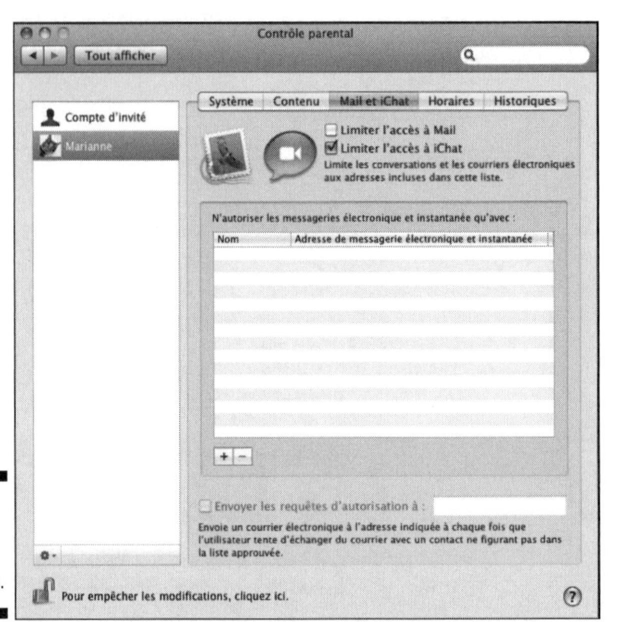

Figure 15.8 : Limitez l'utilisation des messageries.

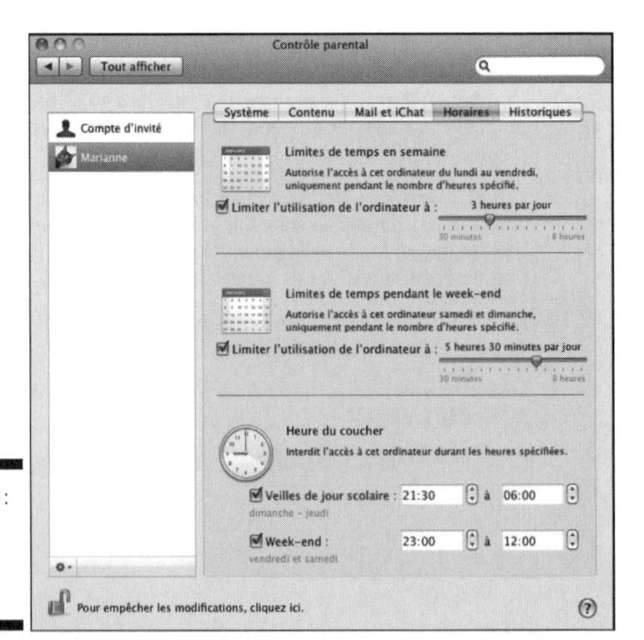

Figure 15.9 : Fixez des limites de durée et d'horaire.

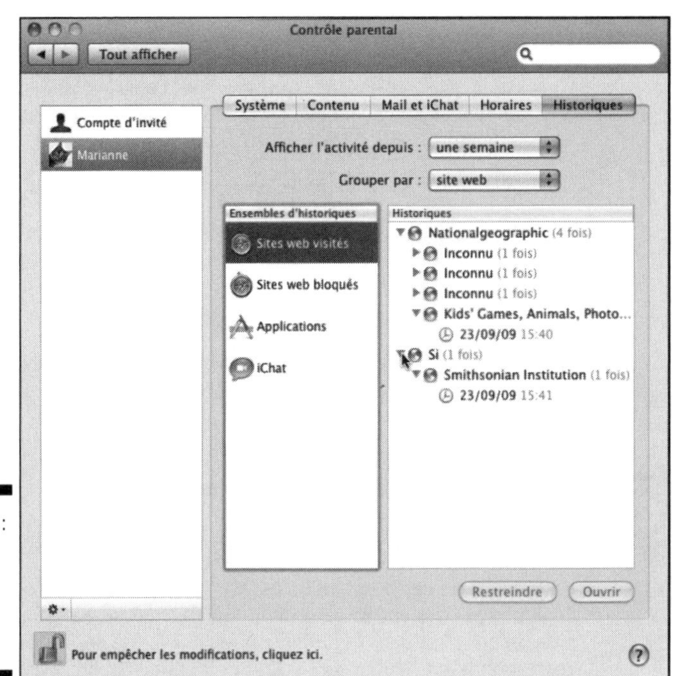

Figure 15.10 : Consultez l'historique d'utilisation de l'ordinateur.

Partager des dossiers

En informatique, le terme "partage" est un peu particulier. L'ordinateur n'est pas coupé en morceaux comme un gâteau. Ce n'est pas non plus le partage d'idées – à la manière de Pierre Desproges qui disait : "Quand je partage mes idées avec quelqu'un, j'ai l'impression de n'avoir plus qu'une demi-idée". Non, le partage, en informatique, a deux sens : l'octroi d'un accès aux fichiers, dans l'ordinateur, ou la diffusion de ce fichier sur l'Internet. Nous aborderons ici l'accès aux dossiers et aux fichiers.

Certains dossiers et fichiers sont d'emblée partagés (voyez ci-dessous "Connaître les dossiers partagés par défaut") ; d'autres le sont à la demande (voyez plus bas "Partager d'autres dossiers").

Connaître les dossiers partagés par défaut

Vous savez déjà que dès que vous créez un compte d'utilisateur, Mac OS X ouvre à ce nouveau venu un dossier personnel qu'il stocke dans le dossier Utilisateurs de votre disque dur.

Ce nouvel utilisateur a d'emblée accès aux dossiers suivants :

- Ce dossier personnel (qui porte son nom abrégé).
- Tous les dossiers Public.
- Le dossier Partagé du dossier Utilisateurs.

Vous êtes seul maître à bord dans votre compte d'utilisateur, c'est-à-dire dans le dossier Départ établi à votre nom. Les autres utilisateurs du Mac n'y ont pas accès, même le ou les administrateurs.

Le dossier Départ de l'utilisateur courant – et même galopant – est facile à identifier : il est signalé par l'icône d'une maison.

En ce qui concerne les dossiers Public, Mac OS X en prévoit un dans chaque dossier personnel. Ces dossiers sont accessibles à tous les utilisateurs. Tous ces dossiers Public abritent à leur tour un dossier Boîte de dépôt. Si vous entendez communiquer des données à un utilisateur bien précis, c'est dans cette boîte que vous devez déposer les fichiers correspondants. Seul le possesseur du dossier Public correspondant y a accès.

Le dossier Partagé, quant à lui, est un dossier auquel ont accès toutes les personnes qui exploitent le Mac.

Partager d'autres dossiers

Sachez avant tout que beaucoup de dossiers appartiennent au dossier Système, c'est-à-dire à Mac OS X. Si vous sélectionnez l'un d'eux et consultez ses autorisations, vous découvrirez la mention "système" (Figure 15.11).

En fait, c'est simple : tous les dossiers qui ne se trouvent pas dans les répertoires Utilisateurs appartiennent au Système ; vous ne pouvez modifier leurs autorisations.

Votre liberté d'action est donc limitée aux dossiers personnels, chaque utilisateur gérant les siens, exception faite des dossiers Public et Partagé où, là encore, c'est Mac OS X qui contrôle tout.

1. **Sélectionnez l'icône du dossier à partager.**

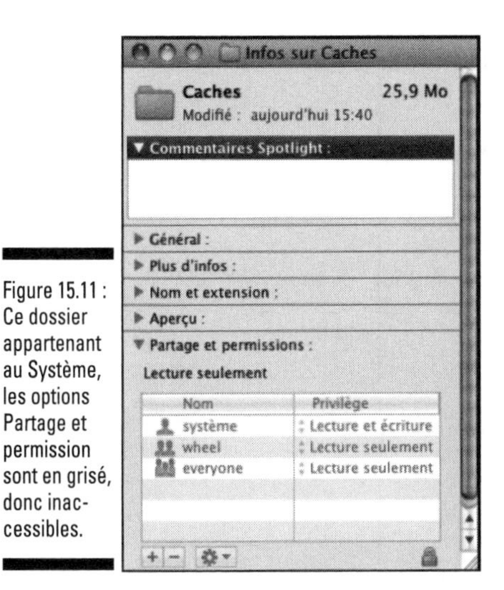

Figure 15.11 : Ce dossier appartenant au Système, les options Partage et permission sont en grisé, donc inaccessibles.

2. **Choisissez Fichier/Lire les informations ou enfoncez les touches ⌘ + I.**

   La fenêtre d'infos s'affiche.

3. **Développez le volet Partage et permissions. Si nécessaire, cliquez sur le cadenas pour débloquer les modifications.**

   La liste des autorisations s'affiche (Figure 15.12). Vous découvrez ainsi quels sont les droits d'accès à l'élément sélectionné.

4. **Définissez les autorisations en sélectionnant les privilèges. Si nécessaire, cliquez sur le bouton + pour ajouter un nom ou sur le bouton – pour en supprimer un.**

   Les options sont :

   - **Lecture et écriture** : Autorise la visualisation du contenu du dossier, l'ajout ou la suppression des fichiers, leur déplacement ou leur modification.
   - **Lecture seulement** : Autorise la visualisation du contenu du dossier, mais aucune modification ni suppression.
   - **Écriture seulement** : Autorise le dépôt de fichiers dans le dossier.
   - **Accès interdit** : Toute action est exclue car cette option ne permet ni de voir ni de modifier le contenu du dossier.

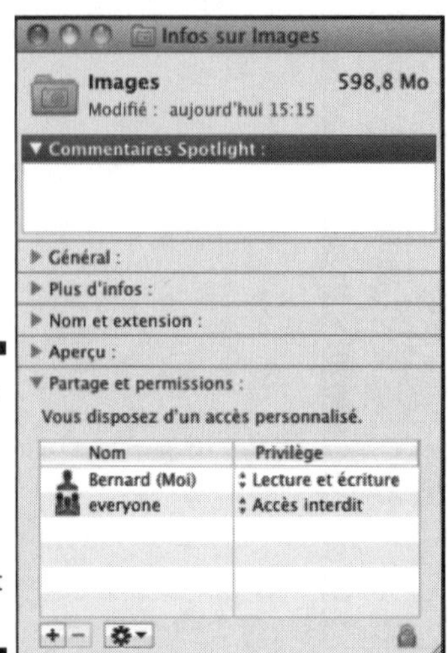

Figure 15.12 : Ce dossier n'est accessible qu'à l'utilisateur courant, et interdit à tout autre.

5. **Fermez la fenêtre en cliquant dans sa case de fermeture.**

Configurer l'ouverture de session

Une fois votre compte défini et vos utilisateurs ajoutés, il vous reste encore quelques paramètres à régler.

Il faut savoir que normalement Mac OS X est configuré pour ouvrir automatiquement au démarrage une session pour un utilisateur donné.

Si vous préférez qu'il n'en soit pas ainsi, sachez que deux choix s'offrent à vous :

- Soit demander qu'une **liste** des utilisateurs référencés soit proposée, ce qui facilite l'ouverture, notamment pour les néophytes.
- Soit, pour plus de sécurité, faire en sorte que lors de tout allumage du Mac une fenêtre ne comportant que **deux champs** de saisie soit ouverte ; elle vous demandera de vous identifier via votre nom d'utilisateur et votre mot de passe.

Pour accéder à ces réglages :

1. **Choisissez Pomme/Préférences Système ou activez l'icône correspondante du Dock.**

2. **Cliquez sur l'icône Comptes de la rubrique Système.**
3. **Cliquez, en bas de la liste de gauche, sur le mot Options.**

   La fenêtre des options apparaît (Figure 15.13).

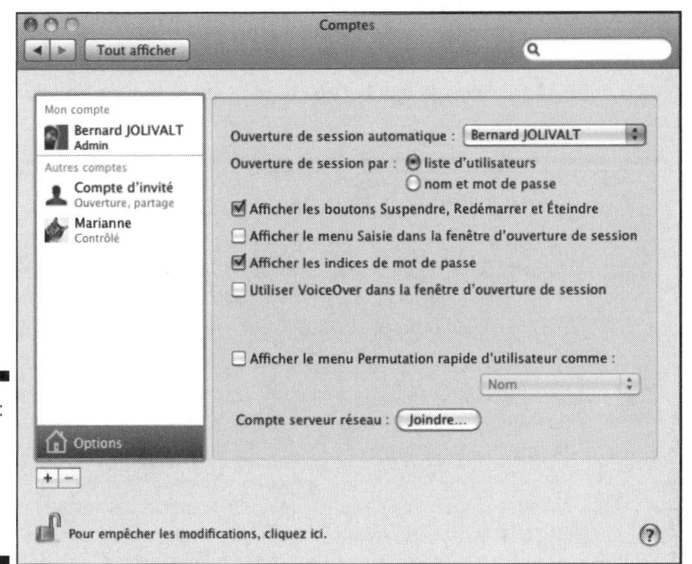

Figure 15.13 : C'est ici que sont regroupées les options de session.

L'option Ouverture de session automatique ouvre une session avec l'utilisateur choisi dans le menu local. Sélectionnez son nom puis tapez son mot de passe lorsque vous y êtes invité. Pour empêcher l'ouverture automatique, sélectionnez Désactivé, dans le menu local.

4. **Pour vous faire accueillir par une fenêtre vous invitant à vous identifier, cochez la case Nom et mot de passe.**
5. **Pour vous mettre en présence d'une liste qui recense les utilisateurs définis, cochez la case Liste d'utilisateurs.**
6. **Décochez l'option Afficher les boutons Suspendre, Redémarrer et Éteindre, pour éviter qu'un utilisateur ne contourne la fenêtre d'ouverture de session.**
7. **Si nécessaire, activez l'option Afficher le menu Saisie dans la fenêtre d'ouverture de session.**
8. **Si nécessaire, pour plus de sécurité, décochez Afficher les indices de mot de passe.**

9. **Si nécessaire, cochez la case Utiliser VoiceOver dans la fenêtre d'ouverture de session.**

10. **Cochez le cas échéant la case Afficher le menu Permutation rapide d'utilisateur comme, puis sélectionnez un type d'affichage dans le menu local.**

    Voyez à ce propos l'encadré suivant.

11. **Fermez la fenêtre en cliquant sur le bouton rouge.**

Changer de session à la volée

L'option Activer la permutation rapide d'utilisateur permet, grâce à un menu contenant les noms d'utilisateurs, à droite dans la barre de menus, de passer instantanément d'un utilisateur à un autre. Cette fonctionnalité permet d'ouvrir la session de l'utilisateur A sans obliger l'utilisateur B à quitter le Mac.

Imaginez que vous vérifiez minutieusement vos comptes mensuels et que votre fils, ce morveux, souhaite subitement consulter ses mails, ce qui ne saurait attendre, cela va de soi. Pas de problème ! Il vous suffit de choisir son nom dans la liste d'utilisateurs et la permutation est immédiate. L'effet est saisissant : l'écran pivote avec un bel effet 3D en forme de cube, laissant en l'état la session de l'utilisateur précédent (vous, en train de ronger votre frein parce que ça commence à bien faire) avec toutes ses applications actives et affiche aussitôt le dossier Départ du nouvel utilisateur (ah, si Départ pouvait être le moment où il quitterait le home, sweet home...).

Quatrième partie

Découvrir les principaux logiciels

"Tu ferais mieux d'utiliser Keynote et iPhoto pour présenter notre exploitation !"

Dans cette partie...

Nous vous proposons de partir à la découverte de deux logiciels de base : iWork '09 et iPhoto.

iWork '09 est une suite logicielle éditée par Apple. Cette suite contient les logiciels Keynote, qui permet de réaliser des présentations, Pages, un traitement de texte, et Numbers, un tableur.

iPhoto fait partie de la suite iLife '09. il permet de transférer, archiver et corriger les photos numériques et de réaliser, entre autres, des diaporamas.

Chapitre 16

iWork '09

Dans ce chapitre :

- Faire connaissance.
- Créer une présentation.
- Découvrir le traitement de texte.
- Aborder le tableur.

iWork '09 est le successeur d'AppleWorks dont la commercialisation est abandonnée depuis belle lurette. AppleWorks intégrait toutefois des programmes que l'on ne retrouve pas dans iWork, notamment un gestionnaire de base de données et un logiciel de dessin.

Destiné au grand public, iWork '09 est loin de concurrencer le professionnel Office et ses nombreux logiciels, dont les plus connus sont le traitement de texte Word, le tableur Excel et le logiciel de présentation PowerPoint. Cependant, les fonctionnalités d'iWork ainsi que son prix abordable en font un outil idéal pour les particuliers, les travailleurs indépendants et les petites entreprises.

Faire connaissance

Commencez par installer le logiciel. Ceci fait, trois belles icônes se trouvent dans le nouveau dossier iWork '09 du dossier Applications (Figure 16.1).

- **Keynote** : C'est un programme de présentation. Vous y créez des diapositives afin de présenter, par exemple, un projet.
- **Numbers** : Il s'agit d'un tableur, c'est-à-dire un logiciel permettant de créer des feuilles de calcul. Numbers est l'équivalent d'Excel, le tableur de Microsoft Office.

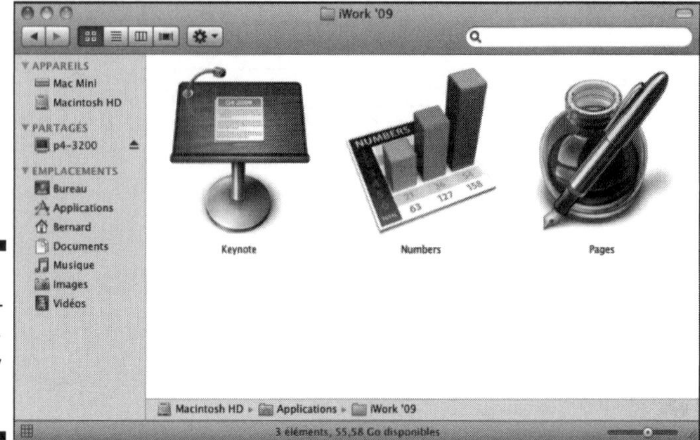

Figure 16.1 : Les trois logiciels d'iWork '09 : Keynote, Numbers et Pages.

- **Pages** : Il s'agit d'un traitement de texte à la manière de Microsoft Word, mais qui possède en outre des fonctions de mise en page (dans Office, le logiciel de PAO s'appelle Publisher).

Les trois logiciels d'iWork sont compatibles avec leurs équivalents Office : Pages sait importer et exporter des feuilles Word, Numbers importe et exporte des classeurs Excel – la syntaxe des formules est la même –, et Keynote importe et exporte des présentations PowerPoint.

Créer une présentation

Keynote permet de réaliser une *présentation*. Il s'agit d'un ensemble d'écrans appelés *diapositives*, dans lesquels vous placez du texte, des images ou tout autre contenu multimédia.

Les présentations sont très prisées pour montrer un projet à un groupe de personnes, le *nec plus ultra* étant la projection avec un vidéoprojecteur. Un diaporama peut être exécuté :

- Automatiquement : par exemple, une diapositive toutes les quatre secondes.
- Manuellement : vous cliquez pour faire apparaître la diapo suivante.

Commencer une nouvelle présentation

Si vous avez déjà assisté à des présentations de ce genre, vous savez sans doute que toutes les vues partagent un même thème de base. Vous commencez donc par choisir le type de présentation que vous souhaitez utiliser.

1. **Démarrez Keynote pour accéder aux modèles de présentations (Figure 16.2) et cliquez sur celui qui vous convient.**

Figure 16.2 : Choisissez un thème pour le diaporama.

   Il s'agit ici du thème Salle d'exposition.

2. **Dans le menu local Taille de la diapo, choisissez la taille qui vous convient.**

   La taille par défaut, 1024 x 768 pixels, convient à la plupart des ordinateurs.

3. **Cliquez sur Choisir.**

Keynote affiche une nouvelle diapositive fondée sur le thème sélectionné (Figure 16.3).

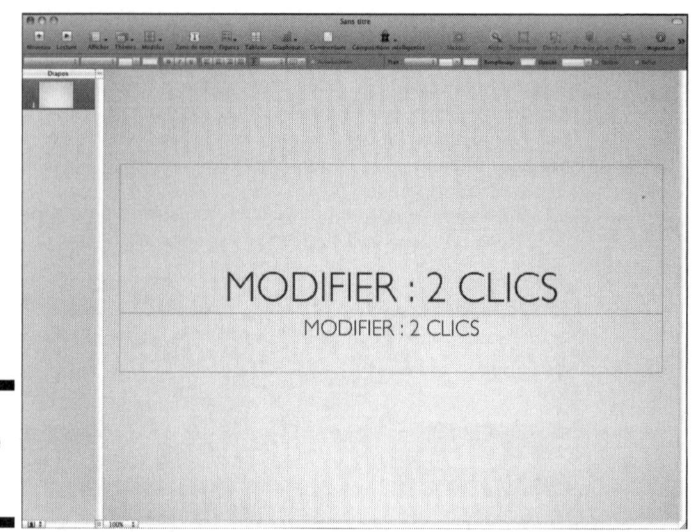

Figure 16.3 : La première diapositive apparaît.

Remarquez des zones dans lesquelles se trouve le texte *MODIFIER : 2 CLICS*. Le programme vous informe que pour saisir du texte dans les espaces réservés il vous suffit de double-cliquer dans cette zone réservée. Après avoir double-cliqué dedans, le texte disparaît et vous pouvez saisir votre propre texte (Figure 16.4).

Figure 16.4 : Saisissez le texte dans les espaces réservés.

La première page est une diapositive de titre. Elle présente le diaporama ; vous y mentionnez le titre du diaporama, le nom de l'auteur ou celui de votre société.

Utilisez le menu Format pour modifier les attributs du texte (gras, italique ou souligné), la taille des caractères, la police ainsi que la disposition (gauche, droite, centrée).

Ajouter des diapositives

Pour compléter votre diaporama, vous ajoutez ensuite des diapositives. Pour cela, cliquez sur le bouton Nouveau de la barre d'outils. Immédiatement, une nouvelle diapositive s'affiche dans l'espace de travail.

Pour modifier le type de diapositive, cliquez sur le bouton Modèles de la barre d'outils puis sélectionnez un modèle de diapositive.

Vous pouvez aussi changer de style en cliquant sur le bouton Thèmes, puis en sélectionnant un nouveau thème.

Là encore, le principe reste le même : vous saisissez votre texte dans les espaces réservés. Si vous avez sélectionné un modèle avec des photos, vous pouvez utiliser celles qui se trouvent dans un dossier ou dans iPhoto. Dans ce dernier cas :

1. **Cliquez sur Présentation/Afficher le navigateur multimédia.**
2. **Dans la fenêtre Données multimédias, cliquez sur l'onglet Photos.**
3. **Accédez à l'album contenant les photos à utiliser.**

   Le navigateur multimédia ne montre que les photos importées dans iPhoto. Rien ne vous empêche cependant de faire glisser la photo de votre choix depuis une fenêtre du Finder jusque dans Keynote.

4. **Faites glisser la photo jusque dans l'espace réservé de la diapositive (Figure 16.5).**
5. **Répétez l'opération pour chacune des photos à placer dans la diapositive.**

Notez qu'il est possible de repositionner, redimensionner ou supprimer les cadres des photos afin d'adapter le contenu de la diapositive à votre projet.

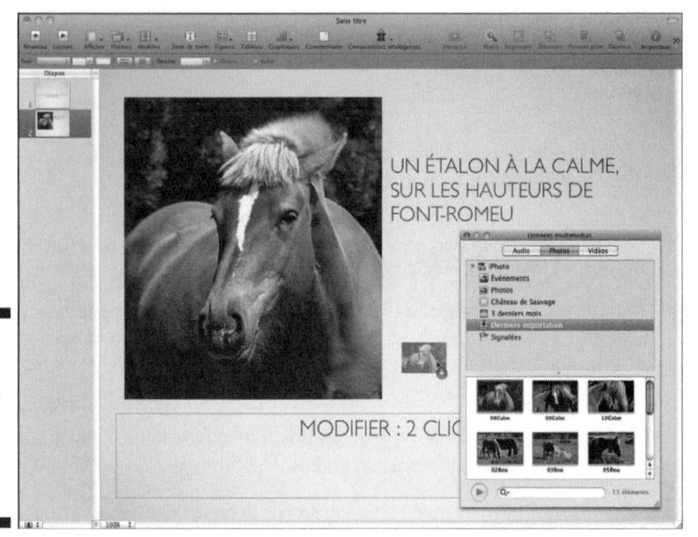

Figure 16.5 : Placez des photos dans votre diapositive par un glisser-déposer.

Les différents modes d'affichage

Jusqu'à présent, pour créer les diapositives, nous avons utilisé le mode Navigateur. Dans ce mode, vous trouvez la liste des diapositives dans la colonne de gauche et le centre de la fenêtre affiche le contenu de la diapositive sélectionnée. Avec ce mode, vous naviguez rapidement d'une diapositive à l'autre pour les modifier ou les créer.

Le menu Présentation offre quatre modes d'affichage différents de la présentation. Vous pouvez aussi changer rapidement de mode d'affichage en cliquant sur le bouton Affichage de la barre d'outils.

- **Navigateur** : Il s'agit du mode que nous venons de présenter.
- **Structure** : Dans ce mode (Figure 16.6), la colonne Diapos, à gauche, est remplacée par la colonne Structure, qui affiche le texte des diapositives ainsi que leur hiérarchie. Lorsque vous modifiez le texte dans la colonne, la diapositive elle-même est modifiée et inversement.
- **Diapositive** : Seule la diapositive est visible ; le volet de gauche est masqué.
- **Table lumineuse** : Les diapositives sont réparties comme sur la table lumineuse que le photographe utilise pour procéder aux sélections (Figure 16.7). Ce mode d'affichage permet d'accéder

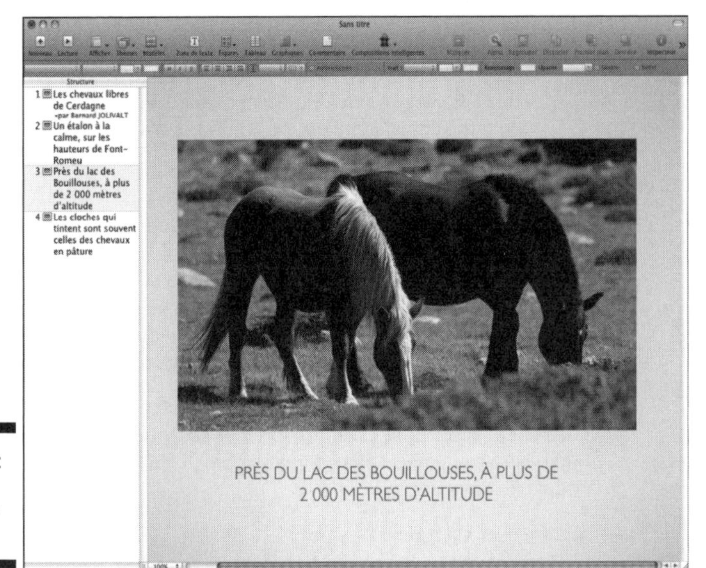

Figure 16.6 : Le mode d'affichage Structure.

Figure 16.7 : Les diapositives réparties sur la table lumineuse sont repositionnables.

rapidement à une diapositive, mais surtout de modifier aisément leur ordre en les repositionnant les unes par rapport aux autres. Les transitions – si vous en avez créé comme expliqué à la prochaine section – sont également signalées par une petite étoile en bas à gauche d'une diapositive. C'est là aussi qu'en cliquant sur une diapositive du bouton droit vous pouvez choisir de l'afficher, lors du diaporama, ou de ne pas la montrer ; pour ce faire, choisissez l'option Ignorer la diapositive, dans le menu contextuel.

Définir les transitions

Lorsque vous avez créé vos diapositives, vous pouvez indiquer comment vous souhaitez effectuer les transitions entre chacune d'elles. Par défaut, vous cliquez pour changer de diapositive et il n'y a aucun effet (la nouvelle remplace celle qui est affichée).

Le changement de diapositive peut s'effectuer automatiquement et des effets peuvent se produire lors des transitions. Par exemple, la diapositive affichée s'ouvrira comme un portail laissant apparaître la nouvelle diapositive.

Pour créer les transitions :

1. **Sélectionnez la première diapositive à laquelle vous désirez appliquer une transition.**
2. **Cliquez sur Présentation/Afficher l'inspecteur.**
3. **Dans la fenêtre de l'inspecteur, cliquez sur le bouton contenant une diapositive (le deuxième en partant de la gauche).**
4. **Dans l'inspecteur des diapositives que montre la Figure 16.8, cliquez sur l'onglet Transition puis confirmez l'effet recherché. Un aperçu apparaît en haut de la boîte de dialogue sitôt que vous avez sélectionné une transition.**

   La durée de l'effet et la direction sont réglables pour la plupart des transitions. Le paramètre Commencer la transition permet d'opter pour Automatiquement, auquel cas vous spécifiez un délai.

   L'onglet Apparence sert à modifier l'aspect de la diapositive.
5. **Sélectionnez une autre diapositive pour laquelle vous souhaitez modifier la transition.**

Si tout le diaporama doit défiler automatiquement, vous devez appliquer le paramètre Commencer la transition à toutes les diapositives.

Figure 16.8 : Un effet de chatoiement lors de la transition.

Effets dans les diapositives

Par défaut, tous les éléments d'une diapositive apparaissent en même temps. Lors d'une présentation, il est parfois intéressant de faire apparaître les éléments les uns après les autres.

1. **Sélectionnez la diapositive pour laquelle vous souhaitez modifier l'affichage du contenu.**
2. **Sélectionnez un élément de la diapositive.**
3. **Si nécessaire, cliquez sur Présentation/Afficher l'inspecteur.**
4. **Dans la fenêtre de l'inspecteur, cliquez sur le bouton contenant un losange jaune (le troisième en partant de la gauche).**
5. **Dans l'inspecteur des compositions (Figure 16.9), modifiez les paramètres dans un ou deux des trois onglets ou dans les trois afin d'obtenir le résultat désiré.**
6. **Répétez les opérations pour chacun des éléments de la diapositive.**
7. **Si vous le souhaitez, effectuez ces opérations sur les autres diapositives de la présentation.**

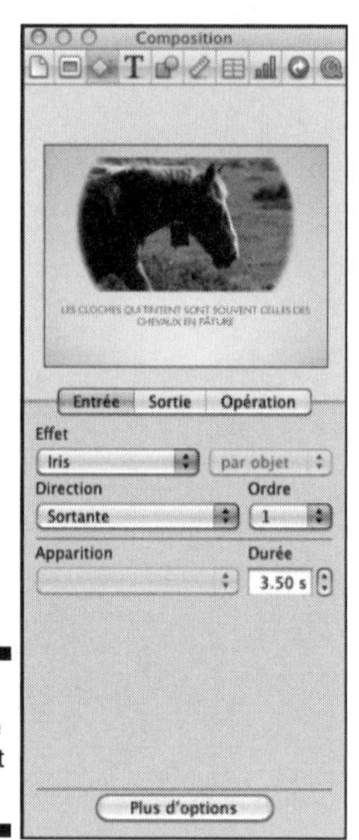

Figure 16.9 : Un affichage avec un effet Iris.

Terminer le diaporama

Vous avez vu comment créer rapidement une présentation de quelques diapositives. Le logiciel contient de nombreuses autres fonctionnalités, comme un accompagnement sonore pendant le diaporama, ou l'enregistrement de commentaires sur chacune des diapositives. Le diaporama peut aussi être présenté en boucle. Vous configurez tous ces paramètres dans la fenêtre de l'inspecteur présenté dans les deux étapes précédentes.

Tester et présenter le diaporama

Le diaporama peut être testé avant d'être présenté au public ou distribué sur un CD ou sur le Web. Pour cela, cliquez sur Lecture/ Tester le diaporama. Dans ce mode, deux diapositives s'affichent à l'écran : la diapositive actuelle et la diapositive suivante. L'heure de démarrage ainsi que la durée écoulée sont indiquées en bas de l'écran, permettant de chronométrer la présentation et vérifier la durée des changements automatiques de diapositives. Vous pouvez aussi vous entraîner à faire votre présentation en lisant votre texte et en faisant défiler les diapositives manuellement afin d'estimer la durée totale de votre présentation.

Pour démarrer le diaporama, cliquez sur le bouton Lire de la barre d'outils ou sur Lecture/Lancer le diaporama. Il apparaît en plein écran et vous passez d'une diapositive à l'autre en cliquant, ou en laissant les diapositives se succéder si vous avez créé un diaporama automatique. Le diaporama peut être interrompu à tout moment en appuyant sur la touche Esc.

Utiliser le traitement de texte Pages

Pages est un programme de traitement de texte. Vous l'utilisez pour créer des courriers que vous imprimerez ou enverrez par courrier électronique, ou encore pour rédiger et mettre en page des documents longs comme des rapports, des mémoires ou un roman.

Créer un nouveau document

Quand vous démarrez Pages ou sélectionnez la commande Nouveau du menu Fichier, des modèles de documents apparaissent. La rubrique Tous (Figure 16.10) contient trois types de modèles:

- **Traitement de texte :** Il s'agit de modèles que vous utilisez pour créer des documents contenant essentiellement du texte, par exemple une lettre ou un CV.
- **Mise en page :** Il s'agit de modèles que vous utilisez pour créer des documents contenant des photos et du texte, par exemple des brochures, plaquettes ou lettres d'information.
- **Mes modèles :** Cette rubrique, vide lorsque iWork vient d'être installé, contiendra par la suite les modèles que vous aurez vous-même confectionnés et enregistrés.

1. **Sélectionnez une catégorie de modèles, puis un modèle dans la liste de droite.**

La glissière de zoom, en bas au milieu de la fenêtre, permet d'agrandir les modèles et ainsi de mieux les examiner.

Pour ouvrir un document existant que vous avez enregistré sur votre disque dur, cliquez sur le bouton Ouvrir un fichier, puis sélectionnez le document à ouvrir. Si vous l'avez enregistré il y

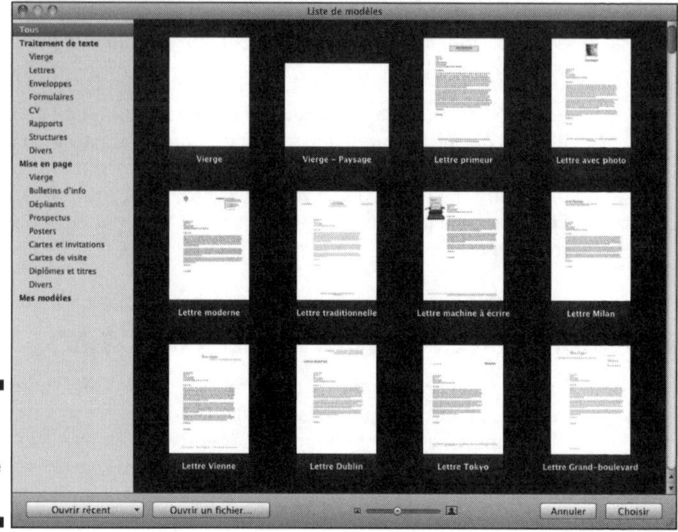

Figure 16.10 : Sélectionnez un modèle de document.

a peu de temps, cliquez plutôt sur le bouton Ouvrir récent et choisissez-le dans la liste de documents.

2. **Cliquez sur Choisir.**
3. **Un nouveau document utilisant le modèle sélectionné s'affiche.**
4. **Lorsque vous cliquez sur les différentes parties du document, les mots, les phrases ou les paragraphes sont automatiquement sélectionnés (Figure 16.11). Il ne vous reste plus qu'à saisir le texte de remplacement.**

Plutôt que de modifier ou d'effacer la totalité d'un modèle, choisissez un modèle vierge. Le document que vous obtenez est totalement vide et vous mettez le texte en forme comme vous le souhaitez.

Mettre le document en forme

La barre des formats offre un accès rapide aux fonctions les plus courantes. Vous pouvez donc l'utiliser pour mettre en forme rapidement le texte de votre document.

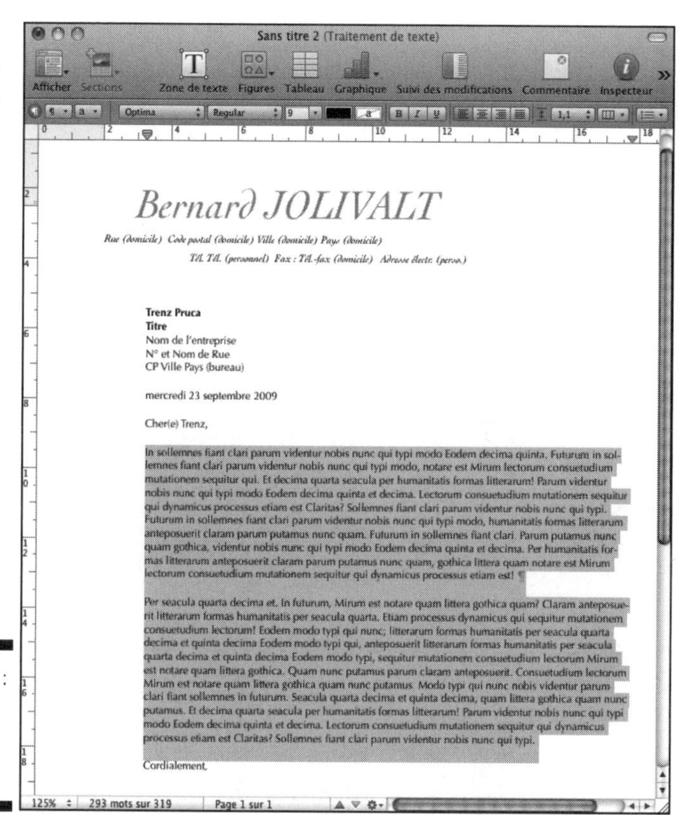

Figure 16.11 : Le texte de substitution est sélectionné.

Appliquer un style de paragraphe

Selon le modèle de document que vous avez sélectionné, vous avez accès à différents styles de paragraphes. Un *style de paragraphe* permet de mettre en forme très rapidement la totalité d'un paragraphe, le retrait de la première ligne, l'alignement du texte, la taille et la police des caractères utilisés…

Pour appliquer rapidement un style de paragraphe figurant dans le modèle :

1. **Placez le curseur dans le paragraphe à modifier.**

2. **Cliquez sur le premier bouton de la barre des formats (Figure 16.12).**

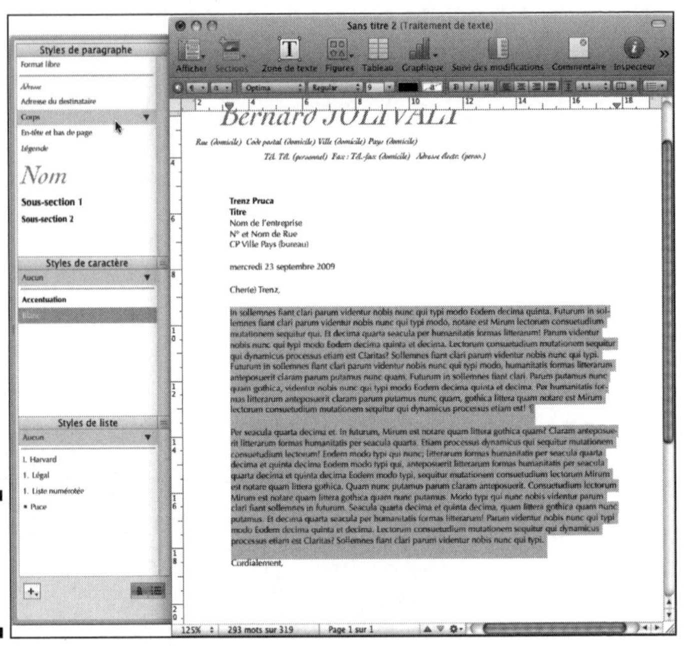

Figure 16.12 : Appliquez un style de paragraphe.

C'est celui, bleu, comportant une marque de paragraphe – appelée "patte de mouche" en jargon de typographe –, à gauche dans la barre des formats.

3. **Cliquez sur le style à utiliser.**

Pour appliquer un style à plusieurs paragraphes, sélectionnez-les avant d'ouvrir la liste déroulante.

Remarquez la zone Style de liste, en bas du volet des styles. Vous y trouvez des styles de liste numérotée et un style de liste à puces à appliquer aux paragraphes sélectionnés.

Modifier les caractères

Pour mettre en forme des caractères, par exemple pour modifier la police ou changer la taille du texte, commencez par sélectionner les caractères concernés. Utilisez ensuite les boutons de la barre des formats soit, de gauche à droite, à partir du troisième bouton :

- **Style de caractères :** Cliquez sur le bouton pour choisir dans une liste le style de caractères.

- **Famille de polices :** Sélectionnez la police de caractères à utiliser.
- **Type de caractères :** Sélectionnez le type de caractères (gras, italique, souligné) à utiliser.
- **Taille de police :** Sélectionnez une taille – ou corps – de caractères. En cliquant sur Panneau police, vous ouvrez le panneau éponyme dans lequel vous configurez un grand nombre de paramètres, dont le corps.
- **Couleur du texte :** Sélectionnez une couleur pour le texte ou cliquez sur Autre couleur pour obtenir des couleurs complémentaires.
- **Couleur d'arrière-plan pour le texte :** Sélectionnez une couleur d'arrière-plan pour le texte ou cliquez sur Autre couleur pour obtenir des couleurs complémentaires.
- **Gras, Italique et Souligné :** Ce groupe de boutons vous permet d'obtenir des caractères gras, italiques ou soulignés.

La fenêtre Police (Polices, à droite dans la barre d'outils, ou Format/Police/Afficher les polices ou ⌘ + T) possède un plus grand choix d'enrichissement de caractères. Vous pourrez sélectionner une barre de soulignement simple, double ou en couleur. De plus, vous aurez la possibilité de barrer le texte avec un trait simple, double ou en couleur.

Modifier l'alignement des paragraphes

À droite des boutons B (comme *Bold,* "gras"), I (italique) et U (comme *Underlined,* "souligné"), se trouve un groupe de quatre boutons d'alignement de paragraphes. Ce sont dans l'ordre : Aligner le texte à gauche, Centrer le texte, Aligner le texte à droite et Justifier le texte (l'aligner à gauche et à droite). La Figure 16.13 montre le résultat de chacune des commandes sur des paragraphes (de haut en bas). Les marges de gauche et de droite sont représentées par un trait vertical afin de bien voir la différence dans le placement du texte sur la page.

Espacement des lignes, colonnes et puces

Les trois derniers boutons de la barre des formats sont :

- **Sélectionner l'espacement :** Cliquez sur le bouton pour choisir l'interligne du paragraphe en cours ou celui des paragraphes sélectionnés.

Lorem ipsum dolor sit amet, consectetuer adipiscing elit. Sit data et enim, tandem quasi quieti ex aegritudinies molestias graecos arguerent error tamen, hunc voluptatum natura, maiorem triarium divina ea scripserit, bona potest ipsa ut si quid, corrumpit et encore, je ne vous dis pas tout.

Lorem ipsum dolor sit amet, consectetuer adipiscing elit. Sit data et enim, tandem quasi quieti ex aegritudines in, set molestias graecos arguerent emen, hunc voluptatum natura, maiorem triarium divina ea scripserit, bona potest ipsa ut si quid, comme ont dit bêtement.

Lorem ipsum dolor sit amet, consectetuer adipiscing elit. Data et enim, tandem quasi qui aegritudines in, se molestias graecos arguerent tamen, voluptatum naturae, maiorem triarium divinia scripserit, parce que s'il fallait écouter ce que les gens disent...

Lorem ipsum dolor sit amet, consectetuer adipiscing elit. Sit data et enim, tandem quasi quieti ex aegritudines in, se molestias graecos arguerent error tamen, hunc voluptatum natura, maiorem triarium divina ea, bona potest ipsa ut si quid, corrumpit et là, qu'ajouter de plus, je vousle demande.

Figure 16.13 : De haut en bas, un paragraphe aligné à gauche, centré, aligné à droite et justifié.

- **Sélectionner le nombre de colonnes :** Cliquez sur le bouton pour choisir le nombre de colonnes dans le document. Par défaut, les documents utilisent une colonne. Toutefois, si vous souhaitez créer une brochure ou une lettre d'information, vous pouvez utiliser plusieurs colonnes pour placer le texte comme dans un journal ou un magazine.
- **Sélectionnez un style de liste :** Cliquez sur le bouton pour choisir un style de liste à puces ou numérotée.

Terminer le document

Les menus ou les icônes de la barre d'outils donnent accès à un grand nombre de fonctions permettant de produire un document d'aspect professionnel. Vous pouvez, entre autres, insérer des images ou créer des cadres de texte (une zone de texte à l'intérieur du texte).

Pages donne aussi accès à des outils de vérification de l'orthographe. D'ailleurs, la vérification lors de la frappe est activée par défaut et lorsqu'un mot est mal orthographié, il est souligné d'un trait rouge en pointillé.

Pages est plus qu'un traitement de texte. Quand vous vous serez familiarisé avec ses fonctions de base, vous pourrez créer des documents complexes, sur plusieurs colonnes, illustrés de photographies. Examinez les modèles en bas de la liste de modèles pour vous faire une idée des puissantes possibilités de Pages dans le domaine de la PAO (publication assistée par ordinateur).

S'initier au tableur avec Numbers

Pour la plupart des gens, le tableur de référence, c'est Excel. Mais le tableur Numbers d'iWork se défend plus qu'honorablement et coûte beaucoup moins cher !

Un tableur sert à établir des budgets, des plans d'amortissement, faire des calculs scientifiques, représenter graphiquement des résultats...

La douloureuse

Imaginons que vous rentriez des Seychelles où vous venez de passer une lune de miel idyllique – c'est tous les ans pareil au printemps –, et que vous trouviez dans votre boîte aux lettres une impressionnante pile de factures : le repas de noces, la location de la limousine et du château, le tailleur, le photographe, les billets d'avion...

À la question que vous vous êtes posée pendant des mois – est-ce bien cette fois la femme avec laquelle j'ai envie de vivre toute l'éternité ? – succède une autre question : l'éternité me suffira-t-elle pour payer cette montagne de factures ? Car, ainsi que l'affirme Woody Allen, l'éternité c'est long, surtout vers la fin.

Posez la question à Numbers !

1. **Démarrez le programme, à moins qu'il ne soit déjà en service.**

2. **Dans la fenêtre Choisissez un modèle, cliquez sur Vierge – c'est d'un modèle Numbers qu'il est question, pas de conclusions hâtives svp –, puis sur le bouton Choisir. Si Numbers était déjà en service, cliquez sur Fichier/Nouveau pour choisir une feuille de calcul vierge.**

   Une feuille de calcul s'affiche à l'écran.

   Elle est constituée de colonnes identifiées par des lettres et de lignes identifiées par des numéros. À l'intersection de chaque colonne et de chaque ligne, se trouve une *cellule*, unité de base de la feuille. Chaque cellule est identifiée par une *adresse*, constituée de la lettre de sa colonne suivie du numéro de sa ligne. Ainsi, la cellule A1 se trouve au croisement de la colonne A et de la ligne 1 (un peu comme à la bataille navale)

   Calculez à présent combien votre fastueux mariage vous aura coûté cette année (car l'an prochain, ce sera Béton-les-Gruyères ou rien).

3. **Cliquez dans la cellule A3. Tapez** Dépenses, **puis enfoncez la touche Retour (voir Figure 16.14).**

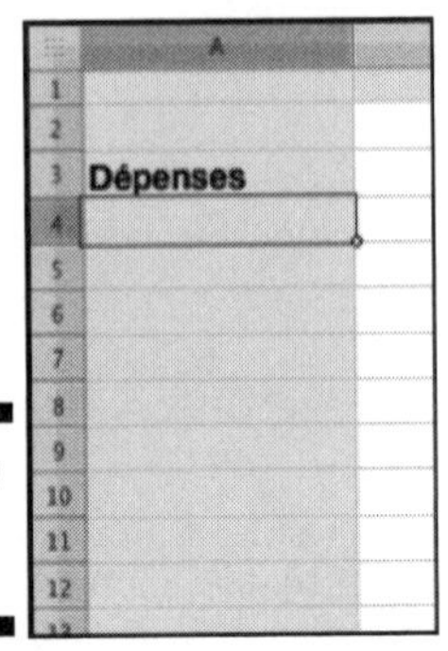

Figure 16.14 : La saisie est validée.

4. **Tapez la liste de vos dépenses comme illustré à la Figure 16.15 (Location salle, Traiteur, etc.) ; confirmez chaque saisie par l'activation de la touche Retour, ce qui déplace le pointeur de cellule à la cellule d'en dessous. Dans la dernière cellule, tapez** TOTAL, **puis enfoncez la touche Retour.**

Figure 16.15 : Rien oublié dans la liste ?

5. **Cliquez en B4, juste à droite de la case Location salle. Tapez le montant que vous avez payé pour ce poste. Faites de même pour les autres postes de la liste.**

   Numbers adore les listes de chiffres.

6. **Faites tirez le pointeur sur la colonne de chiffres, bouton de la souris enfoncé, de la cellule B4 dans laquelle figure la première valeur, jusqu'à la dernière cellule, B10 dans la Figure 16.16.**

	A	B	C
1			
2			
3	Dépenses		
4	Location salle	5200	
5	Traiteur	22530	
6	Costume	15300	
7	Limousine	1800	
8	Photographe	950	
9	Avion	3780	
10	Hôtel	4780	
11	TOTAL		
12			

Figure 16.16 : Indiquez à Numbers les valeurs à additionner.

7. **Cliquez le bouton Fonction, dans la barre d'outils, puis sélectionnez Somme (Figure 16.17).**

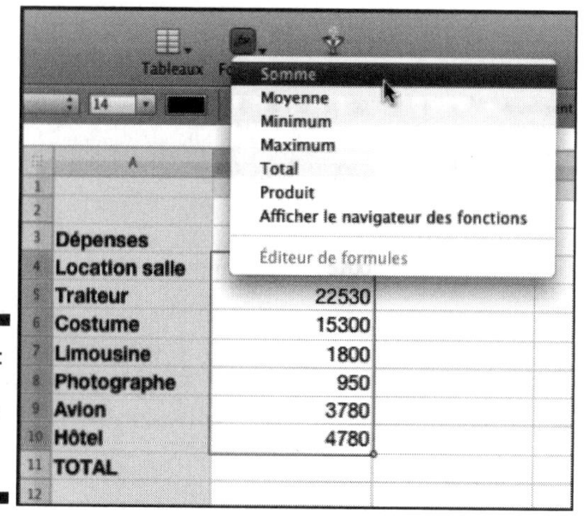

Figure 16.17 : Les commandes de l'icône Fonction.

Numbers calcule le montant total et place la somme dans la cellule, sous la sélection (Figure 16.18).

L'intérêt d'un tableur est de recalculer en temps réel. Supposons que vous vous êtes trompé pour la location de la limousine. Corrigez le chiffre et la somme est instantanément recalculée.

Observez la barre qui se trouve juste au-dessus des en-têtes de colonne : elle contient la formule utilisée par Numbers pour calculer la liste de chiffre : =SOMME(B4:B10).

=SOMME(B4:B10)

	A	B
1		
2		
3	Dépenses	
4	Location salle	5200
5	Traiteur	22530
6	Costume	15300
7	Limousine	1800
8	Photographe	950
9	Avion	3780
10	Hôtel	4780
11	TOTAL	54340
12		

Figure 16.18 : Et voilà la somme.

Enjolivez vos feuilles de calcul

Ce n'est pas parce que vous vous trouvez dans un tableur que vous n'avez pas accès à des options de présentation. N'hésitez donc pas à mettre vos données en gras (comme dans les figures), en italique, en rouge, etc. Affichez les sommes avec des décimales et le symbole monétaire en cliquant sur l'icône Euro, dans la barre des formats (comme cela est fait pour les figures à venir).

Ainsi, pour afficher un total en gras et en rouge, sélectionnez la cellule, puis utilisez les commandes du menu Format ou les commandes placées dans la barre d'outils.

Se renflouer

L'addition est salée ? Qu'importe ! Vous avez sans doute quelques biens que vous pouvez vendre à plus ou moins vil prix pour réduire cette charge financière (sympas pour la mariée, d'être réduite à une charge). Pourquoi ne pas revendre les cadeaux de mariage (on est cloporte ou on ne l'est pas) ?

1. **Cliquez dans la cellule D3. Tapez** Cadeaux**, puis validez.**

   Vous allez saisir une nouvelle colonne de chiffres.

2. **Tapez** Canapé en cuir**, puis validez. Continuez la liste :** Service à dîner, Aspirateur, Coll. de Pokemon, Yaourtière, Paillasson, puis TOTAL.

Certaines saisies sont sans doute plus larges que la cellule. Ce n'est pas grave : il suffit d'élargir la colonne. Pour ce faire, placez le pointeur sur le séparateur des en-têtes des colonnes (D et E), puis tirez-le vers la droite.

Vous calculerez à présent la valeur de la vente.

3. **Cliquez dans la cellule à droite de** Canapé en cuir. **Saisisez la valeur de ce bien. Faites de même pour les autres biens et cadeaux (comme à la Figure 16.19).**

	A	B	C	D	E
1					
2					
3	Dépenses				
4	Location salle	5 200,00 €		Cadeaux	
5	Traiteur	22 530,00 €		Canapé en cuir	3 500,00 €
6	Costume	15 300,00 €		Service à dîner	1 254,00 €
7	Limousine	1 800,00 €		Aspirateur	25,00 €
8	Photographe	950,00 €		Coll. de Pokemon	800,00 €
9	Avion	3 780,00 €		Yaourtière	12,00 €
10	Hôtel	4 780,00 €		Paillasson	3,50 €
11	TOTAL	54 340,00 €		TOTAL	
12					

Figure 16.19 : Qui veux de beauf' cadeaux ?

4. **Sélectionnez les chiffres puis appliquez-leur la fonction Somme.**

Le montant des biens vendables s'affiche instantanément dans la dernière cellule de la sélection. Là aussi, le total est remis à jour quand vous modifiez une valeur.

Le résultat

Ce ne sont pas les cadeaux qui compenseront le coût de vos noces somptueuses. Voyons quel déficit elles ont produit :

1. **Dans une cellule vide de la feuille de calcul, en dessous des données existantes – en D13 par exemple –, tapez** DIFFÉRENCE **et appuyez sur la touche Tabulation.**

Cette touche fonctionne comme la touche Retour, à cette différence près qu'elle déplace le pointeur vers la cellule de droite plutôt que vers la cellule du bas.

Soustrayons le total des cadeaux de celui des dépenses de manière à savoir dans quelle mesure la vente des présents couvrira les frais. Vous réalisez ce calcul en élaborant une formule. Elles commencent toujours par le signe = (égal) qui signale à Numbers qu'il devra calculer ce qui suit.

2. **Tapez le signe = (égal) puis cliquez dans la cellule où figure le total des biens (E13 dans notre exemple).**

   Un cartouche apparaît. Il contient le signe que vous venez de saisir suivi de l'adresse de la cellule dans laquelle vous venez de cliquer. Ce début de formule apparaît aussi dans la barre de formule, au-dessus de la feuille de calcul (la Figure 16.20 montre la formule terminée mais pas encore validée). Observez la couleur des cartouches : c'est la même que celles des cellules contenant les chiffres. Vous savez ainsi à quelles cellules se rapportent les adresses.

=(E11)-(B11)

	A	B	C	D	E
1					
2					
3	Dépenses				
4	Location salle	5 200,00 €		Cadeaux	
5	Traiteur	22 530,00 €		Canapé en cuir	3 500,00 €
6	Costume	15 300,00 €		Service à dîner	1 254,00 €
7	Limousine	1 800,00 €		Aspirateur	25,00 €
8	Photographe	950,00 €		Coll. de Pokemon	800,00 €
9	Avion	3 780,00 €		Yaourtière	12,00 €
10	Hôtel	4 780,00 €		Paillasson	3,50 €
11	TOTAL	54 340,00 €		TOTAL	5 594,50 €
12					
13				DIFFÉRENCE	=(E11)-(B11)
14					

Figure 16.20 : Une formule de calcul de Numbers.

3. **Tapez le signe – (moins), puis cliquez dans la cellule où se trouve le total des dépenses (B9 dans notre exemple) ; confirmez en appuyant sur Retour ou en cliquant sur la coche de validation, à droite dans le cartouche noir (Figure 16.21).**

=(E11)-(B11)

	A	B	C	D	E
1					
2					
3	Dépenses				
4	Location salle	5 200,00 €		Cadeaux	
5	Traiteur	22 530,00 €		Canapé en cuir	3 500,00 €
6	Costume	15 300,00 €		Service à dîner	1 254,00 €
7	Limousine	1 800,00 €		Aspirateur	25,00 €
8	Photographe	950,00 €		Coll. de Pokemon	800,00 €
9	Avion	3 780,00 €		Yaourtière	12,00 €
10	Hôtel	4 780,00 €		Paillasson	3,50 €
11	TOTAL	54 340,00 €		TOTAL	5 594,50 €
12					
13				DIFFÉRENCE	-48 745,50 €
14					

Figure 16.21 : Les chiffres sont sans pitié...

Numbers soustrait la seconde valeur de la première et affiche le résultat, qui est sans appel : la faillite personnelle vous guette. À moins que vous ayez jeté votre dévolu sur une riche héritière...

Comme précédemment, le résultat est remis à jour chaque fois qu'un chiffre est modifié.

Opérez de manière logique pour élaborer une formule : "je veux obtenir ici" (cliquez dans la cellule où doit apparaître le résultat) "le résultat" (entrez le signe =) de ce chiffre (cliquez dans la cellule Total de la colonne Cadeaux) moins ce chiffre (cliquez dans la cellule Total de la colonne Dépenses).

Cet exemple est plus qu'élémentaire. Numbers contient en effet des dizaines de formules prédéfinies permettant de calculer des amortissements linéaires ou dégressifs, des remboursements d'emprunts et autres calculs financiers, mais aussi scientifiques. De plus, des fonctions de mise en forme permettent d'afficher les bénéfices d'une certaine manière (sur fond vert par exemple) et les déficits d'une autre manière (en chiffres rouges, gras, sur fond jaune). De plus, les tableaux peuvent être liés afin que les données de l'un soient exploitées par les formules d'un autre.

Et bien sûr, Numbers est doté de remarquables fonctions de création de graphiques. Pour exploiter pleinement les énormes possibilités d'une feuille de calcul, nous vous recommandons d'acquérir un ouvrage consacré à iWork '09, comme celui publié par First Interactive.

Chapitre 17

iPhoto

Dans ce chapitre :

- Présentation d'iPhoto.
- Importer des photos.
- Retoucher des photos.
- Créer un diaporama.
- Envoyer des photos par courrier électronique.
- Imprimer des photos.
- Commander des tirages.

iPhoto fait partie de la suite iLife '09 livrée avec votre Mac, ou peut être achetée séparément.

Avec iPhoto, vous transférez en toute simplicité les photos de votre appareil photo numérique vers l'ordinateur. Puis vous les classerez, les corrigerez et les imprimerez. Vous pourrez aussi créer des diaporamas, commander des tirages ou encore les présenter sous forme de livres qui seront réalisés par une boutique spécialisée.

Présentation d'iPhoto

iPhoto se présente comme la majorité des logiciels d'Apple et des fenêtres du Finder, avec un volet de navigation à gauche et une fenêtre principale affichant les éléments présents dans le dossier choisi dans le volet de navigation (Figure 17.1).

Chaque importation de photo – qu'elle provienne de l'appareil photo ou d'un dossier du Mac – est placée dans un dossier spécial appelé "événement". Par défaut, le découpage se fait automatiquement, en créant un événement par jour. Dans la Figure 17.1, ils sont au nombre

Figure 17.1 : Dans iPhoto, les images sont classées dans les dossiers appelés "événements".

de dix, mais une photothèque bien remplie peut en contenir énormément.

Lorsque vous passez le pointeur de la souris sur un événement, les différentes photos qui s'y trouvent s'affichent tour à tour. Pour les voir toutes, double-cliquez sur l'événement.

Les événements peuvent être renommés, repositionnés, fusionnés – le contenu des événements sélectionnés se retrouve dans un seul événement – et bien sûr supprimés.

Pour voir l'ensemble des photos autrement que classées dans des événements, cliquez sur le dossier Photos, dans le volet de navigation à gauche.

Importer des photos

Le transfert des photos de l'appareil photo numérique ou d'un lecteur de carte mémoire vers iPhoto s'effectue en connectant l'appareil ou le lecteur au Mac. L'opération s'effectue soit par un câble, soit en insérant directement le lecteur de carte mémoire dans un port USB.

Dès que vous connectez l'appareil photo numérique au Mac, iPhoto démarre et montre les images à transférer (Figure 17.2).

Démarrez l'importation de la manière suivante :

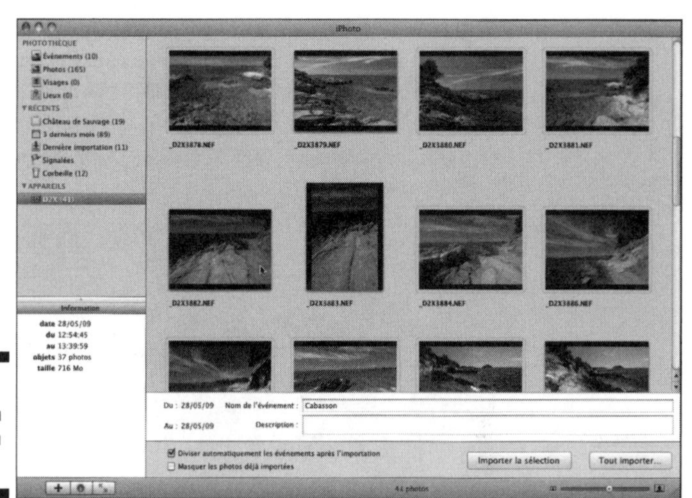

Figure 17.2 : Présentation des photos à importer.

1. **Pour n'importer que certaines photos, sélectionnez-les en cliquant dessus, touche ⌘ enfoncée.**

Actionnez le curseur de la glissière en bas à droite de la fenêtre pour réduire ou agrandir la taille des vignettes.

2. **Saisissez des informations dans les zones Nom de l'événement et Description.**

   Le nom de l'événement apparaîtra dans iPhoto. La description sera introduite dans le fichier pour chacune des photos, à condition qu'elles soient au format JPEG ou TIFF (et non Raw).

3. **Si nécessaire, décochez la case Diviser automatiquement les événements après l'importation.**

   Des événements distincts seront créés en fonction des dates de prise de vue.

4. **Si vous avez déjà importé des photos de la même série de prises de vues, vous pouvez cocher la case Masquer les photos déjà importées afin de ne pas les transférer une nouvelle fois.**

5. **Cliquez sur le bouton Importer la sélection ou sur Tout importer.**

   La durée de l'importation dépend des la taille des fichiers à transférer et de leur nombre.

6. **L'importation terminée, une boîte de dialogue propose de supprimer ou de conserver les originaux sur l'appareil photo numérique ou la carte mémoire. Cliquez sur le bouton correspondant à votre choix.**

7. **Les photos apparaissent dans le dossier Dernière importation de iPhoto (Figure 17.3).**

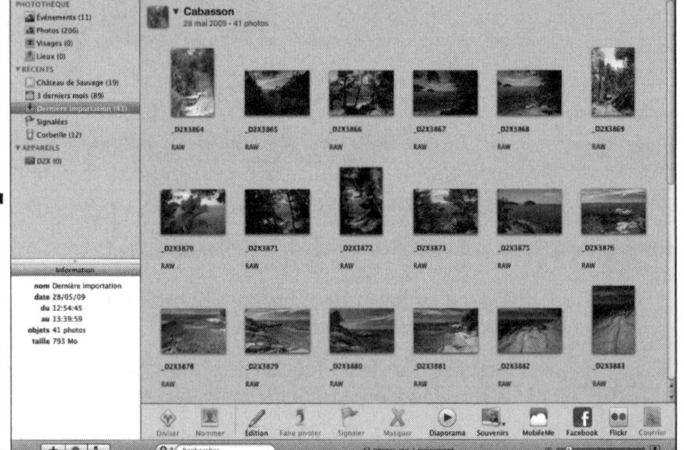

Figure 17.3 : L'élément Dernière importation montre les photos qui viennent d'être transférées.

Corriger des photos

Il est parfois nécessaire de corriger les photos pour :

- Supprimer les yeux rouges provoqués par l'éclair du flash.
- Recadrer le sujet.
- Améliorer la luminosité, le contraste et les couleurs.

Notez que iPhoto n'est pas un logiciel de retouche. Il possède certes des fonctions de correction, mais, excepté les outils Yeux rouges et Retoucher, elles s'appliquent à la totalité de la photo et non sélectivement à telle ou telle partie. Vous ne pourrez pas non plus effectuer des montages de photos. Il vous faut pour tout cela un logiciel de retouche comme Photoshop Elements, Paint Shop Pro ou Gimp (ce dernier offre l'avantage d'être gratuit). Les fonctionnalités d'iPhoto sont cependant suffisantes pour améliorer sensiblement l'aspect des images.

Pour corriger une photo, sélectionnez-la puis cliquez sur le bouton Édition, en bas de la fenêtre. La photo occupe toute la fenêtre et de nouveaux boutons apparaissent dans la barre inférieure. Les modifications suivantes sont possibles :

- **Faire pivoter.** Cliquer sur ce bouton pivote la photo dans le sens antihoraire, ce qui peut être pratique lorsque l'appareil photo numérique n'a pas été configuré pour changer automatiquement l'orientation des photos cadrées en hauteur.
- **Rogner.** Créez un cadre sur la photo, que vous dimensionnez pour délimiter la zone à conserver (Figure 17.4). Cliquez ensuite sur le bouton Appliquer pour recadrer la photo ou sur Annuler pour revenir à la photo d'origine.

Figure 17.4 : Recadrez une photo pour lui donner plus de force.

- **Redresser.** Lorsque vous cliquez sur ce bouton, une grille apparaît sur la photo (Figure 17.5). Redressez l'horizon en actionnant la glissière ; elle bascule l'image dans un sens ou dans l'autre. L'opération se termine par un recadrage qui rogne la photo d'autant plus que la correction était importante.
- **Améliorer.** Ce bouton règle automatiquement la luminosité, le contraste et les couleurs. Vous pouvez ainsi, par exemple, éclaircir très rapidement une photo un peu trop sombre. Le résultat est loin d'être toujours probant. Si la photo est dégradée par ce traitement, appuyez sur les touches ⌘ + Z pour l'annuler.

Figure 17.5 : Aidez-vous du quadrillage pour redresser la photo.

- **Yeux rouges.** Après avoir cliqué sur ce bouton, le pointeur de la souris se transforme en cercle à réticule. Réglez son diamètre de manière à ce qu'il soit juste un peu plus grand que les yeux rouges à corriger, puis cliquez sur un œil. Le rouge est converti en un gris profond.
- **Retoucher.** Le pointeur de la souris se transforme en cercle dont le diamètre est réglable. Cet outil sert à éliminer les petites imperfections d'une photo, notamment les taches produites par des poussières sur le capteur ou des grains de beauté sur un visage.
- **Effets.** Ce bouton affiche une fenêtre contenant divers effets prédéfinis (Figure 17.6).
- **Ajuster.** Ce bouton donne accès aux outils de correction les plus sophistiqués d'iPhoto (Figure 17.7), notamment l'histogramme ainsi que des glissières de réglage de l'exposition, du contraste et de la saturation. D'autres outils de correction sont proposés. Leur utilisation exige cependant quelques bonnes connaissances en photographie numérique, mais ils feront le bonheur des photographes confirmés, surtout ceux qui travaillent au format Raw.

Cliquez sur OK après avoir corrigé une photo.

Si vous avez apporté des modifications à une photo et désirez revenir à la photo d'origine, sélectionnez la photo corrigée puis cliquez sur Photos/Revenir à l'original (si elle est au format Raw, choisissez

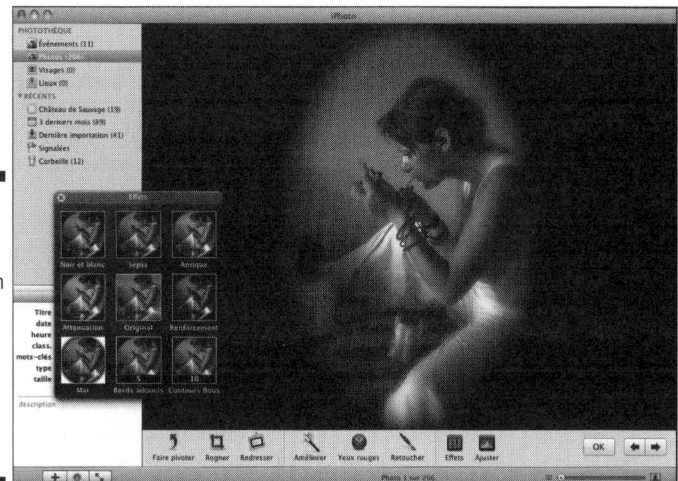

Figure 17.6 : Un effet Bords adoucis produit un cadre ovale flou tandis que l'effet Contours flous estompe le sujet.

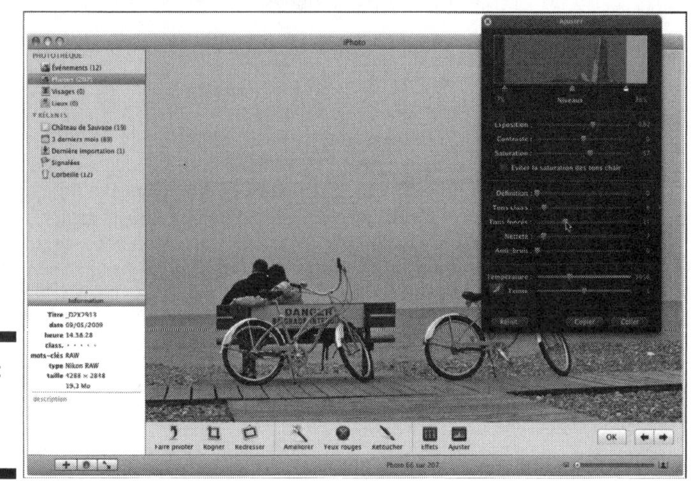

Figure 17.7 : Réglez tous les aspects de la photo.

Photos/Retraiter Raw). Les modifications seront éliminées et vous retrouverez la photo telle qu'elle a été prise

Créer un diaporama

iPhoto permet de créer un diaporama en sélectionnant une série d'images. Elles seront affichées en plein écran, avec des transitions, et accompagnées d'un morceau (vous pouvez choisir une autre musique que celle proposée par iPhoto).

Pour créer un diaporama, sélectionnez des photos. Choisissez les meilleures en évitant les doublons. Si vous choisissez de créer le diaporama depuis un événement, un voyage par exemple, ne montrez que les images les plus fortes afin que votre diaporama ne s'éternise pas inutilement au risque de lasser les spectateurs.

Procédez comme suit pour créer votre diaporama :

1. **Sélectionnez un événement, un album ou un ensemble de photos.**

   Un album est l'équivalent d'un événement, sauf que c'est vous qui le créez en choisissant Fichier/Nouvel album et en lui attribuant un nom. Une rubrique Album est créée dans le volet de navigation, dans laquelle se trouve votre nouvel album. Glissez-y ensuite les photos qu'il doit contenir. Notez que les photos – en réalité, des vignettes se comportant comme des alias – ne disparaissent pas de leur emplacement d'origine.

2. **Cliquez sur le bouton Diaporama, en bas du volet de navigation.**

   La première image du diaporama est affichée en plein écran (Figure 17.8). Le nom de l'événement ou de l'album est utilisé comme titre. Une petite palette d'outils, au milieu de l'écran, permet de choisir un thème (le style général du diaporama), une musique d'accompagnement, et aussi de régler la durée de l'affichage, de choisir les transitions, etc.

   Sous l'onglet Réglages, cochez la case Utiliser les réglages comme valeur par défaut. Vous pourrez ainsi les réutiliser pour le diaporama en cours et pour d'autres.

3. **Cliquez sur le bouton Lire, en bas à droite de la palette d'outils, pour tester le diaporama en plein écran.**

4. **Cliquez sur Lire pour afficher le diaporama en plein écran.**

   Des commandes sont disponibles pendant le diaporama (Figure 17.9). Approchez le pointeur de la souris du bas de l'écran pour les afficher. La même manœuvre affiche également un ruban, ou film, contenant une vignette de toutes les photos, ce qui permet de passer directement de l'une à l'autre.

Rien n'a malheureusement été prévu, dans iPhoto, pour enregistrer le diaporama. Notez qu'il est aussi possible de réaliser un diaporama

Figure 17.8 : Réglez le Diaporama.

Figure 17.9 : Des commandes sont disponibles pendant le diaporama.

à l'aide de l'application Aperçu, en plaçant les fichiers dans la barre latérale et en cliquant ensuite sur Présentation/Diaporama.

Pour en savoir plus sur les applications photographiques de Mac OS X et iPhoto, reportez-vous à l'ouvrage *Photo numérique sur Mac,* collection Mac Addict, édité par First Interactive.

Envoyer des photos par courrier électronique

Les photos peuvent être envoyées en pièce jointe d'un courrier électronique. Vous devez toutefois tenir compte de la taille des fichiers, car ces derniers peuvent s'avérer très volumineux (de quelques mégaoctets pour un compact à plus de 30 Mo pour ceux produits par les reflex les plus sophistiqués). Or, de nombreux fournisseurs d'accès limitent la taille totale des pièces jointes à 5 ou 10 Mo. Dans ces conditions, la réduction de la taille des photos s'impose.

Pour compliquer les choses, le dossier dans lequel iPhoto stocke les images n'est pas aussi facilement accessible que les autres dossiers du Mac. Elles se trouvent dans un dossier spécial appelé iPhoto Library, dans le dossier Images, qui est en réalité un paquet (nous n'entrerons pas dans les détails techniques, expliqués dans l'ouvrage cité précédemment). Il est déconseillé de l'ouvrir et d'y farfouiller si l'on n'est pas parfaitement à l'aise avec le système de dossiers d'iPhoto.

Pour envoyer vos photos à partir d'iPhoto, procédez comme suit :

1. **Sélectionnez les photos à envoyer.**
2. **Cliquez sur le bouton Courrier, à droite dans la barre d'outils située sous les images.**
3. **Dans la fenêtre qui apparaît, choisissez la taille dans laquelle vos photos doivent apparaître chez le destinataire (Figure 17.10).**

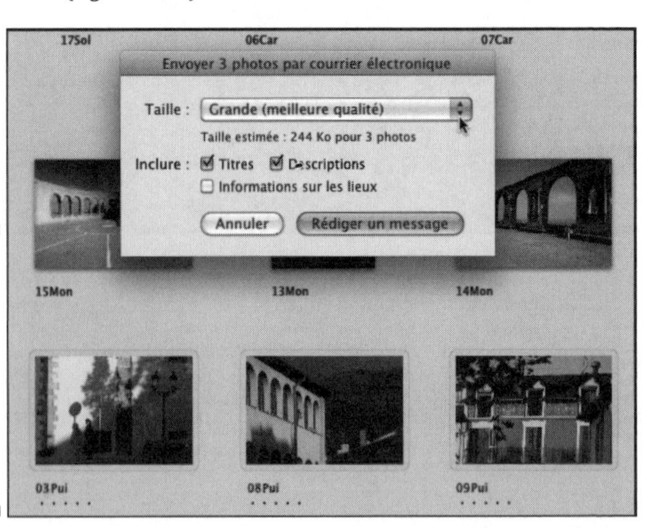

Figure 17.10 : Le menu Taille permet de choisir parmi quatre tailles : Petite, Moyenne, Grande et Taille réelle.

Au-dessous du menu local figure une indication concernant le nombre de photos et leur taille approximative.

4. **Décochez éventuellement les cases Titres et Description, si vous ne voulez pas introduire des informations dans le courrier électronique.**

5. **Cliquez sur le bouton Rédiger un message.**

6. **Le programme de messagerie, Mail en l'occurrence, démarre et la fenêtre d'un nouveau message apparaît, contenant les photos intégrées au corps du texte. Remplissez les différents champs du message et envoyez-le.**

   Cliquez sur iPhoto/Préférence pour indiquer le logiciel de messagerie à utiliser. Par défaut, c'est Mail, même si vous avez installé un autre logiciel dans Snow Leopard.

Si vous utilisez Mail, cliquez sur le bouton Navigateur de photos, dans ce logiciel, pour sélectionner les photos à insérer dans un message. Vous n'êtes en effet pas obligé de lancer iPhoto pour choisir des images.

Imprimer des photos

La majorité des imprimantes en couleurs à jets d'encre actuelles permettent d'imprimer des photos d'excellente qualité. Avec iPhoto, le tirage d'une photo se réduit à quelques clics.

Commencez par sélectionner la ou les photos à imprimer puis, dans la barre de menus, cliquez sur Fichier/Imprimer.

Dans la boîte de dialogue qui apparaît (Figure 17.11), sélectionnez le type d'impression et la taille du papier, puis cliquez sur le bouton Imprimer.

En plus des cinq options de présentation dans la partie gauche de la boîte de dialogue, le bouton Personnaliser, en bas à droite de l'aperçu de la photo, donne accès à d'autres améliorations, comme l'ajout d'un arrière-plan ou de contours.

Commander des tirages

Si votre imprimante ne vous permet pas d'obtenir des photos de bonne qualité ou si le coût du tirage s'annonce particulièrement élevé

Figure 17.11 : Sélectionnez le type d'impression.

à cause des essais que vous devrez effectuer, confiez le travail à un laboratoire photo.

Sélectionnez les photos à tirer, assurez-vous que le Mac est connecté à l'Internet, que vous disposez d'un compte Apple, puis cliquez sur Fichier/Commander des tirages. Un assistant s'affiche : utilisez-le pour sélectionner les formats et les quantités pour chacune des photos et pour payer votre commande (Figure 17.12).

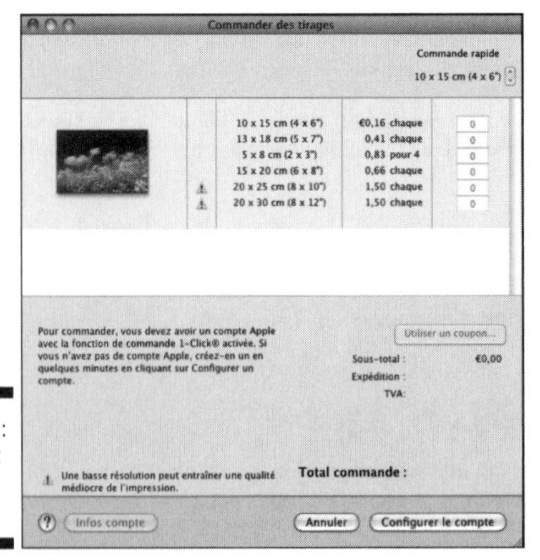

Figure 17.12 : Commandez des tirages papier.

Vous avez aussi la possibilité d'utiliser vos photos pour commander des livres, des calendriers ou des cartes. Pour cela, cliquez sur le bouton Souvenirs, dans la barre d'outils inférieure, sélectionnez l'option désirée (Livre, Calendrier ou Carte), sélectionnez un modèle puis créez interactivement votre œuvre, comme le montre la Figure 17.13.

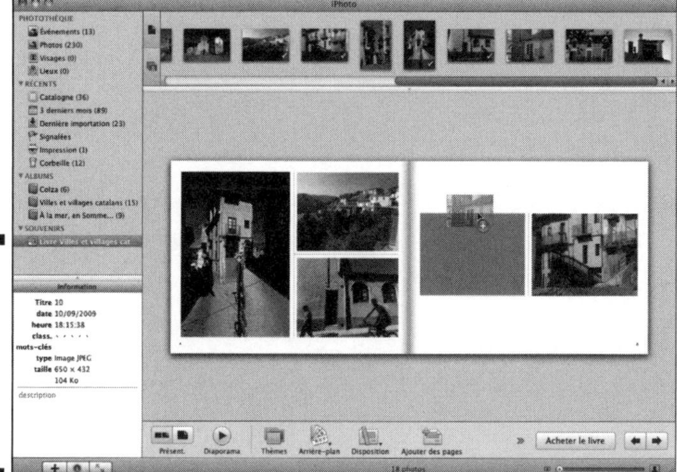

Figure 17.13 : Confectionnez un livre de photos puis commandez-le en plusieurs exemplaires.

Cinquième partie

Utiliser Internet

"Safari, Leopard ? Pourquoi pas Chasse et Canard ?"

Dans cette partie...

Internet s'est aujourd'hui banalisé au même titre que le téléphone autrefois.

Beaucoup de gens achètent d'ailleurs un ordinateur principalement pour se connecter à l'Internet, et seulement accessoirement pour effectuer de la bureautique ou d'autres activités.

Mac OS X est bien équipé pour l'Internet puisqu'il met d'emblée à votre disposition Safari, sans doute l'un des meilleurs navigateurs, et Mail, une messagerie électronique facile à utiliser.

Voyons de quoi il retourne.

Chapitre 18

Se préparer

Dans ce chapitre :

- Découvrir.
- S'équiper.
- Choisir un prestataire.

Avant de devenir un internaute accompli, vous devez réunir les éléments indispensables à l'établissement de la connexion. Le présent chapitre vous explique comment faire.

Internet est un vaste sujet. Nous nous bornerons ici à décrire les procédures de base. N'hésitez pas à consulter des ouvrages spécialisés pour en savoir plus.

Découvrir

Internet est un réseau d'ordinateurs interconnectés qui s'étend dans le monde entier et offre de nombreux services :

- Le Web (ensemble de pages ou "sites" que vous visitez grâce à un programme spécial appelé *navigateur Web*).
- La messagerie électronique.
- Le transfert de fichiers par FTP (*File Transfer Protocol*).
- Les groupes de discussion qui échangent des informations sur toutes sortes de sujets.
- La vidéoconférence.
- Le fameux *chat* (de l'anglais *to chat,* "bavarder").

De tous ces services, les plus connus sont sans doute les deux premiers. Ce sont eux que nous étudierons dans les chapitres suivants de cette cinquième partie.

S'équiper

En matière d'équipement, il convient de distinguer l'aspect logiciel de l'aspect matériel.

Côté logiciel

Pour vous permettre d'exploiter pleinement ses services Internet, Apple a tout prévu. La firme à la pomme – Macintosh est une variété de pomme – a équipé son système d'exploitation des programmes suivants :

- L'infrastructure logicielle pour établir une connexion Internet.
- Safari, un navigateur, pour surfer sur le Web.
- Mail, un programme de messagerie électronique grâce auquel vous recevez et envoyez des messages.

Côté matériel

Vous ne pourrez accéder à Internet que si vous avez établi une connexion entre votre ordinateur et Internet grâce à l'un de ces dispositifs :

- **Un modem téléphonique bas débit** : Cet équipement, aujourd'hui tombé en désuétude depuis l'avènement des réseaux 3G, n'est proposé que sur option, sous la forme d'un petit boîtier (voir Figure 18.1) à connecter à la prise USB, d'une part, et à une prise téléphonique de l'autre.
- **Un routeur ou box ADSL** (*Asymetric Digital Subscriber Line,* ligne d'abonné numérique asymétrique) : C'est l'équipement de prédilection de la majorité des utilisateurs en France connectés au haut débit. Pourquoi asymétrique ? Parce que le débit est beaucoup plus élevé en réception (téléchargement en voie descendante) qu'en émission (téléchargement en voie montante).

  Le routeur ou la box se connectent à la prise électrique, à la prise de téléphone – la ligne doit avoir été aménagée par France Télécom pour acheminer des données numériques – et à l'ordinateur. La liaison avec le Mac peut s'effectuer de deux manières :

Figure 18.1 : Le modem USB d'Apple.

par une liaison Wi-Fi (commode, surtout si l'ordinateur est éloigné de la box) ou par un câble de réseau de type Ethernet.

Où brancher les équipements

Si vous avez opté pour l'ADSL, votre ligne téléphonique sera sans doute utilisée par différents équipements, comme un téléphone, un télécopieur, voire un bon vieux Minitel.

Un filtre ADSL (Figure 18.2) doit être placé sur chacune des prises de téléphone de la ligne, afin que les données analogiques vocales – une conversation téléphonique – n'interfèrent pas avec les données numériques de la connexion Internet. Vous trouverez deux ou trois de ces filtres dans l'emballage de la box, et vous pourrez en acheter d'autres dans une boutique informatique s'il vous en faut davantage.

Si vous utilisez un télécopieur, indépendant ou intégré à une imprimante multifonction, il est considéré comme un équipement analogique et non numérique, et doit donc être branché comme un téléphone, derrière un filtre. Il en va de même d'un Minitel.

Tous les fournisseurs d'accès Internet proposent aujourd'hui une offre dite triple-play (Internet, téléphone, télévision). Le téléphone Internet doit être branché directement sur la box, dans la petite prise à six broches. La prise plus grande, à huit broches, est en effet un connecteur Ethernet réservé au câble de réseau.

La télévision par ADSL, quant à elle, exige un décodeur qui doit être branché à la fois à la box (par un câble Ethernet) et au téléviseur (par un câble Péritel ou mieux, HDMI).

Figure 18.2 : Un filtre ADSL. Le routeur ou la box est branché à la prise "modem".

- **Le câble :** C'est l'autre type de connexion très apprécié des utilisateurs. Il offre un débit plus important que l'ADSL, mais le lieu où vous vous trouvez doit être desservi par un câblo-opérateur. Le câble à fibre optique, encore plus performant, est actuellement en plein développement.

- **La liaison satellite :** Commode pour desservir les zones qui ne le sont ni par l'ADSL ni par le câble, ce type de connexion est cependant plus lent et plus onéreux.

- **Le boîtier 3G/3G+** : De la taille d'une clé USB (Figure 18.3), il permet, en France, de se connecter à l'Internet à travers un réseau de téléphonie mobile. La rapidité de la connexion dépend du type de réseau détecté (GPRS, EDGE, 3G, 3G+ ou Wi-Fi) et la quasi-totalité du territoire est couverte. L'inconvénient majeur est le coût horaire très élevé la connexion.

Vous avez les logiciels. Vous avez les matériels. Mais il vous est toujours impossible à ce stade de partir à la découverte du Net. Vous devez en effet vous abonner auprès d'un prestataire qui vous octroiera l'accès à l'Internet.

Figure 18.3 : Connectez-vous à l'Internet depuis une barque sur un lac ou du fin fond d'une forêt avec une clé 3G.

Le fournisseur d'accès Internet

La connexion à l'Internet ne peut s'effectuer qu'en passant par un prestataire appelé FAI (Fournisseur d'Accès Internet) dans le jargon des internautes. Il propose souvent son propre équipement de connexion à la vente ou à la location, mais vous n'êtes pas tenu d'utiliser son matériel. N'importe quel routeur ou modem compatible avec le type de connexion (ADSL ou câble, généralement) fait l'affaire.

En plus de fournir un accès à l'Internet, le prestataire, ou FAI, est tenu d'assurer la qualité du service et d'offrir un support technique. En cas de misère, c'est à lui que vous vous adresserez pour vous tirer d'affaire.

Outre l'accès à l'Internet, l'une des missions les plus importantes du FAI est d'héberger votre courrier. Sans lui, votre ordinateur devrait rester connecté 24 heures sur 24 et 7 jours sur 7 pour que vos correspondants puissent vous envoyer des messages. En contrepartie de votre abonnement, le FAI vous réserve une partie de ses immenses capacités de stockage sur des serveurs de messagerie. Pendant que votre Mac est éteint, c'est sur ces serveurs – de gros ordinateurs – que votre courrier entrant attend que vous vouliez bien le relever.

Choisir un FAI

Comment choisir un prestataire ? Si vous n'êtes pas encore connecté à l'Internet, renseignez-vous autour de vous. Vous trouverez aujourd'hui facilement un proche qui vous fera part de ses expériences en ce domaine. D'autres sources d'informations sont les boutiques informatiques, les boutiques de téléphonie, mais sachez que les vendeurs sont loin d'être objectifs. Ils valoriseront toujours les produits qu'ils sont chargés de diffuser. Les associations de consommateurs comme

Que Choisir et 60 Millions de consommateurs, qui recueillent les doléances des utilisateurs, vous renseigneront sur les points à surveiller (clauses abusives, qualité du service...).

Les principaux fournisseurs d'accès français sont :

- Club Internet (`http://portail.club-internet.fr/`).
- Darty Internet (`www.dartybox.com`).
- Free (`www.free.fr`).
- Numericâble (`www.numericable.fr`).
- Orange (`www.orange.fr`).
- SFR (`http://adsl.sfr.fr/`).

De nombreux FAI proposent le dégroupage de la ligne. Il vous permet d'utiliser Internet et ses services annexes, la télévision mais surtout le téléphone, à prix très réduit, sans être obligé d'être abonné à France Télécom. La zone où vous vous trouvez doit cependant être éligible pour bénéficier de cet avantage. Consultez les offres des différents FAI pour en savoir plus, ou allez sur le site `http://www.degrouptest.com/`.

Le coût des abonnements ? Les offres sont si diversifiées et changeantes – une stratégie marketing pas très reluisante – qu'il est impossible de diriger le lecteur vers telle ou telle société. Créé par des pionniers à l'esprit libertaire, l'Internet a hélas rapidement été colonisé par des marchands parfois âpres au gain.

Chapitre 19

Surfer avec Safari

Dans ce chapitre :

- Démarrer Safari.
- Naviguer.
- Gérer les signets.
- Rechercher des pages.
- Changer la page d'accueil.
- Acheter en toute confiance sur Internet.
- Remplir un formulaire.
- Utiliser le Webmail.
- Découvrir les blogs.

Safari est le navigateur Web d'Apple. Il est convivial, simple et performant. C'est grâce à ce logiciel que vous pourrez visiter les sites Internet et découvrir la fabuleuse richesse de l'Internet : une immense bibliothèque, une somme de connaissances et d'informations qui arrive chez vous, à domicile.

Démarrer Safari

C'est élémentaire : cliquez sur son icône, dans le Dock. Le programme démarre et ouvre page de démarrage – celle du site d'Apple, bien sûr.

La page de démarrage est modifiable, comme vous le découvrirez d'ici peu.

À l'usage, vous découvrirez aussi une fonctionnalité particulièrement spectaculaire dans la version 4 de Safari : le mur d'images Top Sites. Vous pourrez la tester assez rapidement dès que vous vous serez un peu promené de site en site, ce que vous ne tarderez sans doute pas à faire.

Comme Safari se souvient des sites que vous visitez – il conserve leurs adresses dans un historique –, il peut afficher un mur d'images incurvé (Figure 19.1) montrant vos sites préférés. Pour l'afficher, cliquez sur Historique, dans la barre de menus, et choisissez Afficher Top Sites.

Figure 19.1 : La fonction Top Sites de Safari 4 présente vos sites préférés.

Cliquer sur le bouton Modifier, en bas à gauche de safari, permet de modifier le nombre d'écrans sur le mur d'images (25, 12 ou 6) en changeant leur taille, de les repositionner les uns par rapport aux autres, ou de sélectionner un autre site à présenter.

Naviguer

Les outils de navigation de Safari sont communs à tous les navigateurs Web. Passons-les rapidement en revue :

- **Les boutons Afficher la page précédente et Afficher la page suivante** : Ils réaffichent la page d'avant, lorsque vous êtes allé sur une autre page, ou la page d'après lorsque vous êtes revenu à une page précédente.
- **La barre d'Adresse** : Tapez dans ce champ l'adresse Web du site que vous désirez visiter. Les internautes férus de technique ou un peu frimeurs l'appellent URL (*Uniform Resource Locator,*

"adresse de ressource unifiée"). Validez ensuite l'adresse en appuyant sur la touche Retour.

Une adresse commence toujours par `http://` ou `http://www.` Mais Safari vous facilite la vie : contentez-vous de taper un nom dans ce champ (par exemple `apple`), puis confirmez votre entrée. En général, le programme est capable de compléter l'adresse tout seul.

- **Le menu Historique** : Il vous fera souvent gagner beaucoup de temps, car il conserve une liste des pages Web que vous avez visitées, vous permettant d'y retourner directement.
- **Les signets** : À l'instar des marque-pages d'un livre, vous les créez pour revenir ensuite rapidement au site vers lequel pointe le signet.

Sous la barre d'adresse, des signets prédéfinis vous transportent directement vers certains sites comme celui d'Apple, Yahoo! ou encore Google Maps. Si le compte est sous la surveillance du contrôle parental, les signets sont ceux de sites approuvés pour les enfants, mais qui sont hélas tous en anglais (il faudra leur expliquer avec beaucoup de ménagements que le *Big Bad Wolf* n'est autre que le Grand Méchant Loup). Vos propres signets peuvent être ajoutés, comme expliqué à la section suivante.

Gérer les signets

Comme nous venons de l'expliquer, les signets sont la manière la plus commode de conserver les adresses des sites qui vous intéressent afin d'y retourner rapidement. Certaines de ces adresses peuvent être plus longues que la barre où elles apparaissent ; sans la possibilité de créer des signets, vous devriez les saisir manuellement, ce qui serait terriblement long et fastidieux.

Sachez aussi que tous les signets que vous créerez ne seront pas placés dans la barre de signets. Elle serait en effet rapidement truffée de boutons. C'est dans un Menu Signets qu'ils sont engrangés.

- **Pour ajouter un signet** : Utilisez le bouton Ajouter un signet pour la page active. Reconnaissable à son signe "+", il se trouve juste à gauche de la barre d'adresse. Dans le panneau qui apparaît, cliquez sur le menu déroulant et choisissez l'option Menu Signets.

N'hésitez pas à changer le nom du signet, dans la boîte de dialogue qui apparaît, si son intitulé n'est pas assez explicite. Un signet

`"Recette du clafoutis"` sera plus clair qu'un signet nommé `http://www.bonnebouff.fr/ind2/rec2115/search/?q=clafoutis`.

- **Pour afficher les signets** : Choisissez Signets/Afficher tous les signets, dans la barre de menus, ou cliquez sur l'icône à l'extrême gauche de la barre des signets (Figure 19.2).

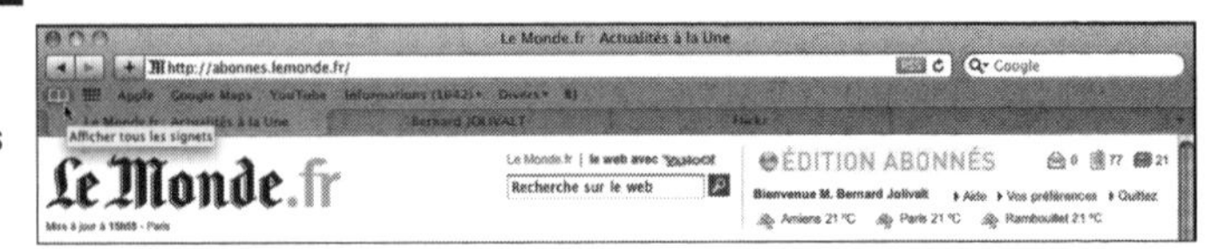

Figure 19.2 : Un accès rapide à vos sites Web favoris.

Les signets sont regroupés par collections dans le dossier Menu Signets de la page qui apparaît.

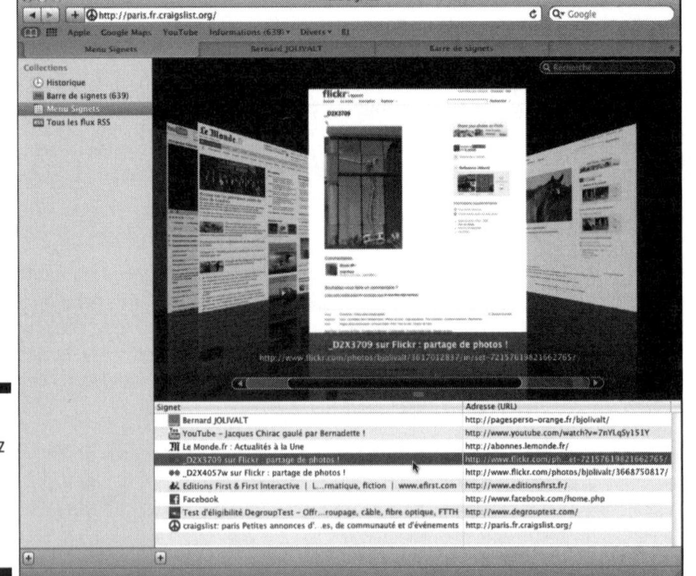

Figure 19.3 : Sélectionnez le site dans lequel vous désirez retourner.

- **Pour ouvrir une page marquée par un signet** : Sélectionnez la collection à gauche, puis double-cliquez sur le signet à droite, ou sur l'aperçu présenté en mode Cover Flow.
- **Pour organiser les collections** : Déplacez et repositionnez les signets par des cliquer-glisser. Supprimez-les en cliquant dessus,

touche Ctrl enfoncée, et en choisissant Supprimer, dans le menu contextuel.

- **Pour ajouter un signet à la barre des signets** : Faites glisser l'icône à gauche, dans la barre d'adresse, jusque sur la barre de signets. Attribuez-lui un nom bref puis confirmez par OK. Les signets placés à cet endroit peuvent être repositionnés les uns par rapport aux autres en les faisant glisser. Pour en supprimer un, tirez-le hors de la barre des signets.
- **Pour supprimer un signet** : Sélectionnez-le et appuyez sur la touche Supprimer ou Retour arrière.

S'abonner à des flux RSS

Certains sites Web placent des liens qui permettent de s'abonner – généralement gratuitement – aux flux RSS (*Really Simple Syndication,* agrégation de contenu vraiment simple). Un flux RSS est un bref message qui sert essentiellement à mettre à jour des données qui varient fréquemment : titres de journaux, prix d'articles, cours de la Bourse, nouveaux emplois, blogs...

Vous trouvez dans le volet placé du côté gauche un dossier RSS qui contient par défaut les flux RSS sur l'actualité Apple. Vous pouvez ajouter d'autres flux au fil de votre navigation sur Internet. Ils sont signalés par un petit logo bleu RSS affiché à droite, dans la barre d'adresse du navigateur Safari. Cliquez dessus, et le site vous propose de vous abonner.

Pour lire un flux RSS, cliquez sur le bouton Afficher tous les signets, cliquez sur le dossier Tous les flux RSS, puis double-cliquez sur celui qui vous intéresse. La page Web du flux s'ouvre aussitôt.

Rechercher des pages

Safari intègre le célèbre moteur de recherche Google. Voici comment rechercher rapidement une information sur Internet :

1. **Cliquez dans le champ Google, en haut à droite de Safari.**
2. **Saisissez-y quelques critères de recherche.**

   Par exemple : `clafoutis`.

   TRUC

   Quand vous saisissez un critère de recherche, un panneau Suggestions apparaît sous le champ, et propose différentes variantes de votre recherche. Placez le pointeur de la souris sur l'une d'elles, si elle vous convient, et Safari complète le champ de recherche avec ce critère (Figure 19.4). Cliquez pour valider votre choix et appuyez sur Retour

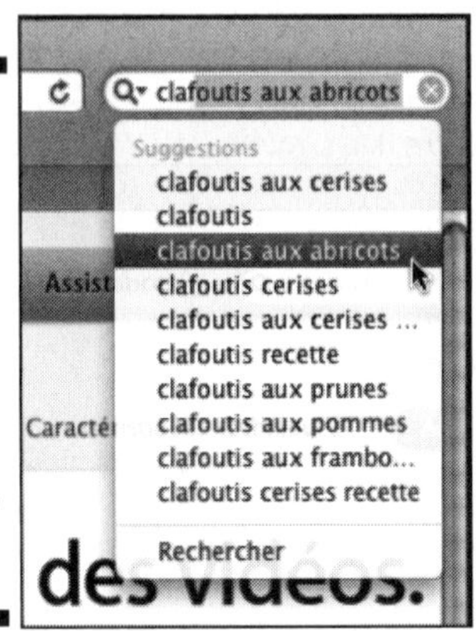

Figure 19.4 : Après avoir tapé les premiers caractères, complétez la saisie en choisissant un critère dans la liste Suggestions, si vous le désirez.

3. **Lancez la recherche en appuyant sur la touche Retour.**

   Google analyse les milliards de données qu'il a indexées en parcourant inlassablement le Web, puis il affiche le résultat de ses recherches.

4. **Examinez la liste des résultats puis cliquez sur celui qui semble correspondre à ce que vous désirez.**

Un clic sur la loupe, à gauche dans le champ Google, déroule un menu local affichant vos recherches récentes.

Changer la page de démarrage

On ne saurait reprocher à Apple de choisir son propre site comme première destination, lorsque vous démarrez Safari. Mais peut-être préférerez-vous une autre page de démarrage, celle du portail de votre fournisseur d'accès, par exemple. Voici comment procéder :

1. **Démarrez Safari puis allez sur le site que vous désirez voir s'afficher chaque fois que vous redémarrerez Safari.**

2. **Dans la barre de menus, choisissez Safari/Préférences.**

3. **Cliquez au besoin sur l'onglet Général.**

   Le contenu de l'onglet est affiché.

4. **Cliquez sur le bouton Utiliser la page active (Figure 19.5).**

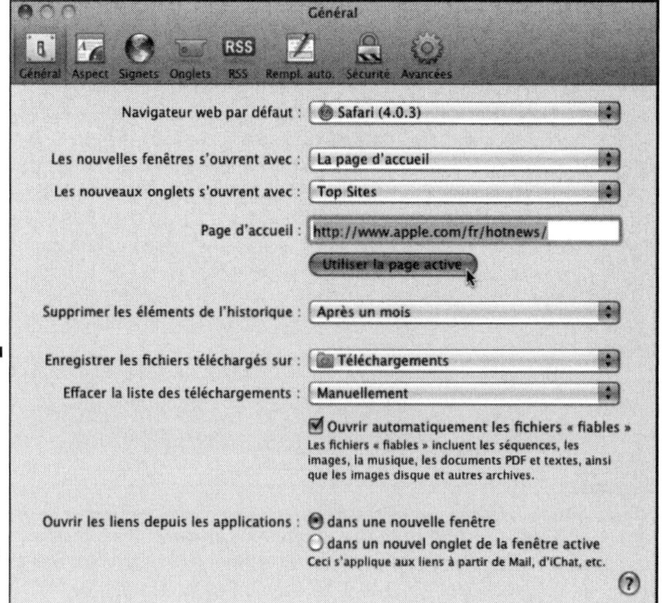

Figure 19.5 : L'adresse de la page d'accueil du site d'Apple va être remplacée par une autre adresse.

L'adresse du site actuellement visité remplace celle présente dans le champ Page d'accueil.

5. **Fermez la fenêtre en cliquant sur son bouton rouge.**

Page de démarrage ou page d'accueil ? La page de démarrage est celle qui s'ouvre quand vous démarrez un navigateur Web. La page d'accueil est la première page d'un site Web.

Les préférences générales contiennent d'autres réglages comme la possibilité de choisir le navigateur Web par défaut si vous en avez installé plusieurs, ou spécifier le dossier de destination des fichiers téléchargés.

Acheter sur Internet

Les sites marchands pullulent sur Internet, et il est même possible de réaliser des économies en trouvant des produits à des prix compétitifs. Peut-être avez-vous quelque appréhension à utiliser votre carte bancaire sur Internet ? Sachez que vous pouvez payer en toute confiance.

Si vous craignez d'utiliser votre carte bancaire, sans doute avez-vous entendu parler de fraudes sur Internet et redoutez-vous que votre carte soit piratée et utilisée par des escrocs. Même si cette crainte est légitime, elle n'est pas fondée. En effet, lorsque vous payez, vous saisissez les informations de votre carte bancaire sur une page sécurisée appartenant à l'organisme bancaire du marchand. Vous pouvez constater que les informations sont échangées sur une zone sécurisée grâce au cadenas qui apparaît en haut à droite de Safari (Figure 19.6). Cette information est confirmée par l'adresse qui commence par `https://` à la place du traditionnel `http://`, où le "s" indique que le site est sécurisé.

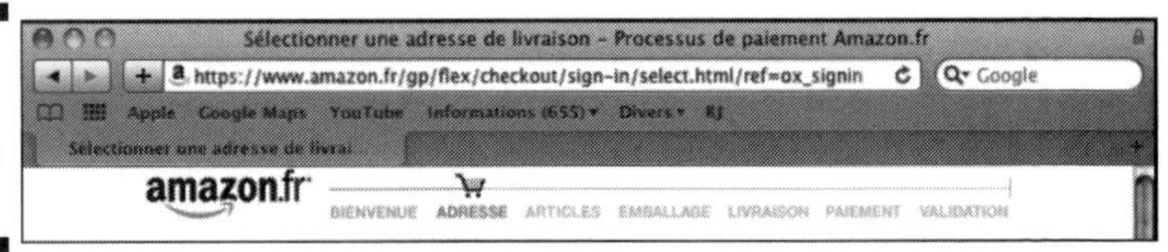

Figure 19.6 : Vous êtes sur une page sécurisée.

Notez que certains sites marchands stockent les informations de votre carte bancaire afin d'accélérer le paiement de vos futures commandes. Là encore, en général, il n'y a aucun souci à avoir.

Une banque n'envoie jamais de courrier contenant un lien, et ne vous demandera jamais vos identifiants, codes et mots de passe. Ni la banque, ni le fisc, ni la police ne vous demanderont jamais des informations bancaires confidentielles. Si vous êtes confronté à un message vous enjoignant de le divulguer, il s'agit d'une tentative d'*hameçonnage*. D'une manière générale, sauf lors du paiement d'une commande, vous n'avez pas à donner les informations de votre carte bancaire (surtout pas votre mot de passe et moins encore le code à quatre chiffres), que ce soit sur Internet ou par téléphone. En revanche, le pictogramme au verso de la carte – en trois chiffres – vous sera systématiquement demandé afin de vérifier que vous êtes bien en possession de la carte bancaire. En cas de doute, prenez contact avec votre banque.

Si vous avez encore des craintes, sachez qu'il existe des cartes bancaires, appelées *e-cartes*, permettant de payer sur Internet en toute sécurité. Lors du paiement, votre banque génère un numéro de carte bancaire à utilisation unique.

Attention à la demande de coordonnées bancaires avant un essai gratuit débouchant sur un abonnement si vous oubliez de renoncer à l'offre avant son expiration. Attention aussi aux abonnements reconduits tacitement (Figure 19.7), aux surcoûts glissés subrepticement dans une commande, comme une assurance contre les pannes ou un support technique pour une gomme et trois crayons. Attention enfin aux offres alléchantes car annoncées hors TVA (la facture sera majorée d'environ 20 %) et au matériel vendu étonnamment bon marché : le vendeur en France transférera votre commande à un partenaire situé dans un autre pays ; frais de douane, manuel en idéogrammes chinois et absence de garantie vous attendent. Et pour finir, vérifiez toujours, calculette à l'appui, le montant de votre commande et comparez-le avec celui annoncé sur le site.

Figure 19.7 : Le marchand se réserve le droit de débiter votre compte de la somme qu'il voudra tant que la carte bancaire sera valide.

Remplir un formulaire sur le Web

Quand vous passez une commande ou quand vous souscrivez à un service, vous devez remplir un formulaire. Pour une commande, vous indiquez vos coordonnées postales pour la livraison.

1. **Le curseur apparaît dans le premier champ; si ce n'est pas le cas, cliquez dans le champ. Saisissez la première information. Pour passer au champ suivant, appuyez sur la touche Tabulation ou cliquez dans le champ. Chaque site possède sa propre manière d'indiquer les champs obligatoires ou facultatifs. Lorsque vous avez terminé la saisie, cliquez le bouton ou le lien permettant de valider le formulaire.**

2. **Si vous validez le formulaire en oubliant des champs obligatoires, un message d'erreur signale l'omission (Figure 19.8). Corrigez le formulaire, puis validez-le de nouveau.**

Figure 19.8 : Vous avez omis de fournir une information obligatoire.

Vérifier l'adresse
Lorsque vous avez terminé, cliquez sur le bouton « Utiliser cette adresse » afin de poursuivre votre commande. Vous pouvez également retourner dans votre carnet d'adresses.

Message important
Il y a un problème avec la soumission de votre adresse. Veuillez remplir tous les champs d'adresse requis.

La saisie semi-automatique

Safari (ainsi que d'autres navigateurs) gère la saisie semi-automatique. Lorsque vous commencez la saisie dans un champ que vous avez déjà rempli, une liste de propositions – ou une proposition unique – s'affiche. Utilisez la flèche vers le bas ou la souris pour sélectionner l'élément que vous souhaitez utiliser pour le champ. Cette fonctionnalité est très utile avec les champs où il faut saisir un nom d'utilisateur et un mot de passe, puisque Safari peut également stocker le mot de passe dans votre Trousseau. Ce mot de passe est alors automatiquement inséré lorsque vous affichez la page concernée.

Lorsque vous utilisez votre propre ordinateur, il n'y a aucun risque à mémoriser des mots de passe. En revanche, dans un lieu public (cybercafé ou autre), veillez à ne jamais laisser le navigateur stocker vos mots de passe.

Utiliser le webmail

Vous êtes en vacances, sans votre ordinateur, mais vous avez accès à Internet et plus particulièrement à un navigateur Web. Savez-vous que vous pouvez consulter votre courrier ? Il est en effet stocké sur le serveur de messagerie de votre fournisseur d'accès Internet, où vous pourrez en prendre connaissance en vous connectant à son site (ou portail).

Vous y trouverez une interface ressemblant à un logiciel de messagerie, contenant des dossiers de réception, d'envoi, etc. Vous accédez à votre courrier avec un simple navigateur Web, que ce soit celui de votre ordinateur, celui de l'ordinateur d'un proche chez qui vous en êtes en visite, ou celui d'un cybercafé sur une plage de Palavas-les-Flots (version *cheap*) ou des Maldives (version bling-bling).

Accéder au webmail

Démarrez le navigateur Web. Dans la barre d'adresse du navigateur, saisissez l'adresse permettant d'accéder au webmail (Figure 19.9). Par exemple, si vous êtes abonné à Orange, vous accéderez au portail de ce FAI (`www.orange.fr`). Après vous être identifié, un lien Messagerie ou Mail ouvrira votre boîte aux lettres. Vous y découvrirez des dossiers intitulés Reçus, Envoyés, Indésirables, Corbeille (le fonctionnement d'une messagerie, Mail en l'occurrence, est décrit au prochain chapitre).

Figure 19.9 : Vous gérez votre messagerie à partir d'un navigateur Web.

Envoyer des courriers électroniques avec le Webmail

Le Webmail permet de créer de nouveaux messages, mais aussi d'y répondre ou de les transférer. Toutefois, lorsque vous utilisez occasionnellement le Webmail, et surtout en déplacement, vous risquez d'être bloqué lors de la création d'un nouveau courrier électronique (ou lors d'un transfert), si vous ne connaissez pas par cœur l'adresse de messagerie du destinataire.

La plupart des services de Webmail offrent un carnet d'adresses dans lequel vous pouvez stocker les coordonnées Web de vos correspondants.

La création d'un nouveau courrier électronique est très simple.

1. **Lorsque vous êtes connecté à votre compte, un bouton permet de créer un nouveau courrier électronique (son emplacement dépend de votre service). Cliquez ce bouton pour créer un nouveau courrier électronique.**

2. **Dans la nouvelle page qui apparaît, vous trouvez les éléments permettant de créer un nouveau courrier électronique. Vous saisissez l'adresse du destinataire, l'objet du message, ainsi que le texte lui-même (Figure 19.10). Lorsque vous aurez terminé, cliquez sur le bouton Envoyer.**

Figure 19.10 : Le Webmail est la meilleure solution pour écrire du bout du monde quand on ne veut pas s'encombrer d'un ordinateur portable.

Vous trouverez également les boutons permettant de répondre aux courriers électroniques, de les signaler comme courrier indésirable si ce sont des messages non sollicités – appelés "spams" dans le jargon des internautes – et de les supprimer.

Créer un blog

Un *blog* est un journal en ligne que vous partagez avec l'ensemble des internautes. Vous pouvez parler de vos passions – par exemple, le jardinage écologique en protégeant les taupes et les hérissons – ou commenter l'actualité d'une plume acerbe, comme on dit du côté de Belgrade.

Un blog se présente comme n'importe quelle page Web. Toutefois, comme c'est un journal, les articles sont datés (non pas vieillots, mais classés chronologiquement). De nombreux sites Web vous proposent de créer votre blog. Certains sites sont payants, d'autres gratuits. Si vous souhaitez vous lancer, essayez sur Blogger.com (Figure 19.11). Vous devrez d'abord créer un compte. Suivez ensuite les instructions.

Figure 19.11 : Vos premiers pas dans la blogosphère...

Il ne vous restera plus qu'à espérer que votre blog sera fréquenté.

Chapitre 20

Le courrier électronique avec Mail

Dans ce chapitre

- Relever le courrier.
- Faire le ménage.
- Envoyer un message.
- Ajouter une adresse au Carnet d'adresses.
- Joindre un fichier.

Livré avec Mac OS X, Mail est un programme de messagerie, c'est-à-dire un logiciel servant à rédiger, expédier et recevoir du courrier électronique. Il vous permet en outre d'enregistrer dans le Carnet d'adresses les adresses électroniques des gens qui vous écrivent, et de les insérer ensuite facilement dans les messages que vous enverrez. Mail est aussi capable, comme toutes les messageries, d'envoyer des pièces jointes.

Pour ouvrir Mail, cliquez deux fois sur son icône depuis le dossier Applications, ou une seule fois depuis le Dock.

Relever le courrier

Mail relève le courrier à la demande, ou automatiquement à intervalles réguliers. Le courrier peut être relevé manuellement de trois manières :

- **En choisissant, dans la barre de menus, BAL/Relever tout le courrier.**
- **En appuyant sur les touches ⌘ + Majuscule + N.**
- **En cliquant sur l'icône Relever, à gauche dans la barre d'outils.**

Pour que la relève du courrier s'effectue automatiquement :

1. **Choisissez Mail/Préférences.**

   La fenêtre des préférences Mail s'ouvre.

2. **Activez si nécessaire l'onglet Générales.**

   L'onglet s'affiche (Figure 20.1).

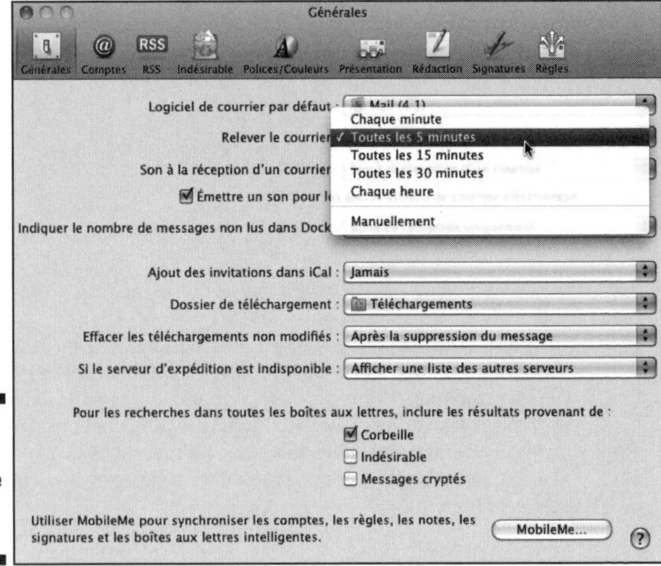

Figure 20.1 : Réglez la fréquence de la relève du courrier.

3. **Sélectionnez, dans le menu local Relever le courrier des comptes, l'option qui vous intéresse.**

   Quand Mail est ouvert, son icône dans le Dock indique, dans une petite pastille rouge, le nombre de messages non lus.

   L'option Manuellement empêche Mail de vérifier le courrier automatiquement.

4. **Fermez la fenêtre.**

Faire le ménage

Ne vous laissez pas envahir par les courriers non sollicités et débarrassez-vous régulièrement des messages dont vous n'avez plus que faire. Vous aérerez vos boîtes aux lettres et libérerez de l'espace sur votre disque dur.

1. **Sélectionnez les messages à supprimer.**
2. **Choisissez Message/Supprimer ou activez l'icône Supprimer de la barre d'outils (Figure 20.2).**

Pensez de temps à autre à cliquer, dans la barre de menus, sur BAL/Effacer les messages supprimés/Sur mon Mac (ou Dans tous les comptes, pour faire aussi le ménage chez tous les utilisateurs du Mac).

Filtrer le courrier indésirable

Les courriers non sollicités – appelés "spams" dans le jargon des internautes – vous agacent ? Utilisez le filtre antispam de Mail. Il détecte puis bloque ces messages dont vous n'avez que faire. Il faudra commencer par apprendre à Mail à identifier ce qui doit être considéré comme du courrier indésirable.

Commencez par choisir Mail/Préférences, cliquez sur l'onglet Indésirable, puis cochez la case Filtrer le courrier indésirable. Sélectionnez d'abord l'option Signaler comme indésirable, mais laisser dans ma boîte de réception.

Ensuite, cliquez sur chaque message que vous considérez comme indésirable et cliquez sur le bouton Indésirable. Il est aussitôt transféré dans le dossier Courrier indésirable.

Quand vous estimerez que le programme en sait suffisamment pour détecter les spams, sélectionnez l'option Placer dans Courrier indésirable, dans les préférences.

L'option Appliquer des actions personnalisées est particulière. Lorsqu'elle est sélectionnée, le bouton Avancé, en bas de la fenêtre, devient accessible. Cliquer dessus affiche un filtre paramétrable dans lequel vous pourrez définir de nombreuses options de redirection du courrier vers tel ou tel dossier créé dans le volet de navigation.

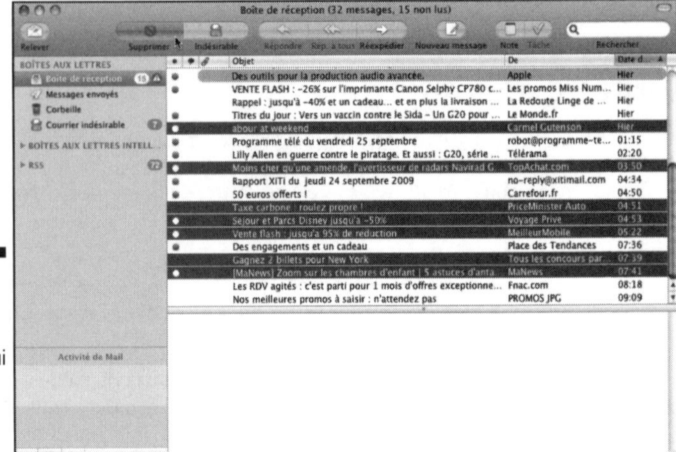

Figure 20.2 : Supprimez tous ces messages qui encombrent votre boîte aux lettres.

Envoyer un message

Voici comment rédiger un message et l'envoyer vers son destinataire :

1. **Dans la barre de menus, choisissez Fichier/Nouveau message ou appuyez sur les touches ⌘ + N, ou encore cliquez sur l'icône Nouveau message, dans la barre d'outils.**

   Une fenêtre intitulée Nouveau message apparaît.

   Mail est doté de modèles (Figure 20.3) permettant d'agrémenter le courrier de couleurs. Pour en sélectionner un, cliquez sur le bouton Afficher les modèles. Sélectionnez ensuite celui qui vous intéresse et illustrez-le éventuellement avec vos propres photos, en les faisant glisser jusque sur les espaces réservés. Cliquez sur Navigateur de photos pour afficher le contenu de votre photothèque iPhoto.

2. **Le pointeur clignote dans le champ À ; saisissez l'adresse du destinataire.**

   Pour envoyer un message à plusieurs destinataires, entrez leurs adresses dans le champ À en les séparant par des virgules.

3. **Saisissez l'objet de votre message dans le champ Objet.**

4. **Cliquez dans la grande zone d'écriture, en bas, et rédigez votre message.**

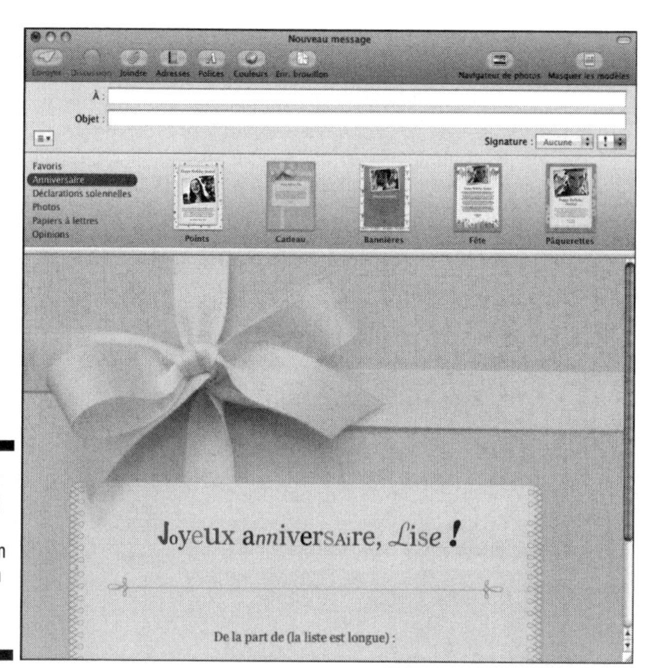

Figure 20.3 : C'est quand même plus sympa qu'un message en mode texte pur et dur.

Normalement, la vérification orthographique en cours de frappe est active. Si ce n'est pas le cas, cliquez sur Édition/Orthographe et grammaire/Vérifier la grammaire et l'orthographe. Ou alors, choisissez Édition/Orthographe et grammaire/Vérifier l'orthographe/Lors de la saisie, si vous préférez ne pas avoir de commentaires pusillanimes sur votre syntaxe.

5. **Pour expédier aussitôt le courrier, cliquez sur Envoyer.**

   Pour placer temporairement le message dans le dossier Brouillons, où vous pourrez le rouvrir pour le modifier et/ou le terminer, cliquez sur l'icône Enreg. brouillon, dans la barre d'outils.

Par la suite, accédez au dossier Brouillons en cliquant sur son nom dans le volet droit de Mail, puis double-cliquez sur le message à réviser. Après l'avoir relu, vérifié, corrigé et complété – rien oublié ? –, cliquez sur le bouton Envoyer.

Ajouter une adresse au Carnet d'adresses

Le Carnet d'adresses du Mac contient vos adresses électroniques. Les coordonnées de vos contacts peuvent être prélevés par différents programmes, comme la fonction de publipostage de Pages, afin de remplir les champs de saisie (soit dit en passant, cette fonction est plus efficace en prélevant les adresses depuis une feuille de calcul Numbers).

Mail se sert du Carnet d'adresses pour y stocker des adresses électroniques, et aussi pour les lire. Par exemple, lorsque vous commencez à saisir le nom d'un destinataire dans le champ À d'un nouveau message, Mail propose toutes les adresses commençant par les lettres que vous êtes en train de taper.

Depuis le Carnet

Pour ajouter une adresse depuis l'application Carnet d'adresses : ouvrez le dossier Applications, puis cliquez deux fois sur son icône. Opérez ensuite comme expliqué à la section "Carnet d'adresses" du Chapitre 12.

Depuis Mail

Sélectionnez un message parmi ceux que vous avez reçus. Choisissez ensuite Message/Ajouter l'expéditeur au Carnet d'adresses, ou appuyez les touches ⌘ + Majuscule + Y. Une fiche est aussitôt créée dans le Carnet d'adresses. Elle contient deux informations : le nom, prélevé dans le champ De du message, et l'adresse électronique.

Notez que si une fiche existe déjà pour le contact, avec des informations différentes ou plus complètes, Mail ne la remplace pas. Il se contente de créer une seconde fiche portant le même nom. À vous de gérer ensuite ce doublon.

Joindre un fichier

Vous voulez envoyer un fichier Pages ou Word avec votre message, ou un tableau confectionné avec Numbers ou Excel ? Pas de problème, car Mail l'enverra conjointement à votre prose, sous la forme d'une pièce jointe.

1. **Ouvrez une nouvelle fenêtre de message.**

Cliquez sur le bouton Nouveau message, dans la barre d'outils de Mail.

2. **Cliquez sur le bouton Joindre, dans la barre d'outils.**

   Le classique sélecteur de fichiers de Mac OS X se déploie.

3. **Localisez le fichier à joindre puis cliquez dessus.**

4. **Cliquez sur Choisir.**

   L'icône du fichier sélectionné apparaît dans la fenêtre de rédaction du message (Figure 20.4).

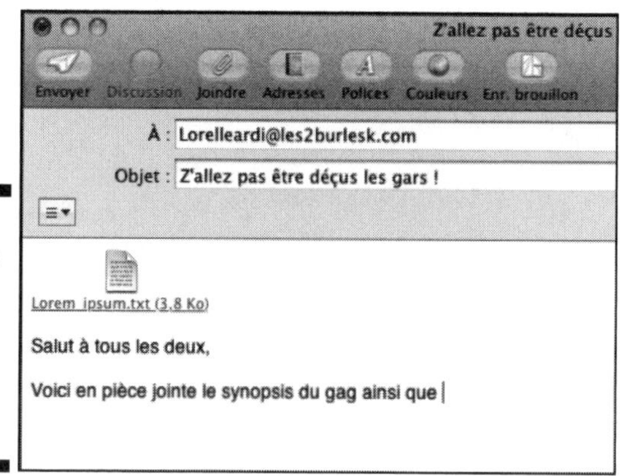

Figure 20.4 : Un message en cours de rédaction. Pour ne pas l'oublier, la pièce est déjà jointe.

5. **Rédigez votre message.**

   Eh oui, il est préférable de joindre d'abord les pièces et d'écrire ensuite. Vous éviterez ainsi, après avoir signé votre littérature, de cliquer sur le bouton Envoyer (et hop !) et vous rendre compte juste après (oups...) que vous avez oublié de joindre le ou les fichiers.

6. **Si nécessaire, répétez l'opération pour joindre d'autres pièces.**

Vous pouvez aussi glisser l'icône de la pièce à joindre directement dans la fenêtre du message.

Vous changez d'avis et ne désirez plus envoyer la pièce désignée ? Cliquez dessus et appuyez sur la touche Retour arrière. Vous pouvez aussi choisir la commande Message/Supprimer les pièces jointes. Attention ! Si plusieurs pièces sont jointes, cette commande les supprime toutes.

Vous remarquerez que les photos et les vidéos que vous joignez à un message apparaissent dans le message. C'est parfois une bonne chose car elles sont immédiatement visibles par le destinataire – la vidéo peut même être lue directement dans le message –, mais parfois, vous préférerez afficher des icônes. Pour ce faire, cliquez, touche Ctrl enfoncée, sur la photo ou la vidéo et, dans le menu contextuel, choisissez Afficher comme icône.

Sixième partie

Les dix commandements

Dans cette partie...

La partie intitulée "Les dix commandements" clôt traditionnellement tous les livres "Pour les Nuls". Nous nous plions de bonne grâce à cette tradition dans le dernier chapitre de cet ouvrage, même si nous avons pris quelques libertés avec le chiffre dix...

Chapitre 21

Optimiser le Mac

Dans ce chapitre :

- Agir à distance : Timbuktu Pro de Netopia.
- Cataloguer des images : Tri-Catalog de Tri-Edre.
- Transférer des fichiers volumineux : Cyberduck.
- Consulter un dictionnaire : *Le Petit Robert.*
- Faire des copies d'écran : Snapz Pro X d'Ambrosia Software.
- Optimiser les polices : Suitcase X d'Extensis.
- Connecter n'importe quelle webcam : Macam.
- Communiquer avec le monde : Skype.

Les programmes et autres utilitaires livrés avec Mac OS X ne suffisent pas à mener à bien toutes les opérations que suppose la gestion d'un environnement informatique au quotidien.

N'hésitez pas à recourir à des logiciels programmés par des sociétés tierces : ils combleront avantageusement ces lacunes.

Agir à distance : Timbuktu Pro de Netopia

Timbuktu est la référence en matière de contrôle à distance. Cet utilitaire vous permet d'agir à distance sur d'autres ordinateurs. Vous commencez par prévenir l'utilisateur du Mac distant, puis vous prenez le contrôle de son ordinateur en affichant son Bureau dans une fenêtre du vôtre. Dès lors, tout vous est autorisé :

- L'accès au disque dur.
- Le démarrage d'une application.
- La modification d'un fichier.

- Le redémarrage de l'ordinateur.
- Les réparations logicielles.

Le logiciel de contrôle à distance Timbuktu existe pour Mac (`www.netopia.com/fr/logiciels/produits/timbuktu/mac/index.html`) et pour PC. Il est en outre capable de dialoguer au sein d'un réseau local, mais aussi sur Internet.

Quelle est la finalité de ce produit ? Il est principalement destiné aux responsables de parcs informatiques, administrateurs réseau et autres gestionnaires de serveurs ainsi qu'aux techniciens qui prennent en charge les services de support aux utilisateurs.

Grâce à lui, tous ces spécialistes peuvent, à tout moment, accéder à votre ordinateur et en prendre le contrôle, total ou partiel. Cet accès leur permet de diagnostiquer rapidement un dysfonctionnement et d'y remédier le cas échéant.

Accessoirement, le programme assure des transferts de fichiers, fonction grâce à laquelle un administrateur réseau peut, sans quitter son poste personnel, installer de nouveaux logiciels sur des disques durs distants. Même si Timbuktu n'est pas un véritable outil de distribution, il s'acquitte honorablement de cette mission, dans les limites de ses possibilités.

Cataloguer les images : Tri-Catalog

Vous aimez les photos ? Vous êtes débordé par leur nombre ? Difficile de gérer ce fouillis sans l'aide d'un programme spécialisé : le *catalogueur.*

Le meilleur est sans doute Tri-Catalog édité par Tri-edre (`www.tri-edre.fr/fr/tricatalog.html`), un gestionnaire d'images multibase et multipartage optimisé pour Mac OS X, dont il tire pleinement parti.

Sa mission ? Analyser automatiquement les volumes (en nombre illimité) et archiver, sous forme de vignettes, les images qu'il y trouve. Par la suite, mettre à la disposition de l'utilisateur des fonctions de tri performantes selon différents critères ainsi que d'autres commandes très utiles (manipulations, exportation, planches-contacts, diaporamas...).

Tri-Catalog commence par créer des vignettes représentant les images et renfermant d'autres informations comme le format d'image, les dimensions, la résolution, etc. La taille de ces vignettes est personnalisable (de 48 x 48 à 256 x 256 pixels). De nombreux formats de fichiers sont reconnus : PICT, TIFF, JPEG, GIF, EPS, BMP...

La grande force du programme est qu'il conserve toutes les données requises pour la visualisation des fichiers sans accès au support d'origine. Fabuleux ! Vous avez réparti vos images de-ci de-là, sur des CD, dans des clés USB, sur des disques durs internes et externes... Vous les retrouverez rapidement car Tri-Catalog a indexé les informations nécessaires pour les trouver et les visualiser. Il est notamment capable de :

- Afficher les images sous forme de vignettes ou en taille réelle.
- Les renommer.
- Les annoter.
- Les manipuler (déplacements, rotations, recadrages...).
- Les trier selon toutes sortes de critères (titre, poids, format, résolution, dimensions, date de création...).
- Les exporter sous différents formats, HTML notamment.
- Détecter les doublons.
- Imprimer des planches-contacts.
- Créer des diaporamas.

Transférer des fichiers volumineux : Cyberduck

Vous ne parviendrez jamais à transmettre de gros fichiers avec Mail, car la plupart des fournisseurs d'accès limitent la taille totale des pièces jointes à 5 ou 10 méga-octets. Autant dire que vous n'enverrez qu'une ou deux photos prises avec un compact, et aucune prise avec un reflex haut de gamme.

Pour envoyer des fichiers volumineux, vous pouvez recourir à des sites spécialisés. Par exemple, le site Free (`http://dl.free.fr`) laisse à disposition des internautes un espace gratuit par lequel vous pourrez faire transiter d'énormes fichiers, jusqu'à 1 giga-octet par le Web, et même 10 Go si vous possédez un logiciel de transfert FTP (*File Transfert Protocol*). Rappelons en passant que l'application iChat, décrite au Chapitre 12, en possède un, appelé iChat Theater.

L'un des logiciels de transfert FTP les plus agréables à utiliser est sans doute Cyberduck (www.cyberduck.ch). Comme pour tout logiciel du même genre, vous devez lui fournir trois informations :

- L'adresse du serveur auquel vous désirez vous connecter, c'est-à-dire l'ordinateur distant sur lequel vous déposerez les données.
- Votre nom d'utilisateur (celui pour accéder au serveur, et non celui de Mac OS X).
- Votre mot de passe pour accéder au serveur.

  Ces informations vous sont communiquées par l'administrateur du serveur.

L'interface de Cyberduck ressemble un peu à une fenêtre du Finder. Après avoir établi la connexion avec le serveur, elle montre les dossiers et les fichiers qui s'y trouvent.

L'envoi des fichiers de votre ordinateur vers le serveur est des plus simple : déposez-les dans la fenêtre de Cyberduck comme vous le feriez si c'était un dossier de votre Mac, et les données sont aussitôt acheminées.

Consulter un dictionnaire : Le Petit Robert

Vous avez la passion des mots ? Achetez le *Petit Robert* édition électronique (NdT : *Le Grand Robert,* référence incontestée en la matière, n'existe hélas qu'en version Windows).

C'est ce bon vieux *Robert* (http://lerobert.customers.artful.net/) tel que vous le connaissez, mais équipé de tous les services que l'on est en droit d'attendre d'une version numérique ! De quoi se laisser dériver mollement dans une mer de mots au fil du lexique.

Trois installations sont proposées : minimale, partielle ou complète, soit 10, 20 ou 560 Mo sur le disque dur. Choisissez selon la place disponible, sachant que seule l'installation complète permet d'écouter les extraits de citations et de faire prononcer les mots prêtant à confusion. Une fois le dictionnaire installé sur le disque, inutile par la suite d'introduire le CD pour y accéder.

Dans la fenêtre principale qui correspond au dictionnaire proprement dit, vous apprécierez le confort d'utilisation du produit. Les éditeurs se sont attachés à créer une interface sobre et ont résolument mis l'accent sur la convivialité de l'outil.

Saisissez les premières lettres d'un mot dans la case d'édition prévue à cet effet. Une nomenclature complète s'affiche, regroupant tous les termes répertoriés commençant par les caractères saisis. Le programme vous autorise aussi à retrouver un mot à partir d'une orthographe approximative.

Une palette flottante vous garantit l'accès à plusieurs fonctions bureautiques (copier-coller, zoom, impression...) ou de navigation (recherche, atteindre le mot suivant...).

Vous voulez en savoir plus ? Exploitez la barre de boutons thématiques. Elle vous renverra vers des tableaux de conjugaisons ou vous affichera des infos concernant le genre et le nombre des substantifs, leur étymologie, leurs homonymes... Vous y trouverez aussi des exemples d'emploi ainsi que des listes d'expressions, de locutions et de proverbes dans lesquels le terme recherché intervient.

N'hésitez pas non plus à mettre en œuvre les paramétrages suivants : choix des polices, fonction loupe, gestion d'annotations et Explorateur autorisant des recherches avancées selon divers critères (phonétique, étymologie, citations...). Une vraie caverne d'Ali Baba.

Faire des copies d'écran : Snapz Pro X d'Ambrosia Software

Pour les copies d'écran, vous savez déjà que vous pouvez faire appel à Capture (Chapitre 13). Mais ses possibilités sont limitées. S'il ne vous suffit pas, tournez-vous vers Snapz Pro X, le maître incontesté de la capture d'écran sous OS X.

Ce remarquable outil continue de fonctionner comme par le passé : vous le mettez en service sur simple activation d'un raccourci clavier que vous avez défini. Dès que vous le sollicitez de la sorte, il s'affiche sous la forme d'un panneau de configuration qui flotte au premier plan.

Ce panneau regorge d'options selon la nature de la capture à effectuer.

Les boutons du haut du volet Snapz Pro X vous permettent de ponctionner tout l'écran, un objet que vous désignez par clic (fenêtre, rubrique, barre des menus...) ou encore une zone que vous sélectionnez par cliquer-glisser.

Par défaut, le programme stocke les fichiers graphiques des captures dans le dossier Pictures de votre compte utilisateur, mais rien ne vous empêche de désigner une autre destination.

Côté format, vous n'avez que l'embarras du choix : TIFF, PICT, BMP, GIF, JPEG, PDF...

D'autres options sont disponibles, comme la possibilité de créer une vignette ou d'ajouter une mention dans un coin de l'image, le tout en quelques clics de souris.

Le programme va plus loin : il est capable d'enregistrer, sous la forme d'une séquence QuickTime, tout ce qui se passe à l'écran. Il suffit de valider le quatrième bouton de la fenêtre principale, Movie, de désigner la zone cible de l'écran et de fixer le nombre d'images par seconde. Et c'est parti ! Vous pouvez commenter vos mouvements et enregistrer ces commentaires. Un outil idéal pour les formateurs.

Bref, une application de référence, tout à la fois souple et conviviale.

Optimiser les polices : Suitcase X d'Extensis

Si l'application Livre des polices de Mac OS X vous semble insuffisante, recourez à un programme comme Suitcase. Que propose-t-il de plus ? Entre autres :

- Il organise les innombrables polices de caractères présentes dans votre Mac.

  Il supporte notamment les polices OpenType et TrueType.
- Il détecte, remplace ou supprime les polices endommagées.
- Il active automatiquement les polices selon les applications.
- Il rassemble dans un dossier spécifique une copie des polices nécessaires au flashage d'un fichier produit par un logiciel de mise en page.

Vous voulez en savoir plus ? Visitez le site www.extensis.com.

Connecter n'importe quelle webcam : Macam

Les webcams pour Mac sont assez rares alors que l'offre pour PC est pléthorique, ce qui favorise la webcam iSight d'Apple.

Si vous flashez sur une webcam pour PC, ou si vous en avez une qui dort au fond d'un tiroir, vous l'utiliserez facilement avec votre Mac grâce à un utilitaire gratuit, Macam, téléchargeable à cette adresse :

http://webcam-osx.sourceforge.net/. Il existe en français et à l'heure où ces lignes étaient écrites, il reconnaissait pas moins de 774 modèles de webcams, dont 460 sous Mac OS X ! C'est vraiment une iBonne nouvelle !

Communiquer avec le monde : Skype

L'application iChat est bien agréable, mais la grande majorité des personnes désireuses de communiquer avec des proches éparpillés de par le monde préfèrent Skype (www.skype.com/intl/fr/), un logiciel de téléphonie gratuit utilisé par des millions d'internautes.

Son point fort est la prise en charge de la vidéophonie, pour peu que le Mac soit équipé d'une webcam.

L'interface de Skype signale si vos correspondants sont actuellement connectés à l'Internet, et donc joignables. Pour préserver leur tranquillité, ils peuvent d'un seul clic se rendre injoignable, mais continuer néanmoins à recevoir des messages textuels (de votre côté, vous pouvez en faire autant pour préserver votre vie privée) qui leur apprendront que vous avez essayé de les contacter.

Index

A

B

C

D

E

F

G

H

I

J

K

L

M

N

O

P

Q

R

S

T

U

V

W

X

CPI
Aubin Imprimeur

Achevé d'imprimer en janvier 2010
N° d'impression L 73482
Dépôt légal, janvier 2010
Imprimé en France